CW00428465

HA' BACH

EIGRA LEWIS ROBERTS

GOMER

Argraffiad Cyntaf — Mehefin 1985

ISBN 0 86383 000 0

Dymuna'r cyhoeddwyr gydnabod cymorth a chyfarwyddyd Adrannau'r Cyngor Llyfrau Cymraeg a noddir gan Gyngor Celfyddydau Cymru.

Argraffwyd gan J. D. Lewis a'i Feibion, Cyf.,
Gwasg Gomer, Llandysul, Dyfed.

Diolch i'r Dr. Gwyn Thomas am fwrw golwg dros y teipysgrif ac i'r Foneddiges Amy Parry Williams am ganiatad i gynnwys dyfyniad o'r gerdd *Celwydd*.

Daeth Haf Bach Mihangel trwy weddill yr ŷd,
Yn llond ei groen ac yn gelwydd i gyd.

Adwaen ei driciau bob yr un,—
Ei ddynwaredwr wyf i fy hun.

(*Celwydd*: T. H. Parry Williams)

RHAGARWEINIAD

Ha' côt ac ambarel a gawsai trigolion Trefeini. Nid fod hynny wedi mennu fawr ar bobl Minafon. Yn ei swydd newydd fel gofalwr y parc croesawai Dei Elis y cawodydd mynych a'r pelydrau haul fel ei gilydd ond prin y sylwai Gwen ar y naill na'r llall wrth iddi bicio'n aml i Stryd Capal Wesla i gael ei bwydo â stori a sgandal gan Magi Goch. Byddai haf Emma Harris wedi bod yn ddiflastod llwyr oni bai iddi fod mor eangfrydig ag ailgynnau'i chyfeillgarwch â Madge Parry. Ni chawsai Eunice a Brian fawr o lwc ar eu gwyliau yn Aberystwyth chwaith wrth symud dow-dow o un lloches i'r llall, Brian yn dotio at ynni a nerth y môr ac Eunice yn cymryd ei chas ato am ei fod mor bowld.

Yn Cartref, rhif un, Minafon, nid oedd wahaniaeth yn y byd gan Mati petai'n glawio hen wragedd a ffyn bob dydd ond iddi gael yr haf drosodd, gynted ag oedd bosibl. Roedd blwyddyn bellach er pan fu farw Lena ond daethai gobaith newydd i Mati pan roddodd lety i Emyr Morgan, yr athro ifanc a ddaethai i ddysgu i Ysgol Y Graig. Yn rhif dau, ni allai Pat fod wedi dygymod â chael y plentyn o dan draed ddiwrnod ar ôl diwrnod oni bai am ymweliadau mynych Os.

A rŵan fod yr haf yn tynnu tua'i derfyn, daethai'r haul a fu'n chwarae mîg efo nhw allan o'i guddfan, yn fawr a beiddgar a phryfoclyd. Roedd hi'n ymddangos fod pobl Minafon am gael hoe braf cyn gorfod wynebu'r gaeaf. Ond, fel y byddai mam Gwen Elis yn arfer dweud — 'Llwynog o beth ydi ha' bach.'

Yr Hydref wedi'r Mehefin

Llond dwrn yn unig a ddaethai ynghyd i angladd Lena Powell, a hynny nid yn gymaint i dalu'r gymwynas olaf i un nad oedd erioed wedi disgwyl dim gan neb, ond o barch tuag at Mati Huws. Chwiorydd Calfaria oedd y mwyafrif, i gyd ar eu pensiwn ac yn hen gyfarwydd ag angladdau. Ac er nad oedd Lena Powell ond aelod mewn enw, ac heb roi ceiniog tuag at yr Achos er pan oedd hi'n blentyn yn yr Ysgol Sul, yr oedd eu hystum a'u hymddygiad yr un mor barchus â phetai ei henw ar ben rhestr y cyfranwyr yn yr Adroddiad Blynyddol. Onid oedd yr hogan (a hogan oedd hi, iddyn nhw) wedi cael ei thrin yn egar? Dim rhyfedd i'r hen salwch yna fagu ynddi hi. Dod i gladdu'r 'beth fach anffodus' wnaethon nhw, ac nid y Lena Powell a allai eu rhewi ag un edrychiad. Ond hyd yn oed wedyn, go brin y bydden nhw wedi gwneud yr ymdrech oni bai am Mati.

Er mwyn Mati, hefyd, y bu'r gweinidog yn chwysu uwchben ei deyrnged. Gwyddai ef yn well na neb am y pwysau a fu arni o ddechrau'r haf i'w ddiwedd. Ar ei chyfer hi y bwriadwyd y clod a'r cysur. Ond ni chlywsai Mati mo'r naill na'r llall. Crwydrai ei meddwl, i ddilyn ei llygaid, dro ar ôl tro, i gyfeiriad giât y fynwent.

Â'r gwasanaeth yn tynnu tua'i derfyn, closiodd yr eneth a safai wrth ei hochr tuag ati a sibrwd,

'Waeth i chi heb, nain. Ddaw o ddim bellach.'

Yn araf, trodd Mati a syllu i wyneb a oedd fel drych i un Lena.

'Na ddaw, debyg,' meddai.

Ei edmygedd o Arthur, tad Lena, fel un o'r crefftwyr gorau a welodd Chwarel y Rhosydd erioed a ddaethai â Dei Elis i'r angladd. Safai ef a Hyw Twm ar y cyrion, fel rhai gwahanglwyfus, y naill mor anghyfforddus â'r llall.

O'r pellter diogel, gwyliodd Dei Mati'n oedi wrth erchwyn y bedd wedi i weddill y galarwyr gilio, nes y daeth Gwyneth i fyny ati a phlethu'i braich am ei braich hi. Braidd yn hwyr yn y dydd ydi hi i hynna, 'ngenath i, meddyliodd. Gwyliodd y ddwy'n gadael y fynwent a Gwyneth yn mesur ei chamau i weddu i rai Mati. Sylwodd fod Hyw Twm yn dilyn hynt y ddwy, fel yntau.

'Mati druan,' meddai. 'Mae hyn wedi deud yn arw arni hi. Fedron nhw roi gwybod i Dic Pŵal tybad?'

Wrth iddo wylio'r ychydig geir yn diflannu i gyfeiriad Trefeini diffoddodd y gobaith a fu'n mud losgi yn Hyw Twm ers tridiau. Rhythodd ar Dei ac meddai,

'Wn i ddim o'i hanas o. 'D ydw i isio dim byd i 'neud efo'r bastard uffarn.'

PENNOD 1

Dydd Gwener, Medi'r 2il

1

Safai Gwen Elis yn ddiamcan yn nrws ei thŷ. Crwydrai ei llygaid i fyny ac i lawr Minafon, gan chwilio pob twll a chornel am arwydd o fywyd, ond yr oedd pob drws wedi ei gau'n glòs a phawb yn eu tyllau, fel cwningod. Ochneidiodd Gwen, yn ddwfn ac yn hir. Bu'n picio'n ôl a blaen fel hyn sawl tro yn ystod y prynhawn, heb fod ddim elwach. A rŵan fod hwnnw'n tynnu tua'i derfyn ni fyddai waeth iddi folltio'r drws a dweud ta-ta wrth y diwrnod ddim.

Ond fel yr oedd hi'n camu i'r tŷ gwelodd Pat, rhif dau, yn rhugno'r goits gadair yn erbyn y wal wrth iddi gymryd y tro am Finafon. Prysurodd Gwen i'w chyfarfod a'i llygaid yn gloywi. Cael a chael oedd hi, ond llwyddodd i'w dal cyn iddi gyrraedd y drws.

'Pnawn braf, Pat.'

'O . . . ydi,' yn ddi-ffrwt.

'Ond fedrwch chi mo'i drystio fo'r adag yma o'r flwyddyn.'

Syllodd Pat yn ddiddeall arni.

'Pwy?'

'Yr haul 'te. Mi fydda mam yn deud bob amsar ma' llwynog o beth ydi ha' bach.'

Daeth gwaedd sydyn o'r goits nes peri i Gwen gymryd cam yn ôl a tharo'i sawdl yn erbyn y wal.

'Be sy'n 'i boeni o 'dwch?' holodd, yn bigog.

'Isio cerddad mae o.'

'Hy! Mi fedar gyfri'i fendithion. Mi fyddwn i'n ddigon bodlon newid lle efo fo, i arbad dipyn ar 'y mhegla.'

Dechreuodd y bychan gicio a strancio yn yr ymdrech i'w gael ei hun yn rhydd. Ceisiodd Pat ei wthio'n ôl ar ei eistedd ond ni wnaeth hynny ond ei yrru'n saith gwaeth.

'Tempar, tempar,' dwrdiodd Gwen, gan syllu'n bryderus ar y goits a oedd mewn perygl o ddymchwel unrhyw funud.

'Mae 'na waith trin arno fo, Pat.'

'Oes.'

'A chitha'ch hun. Dal i ffwrdd mae'r gŵr ia?'

'Mae o'n dŵad adra bob penwythnos.'

'Ond 'd ydi hynny ddim 'r un fath, yn nac ydi? Mae ar hogyn fel 'ma angan 'i dad.'

Rhoddodd Pat hwb ymlaen i'r goits nes gorfodi Gwen i symud i'r naill ochr.

'Mae'n rhaid imi fynd,' meddai. 'Mi fydd Les adra toc.'

'Mi 'dach chi wedi cael 'siampl o ŵr, Pat. Mi fydda Minafon 'ma'n dipyn rheitiach lle 'tae 'na ragor 'r un fath â fo.'

Gwenodd Pat yn wannaidd. Gwyliodd Gwen hi'n ffwdanu efo'r allwedd, yn fodiau i gyd. Yna, gwthiodd y drws yn agored ac heb air ymhellach llusgodd y goits i'w chanlyn i'r cyntedd gan sgriffio paent y drws efo echel yr olwyn.

Â sgrechian y plentyn yn atseinio'n ei chlustiau aeth Gwen, hithau, am adref a'i bryd ar roi ar ddeall i Dei, ar y cyfle cyntaf, mor ffodus oedd o o'i gymharu â'r Mr Owens bach 'na.

2

Ar y pryd, byddai cefnogaeth Gwen Elis wedi bod o gysur i Leslie. Bu'r siwrnai o Aberystwyth yr un mor ddiflas ag arfer ond y milltiroedd olaf oedd y rhai mwyaf llethol bob amser. Oherwydd y trymder, bu'n rhaid iddo dynnu'i gôt a llacio'i goler, er mor gas oedd ganddo wneud hynny. Diolch i'r drefn, meddyliodd, na fyddai'n rhaid iddo oddef y daith hon yn hir eto.

Fel y nesâi'r trên am Drefeini cofiodd i Pat addo dod â Robert i'w gyfarfod i'r orsaf. Botymodd ei grys, sythodd ei dei, a gwisgodd ei gôt. Byddai ei fam yn mynnu bob amser nad oedd dyn yn werth ei adnabod os nad oedd o'n daclus o gwmpas ei wddw. Wrth i'r trên arafu syllodd yn obeithiol trwy'r ffenestr, ond yr oedd yr orsaf yn wag. Dylai wybod yn well na rhoi coel ar Pat. Be fyddai'r esgus y tro yma, tybed?

Prin y cafodd roi ei wadnau ar y platfform nad oedd y trên wedi ailgychwyn. Mae'n amlwg nad y fo oedd yr unig un na allai aros i gefnu ar Drefeini.

Wrth iddo adael yr orsaf, sylwodd fod merch yn sefyll yn nrws yr ystafell aros. Craffodd i'r cysgodion, a'i hadnabod.

'Mi 'dach chi wedi colli'r trên mae arna i ofn, Mrs Murphy,' meddai.

'Dim ond digwydd pasio 'ro'n i.'

Safodd y ddau yn gwylio'r trên yn toddi i'r pellter.

'Codi awydd arnoch chi i fynd i grwydro, ydi?'

Nodiodd Eunice.

''D ydw i'n synnu dim. Mae'r lle 'ma'n ddigon i droi ar rywun.'

'A'r bobol.'

Tawodd Eunice yn sydyn. Beth a wyddai un nad oedd ond yn picio i mewn ac allan am yr anobaith o syllu heb allu cyffwrdd, o fod o fewn tafliad carreg i ryddid ac heb allu cymryd cam tuag ato?

Fe'i gwyliodd yn symud oddi wrthi—dyn a wyddai i b'le roedd o'n mynd a sut i gyrraedd yno ac un na châi byth ei adael yn sefyll ar blatfform gwag. Teimlodd Eunice y dagrau yn procio y tu ôl i'w llygaid a rhoddodd iddynt y rhyddid a oedd y tu hwnt i'w chyrraedd hi.

3

Daeth Hyw Twm i'r gegin a chael Magi'n eistedd wrth y bwrdd yn cyfri'i harian. Eisteddodd yntau gyferbyn â'i lygaid wedi eu hoelio ar y pentwr papurau.

'Oes gen ti ddim byd gwell i 'neud?' holodd Magi, yn bigog.

'Waeth imi aros tan ar ôl swpar bellach.'

'Aros byddi di. 'D oes gen i ddim amsar i foddran efo hynny heno. Mae 'na reitiach petha'n galw.'

Unrhyw funud rŵan byddai'n estyn am ei llyfr cownt a'r pecyn biliau. Byddai'n rhaid iddo achub y blaen arni cyn iddi fynd i'r afael â'r rheini.

'Tyd â benthyg puntan imi, Magi.'

'Mi wyt ti wedi cael dy lwans am yr wythnos.'

'Weli di mo'i cholli hi.'

'Yli . . . mi 'dw i wedi chwysu am rhain, dallta.'

'Mi wyt ti'n lwcus fod gen ti waith,' yn surbwch.

'Hy! Mentro 'mywyd yn yr hen syrjeri afiach 'na . . . y lle'n berwi o germs, fel gwybad.'

Llyncodd Hyw Twm ei boer, yn niffyg dim arall. Dyna hi wedi canu arno fo rŵan. Cododd i estyn cwpaned o ddŵr iddo'i hun. Ni allai Magi ddannod hwnnw iddo, siawns. Ond cyn iddo allu gwlychu'i wefus daeth cnoc ar ddrws y cefn.

'Jane Ann sydd 'na. Dos i agor iddi hi.'

Taflodd Hyw Twm y dŵr i lawr y sinc. Gallai wneud efo rhywbeth amgenach na diod adar bach.

'Mi 'dw i'n mynd 'ta,' meddai.

'I b'le felly?'

'I hel mwyar duon.'

Pan glywodd Magi'r llais o'r gegin cythrodd am yr arian a'i fwndelu i ddrôr. Erbyn i Gwen gyrraedd y gegin roedd y bwrdd yn wag a Magi ar ei phengliniau ar lawr yn chwilio am y darnau mân a ollyngodd yn ei ffrwcs.

'Deud dy badar wyt ti?'

Cododd Magi'n sydyn, nes teimlo'r gwaed yn ffrydio i'w phen.

'O, chdi sydd 'na, Gwen.'

'Pwy ddyliast ti oedd 'na?'

'Disgwyl Jane Ann draw ydw i. Mae 'na Bingo yn y Ganolfan heno. Wyt ti am aros?'

'Wn i ddim wir.'

'Plesia dy hun. Mynd i 'neud panad o'n i.'

Goleuodd wyneb Gwen ryw gymaint.

'Waeth imi hynny ddim ar ôl dŵad cyn bellad,' meddai.

'Rho dy din i lawr 'ta.'

Pletiodd Gwen ei cheg. Roedd yna duedd amrwd yn Magi, meddyliodd. Ond er ei bod hi â'i phump ym mrwas pawb a'i thafod yn cyfateb i'w chorff roedd yma o leia lond grât o dân a phaned barod.

'Wn i ddim be mae'r Hyw Twm 'na'n 'i 'neud drwy'r dydd,' cwynodd Magi, wrth ymbalfalu am gwpanau mewn llond sinc o lestri budron.

'Siawns na fedar o 'neud rwbath.'

Sythodd Magi i'w llawn hyd a'i gwrychyn yn codi.

'Nid pawb sydd mor lwcus â Dei . . . camu'n syth o un job i'r llall,' meddai'n filain.

'Cadw'i lygaid yn 'gorad ddaru Dei 'te. 'D ydi gwaith ddim yn disgyn fel manna o'r nefoedd 'sti.'

'Fel be?'

'Mi fydda'n rheitiach iti ddarllen dy Feibil na mynd i'r ogof lladron 'na.'

'A lle ydi fan'no, mwyn tad?'

'Y Bingo 'na 'te.'

'Be wyddost ti am y lle?'

'Dim . . . drwy drugaradd.'

'Pam na ddoi di yno efo ni, iti gael agoriad llygad?'

'Dim peryg. "Na ro dy arian ar usuriaeth".'

'Us be?'

'Usuriaeth . . . gamblo . . . chwarae siawns.'

'Be wyt ti'n 'i feddwl . . . chwara? Mae isio pen i Bingo 'sti.'

Pen wir! Pe baen nhw i gyd yn mynd yno heb eu pennau fydden nhw ddim mymryn gwaeth allan. Ond daliodd Gwen ei thafod, am unwaith, rhag digwydd i Magi ddial ei llid arni a'i gadael heb lymaid.

Roedd hwnnw, pan gyrhaeddodd, yn werth aros amdano er gwaetha'r crac yn y gwpan. Closiodd Magi at y tân. Lledodd ei choesau nes bod ei sgert yn codi dros ei chluniau.

''D ydi o ddim ots gen ti weld dipyn o goes, yn nac ydi, Gwen?' holodd.

Eisteddodd Gwen yn ôl yn ei chadair gan wasgu'i phen-gliniau'n dynn. Sipiodd ei the'n sidêt gan ofalu cadw'r crac ar dro oddi wrthi.

'Wyddost ti fod Mati Huws wedi codi allan?' holodd Magi.

'Nac 'di rioed. Welis i ddim golwg ohoni drwy'r ha'.'

'Y lojar sy'n dŵad yn 'i ôl 'te . . . yr ysgol yn dechra ddydd Llun. On'd oes ganddi hi fyd efo fo?'

'Mwy na fuo ganddi hi rioed efo'i phlant 'i hun.'

'Lle rhyfadd sy' ym Minafon 'cw, Gwen.'

'Mi 'dw i wedi trio 'ngora i gael rhyw drefn arno fo, ond 'd ydw i fawr elwach.'

'O leia mae o rywfaint iachach heb y Dic Pŵal 'na. Nid fod gen i fawr i'w ddweud wrth 'i wraig o . . .'

'Heddwch i'w llwch hi . . .'

'Ond mi fasat yn meddwl y bydda fo o leia wedi dangos 'i drwyn yn yr angladd. Yr hen sgerbwd budur iddo fo. Mi fuo ond y dim iddo fo ag andwyo Hyw Twm am byth. 'D ydi o ddim gwell na llofrudd. Beth bynnag ydi Hyw Twm, mae o'n fy mharchu i. A 'd ydi o rioed wedi cyffwrdd blaen 'i fys yna i.'

'Na Dei chwaith.'

Dim ond yr un tro hwnnw, meddyliodd Gwen; yr un tro pan alwodd o hi'n ddynes ddrwg. Gallai deimlo pwysau ei fysedd ar ei hysgwydd rŵan. Byddai wedi rhoi'r byd am gael gwybod be oedd y Katie Lloyd 'na wedi'i ddweud amdani i beri iddo'i thrin felly. Ond ni allai'r hen sarff wenwynig wneud rhagor o lanast. Roedd hi'n ddigon pell, diolch i'r drefn. Wedi mynd yn ôl i'r hen ardal, medden nhw. Gobeithio'r annwyl y byddai'n aros yno. O, oedd, roedd Minafon wedi cael gwared â pheth wmbredd o 'nialwch erbyn meddwl.

Cododd arogl llosg i ffroenau Gwen Elis.

'Mi wyt ti'n deifio, Magi.'

Heb gynnwrf yn y byd, tynnodd Magi ei thraed fodfedd yn nes ati.

'Llosg eira gei di 'sti.'

Cewciodd Magi arni dros ymyl ei chwpan.

'Fy nghoesa i ydyn nhw 'te,' meddai.

4

Agorodd Pat y drws y nos Wener honno i weld Os yn sefyll yno a'i focs ceir o dan ei gesail.

'Babi?' holodd.

Ysgydwodd Pat ei phen gan daflu golwg nerfus dros ei hysgwydd.

'Na, ddim heno.'

Ond ni wnaeth Os osgo symud. Clywodd Pat Leslie'n galw arni o'r gegin.

'Dos di adra rŵan, Os,' meddai'n erfyniol.

Tybiodd iddi glywed sŵn traed yn dod am y cyntedd a chaeodd y drws yn glep.

Am weddill y min nos bu'n ofni yn ei chalon glywed cnoc arall. Ni chymerai mo'r byd â chau'r drws arno eilwaith. Yr oedd wedi llwyddo i'w gadw draw hyd yn hyn pan fyddai Les gartref ond anghofiodd ei rybuddio heddiw.

Cofiodd fel y bu iddo alw yn fuan wedi iddi ddod o'r ysbyty. Rhoesai ei weld yn sefyll yno ysgytwad iddi. Ond ni chymerodd y sylw lleiaf ohoni, dim ond rhythu heibio iddi ar y bychan a oedd ar y pryd ar wastad ei gefn ar lawr y gegin wedi ymroi i un o'i byliau aml o sterics.

'Helo, babi,' meddai.

Gwthiodd heibio iddi â'i freichiau'n agored.

'Tyd, babi.'

Stryffagliodd Robert ar ei draed. Gan siglo'n beryglus ar ei goesau pwt, camodd yn syth i freichiau Os.

Sawl tro yn ystod y misoedd diwethaf yr oedd hi wedi diolch am gael bod yn llygad-dyst o'r cyfarfyddiad hwnnw a'r cyfeillgarwch a darddodd ohono? Sawl tro yr oedd hi wedi rhyfeddu at addfwynder ac amynedd Os a'i allu i roi i'r bychan yr hyn na allai hi byth ei gynnig iddo?

A dyna hi rŵan wedi ei wrthod a'i droi i ffwrdd. Beth petai wedi digio? Beth a ddeuai o Robert a hithau hebddo? Cadwodd ei gofid hi'n effro ymhell i'r nos. Crogai'r penwythnos trosti'n gwmwl bygythiol ac ymddangosai'r bore Llun yn arswydus o bell i ffwrdd.

5

Eisteddai Emma Harris a Madge Parry o boptu'r tân yn rhif saith. Crwydrai llygaid Emma, er ei gwaethaf, i gyfeiriad y bachgen a swatiai ar yr aelwyd, yn chwarae efo'i geir bach. Er ei bod yn ymwelydd cyson yma bellach ni allai yn ei byw deimlo'n gyfforddus yn ei gwmni o gofio'r noson erchyll honno y gorfododd Katie Lloyd hi i rannu baich na châi byth mo'i wared.

'Yli, mam.'

Cododd Madge o'i chadair ac aeth i eistedd efo Os. Gwenodd ar Emma, yn awyddus, fel bob amser, i'w thynnu hi i mewn i'r cylch.

'Dei sydd wedi dŵad â char bach newydd i Os. Be wyt ti'n 'i feddwl ohono fo, Emma?'

'Del iawn.'

Roedd hi eto i ddygymod â chlywed Madge yn sôn mor agored am Dei Elis. I feddwl ei fod wedi llwyddo i daflu llwch i lygaid pawb am yr holl flynyddoedd. Beth bynnag oedd Gwen Elis, go brin ei bod hi'n haeddu hyn.

'Amsar gwely rŵan, Os. Rho di'r car coch yn y garej tan bora.'

Yn boenus o araf, cadwodd Os y ceir bach fesul un ac un. Rhoddodd gusan i'w fam cyn cychwyn am y cyntedd a'r bocs ceir o dan ei gesail.

'Deud nos da wrth Emma,' galwodd Madge. Ond ni chymerodd Os arno ei chlywed. Ni cheisiodd Emma, hithau, fygu'r ochenaid o ryddhad.

''D oes dim isio iti gymryd gormod o sylw o Os 'sti,' meddai Madge. ''D ydi o rioed wedi arfar cael rhywun yma . . . neb ond Dei.'

Cerddodd cryndod trwy Emma, fel y gwnâi bob tro y meddyliai am Dei Elis yn cymryd mantais o Madge, yma am y pared â'i dŷ ei hun.

'Mi wyt ti'n dwndran gormod ar yr hogyn, Madge,' meddai'n biwis.

'Falla 'mod i. Ond 'd oes gen i neb arall.'

'Mi 'dw i gen ti.'

Gwyrodd Madge tuag ati a chyffwrdd yn ysgafn â'i llaw.

'Wyt, siŵr. Mae'n dda gen i iti alw fel gnest ti.'

''D oedd o ddim yn hawdd.'

'Nac oedd. Fi ddyla fod wedi cymryd y cam cynta, ond fedrwn i'n 'y myw dorri drwodd.'

'Wn i ddim sut wyt ti wedi gallu diodda'n y tŷ 'ma ar hyd y blynyddoedd.'

'Roedd pob dim oedd gen i 'i angan yma,' yn dawel.

Tynnodd Emma ei llaw yn ôl ac meddai'n sychlyd,

'Ia . . . wel . . . mi 'dan ni'n ôl fel roeddan ni rŵan p'run bynnag.'

Cadwodd ei phen ar dro ond gallai deimlo llygaid meddal Madge arni, yn ei phwyso a'i mesur, fel y byddai ers talwm. Na, nid oedd modd twyllo Madge. Ni ellid byth adfer y berthynas a fu rhyngddynt pan oedden nhw'n enethod, yma ym Minafon.

'Mae golwg wedi blino arnat ti, Emma.'

'Mi 'dw i'n yr ysgol ers oria . . . Bevan yn mynnu cael petha i drefn cyn dydd Llun. Ond mi faswn wedi dŵad i ben ers hydoedd 'tawn i wedi cael llonydd gen y Miss Humphries 'na.'

'Gobeithio y bydd petha'n well tymor yma. Mi wyt ti'n haeddu dipyn o lwc bellach.'

'Mae hi wedi dechra arna i'n barod. Cwyno ynglŷn â'r tabl amser a finna wedi bod yn ymlafnio uwch 'i ben o. Mi fydd raid imi roi 'nhroed i lawr o'r munud cynta.'

'Bydd, debyg.'

'Chan' nhw mo 'nhrin i fel y gwnaeth Gladys Owen a Jones Davies ieuenga.'

''D oes 'na fawr o raen ar y swyddfa rŵan, yn ôl pob sôn. Mae o wedi colli amryw o'r hen gwsmeriaid.'

Teimlodd Emma'r cryndod yn cilio a'r gwres yn ail-lifo trwy'i chorff.

'Be arall oedd 'na i'w ddisgwyl 'te,' meddai'n bles.

6

Yn hytrach na chymryd ei llwybr arferol o dŷ Magi Goch dilynodd Gwen y ffordd a âi â hi heibio i Stryd Capal Wesla a'i hen gartref. Ar y munud, byddai wedi ildio pob ceiniog o'i chelc am yr hawl i agor drws nymbar nein. Cael galw o'r cyntedd. 'Mi 'dw i wedi cyrraedd,' a chlywed ei thad yn ateb, 'Da'r hogan. Mi 'dan ni wedi bod ar goll hebddat ti.' Ond ni ddeuai'r celc y bu'n ei warchod mor ddygn â'r hawl hwnnw'n ôl iddi, na'r gallu chwaith i adfer y Dei a allodd ei denu i dorri'r cwlwm a'u daliai'n dri yn erbyn y byd a chlymu cwlwm arall a oedd i ddal hyd byth.

Yr hen barc 'na oedd bob dim ers misoedd rŵan. Hyd yn oed pan fyddai gartref roedd o â'i drwyn mewn rhyw lyfr neu gatalog blodau. 'Studio roedd o, medda fo. 'Studio . . . yn ei oed o.

Yno yr oedd o rŵan, debyg, yn ei gwman uwchben pridd na wyddai ddim amdano mwy na thwrch daear am yr haul. Ond waeth iddo fod yn fan'no ddim ar hynny o gysur oedd o. Roedden nhw'n meddwl, wrth gwrs, mai wedi cael ei gardiau o'r Rhosydd yr oedd o. On'd oedd pobol bob amser mor barod i feddwl y gwaetha? Bu ond y dim iddi â gofyn i'r Hywel Morris 'na roi gair o deyrnged yn *Tafod Bro* er mwyn cau eu hen gegau nhw unwaith ac am byth, ond roedd ganddi ormod o gywilydd ei wynebu a hithau wedi rhoi ei gair iddo y câi hi

Dei yn ôl at ei waith. Cofiodd fel y bu iddo ddweud mor ffodus oedd Dei o gael gwraig mor ystyriol. A'r dyn ei hun yn meiddio'i beirniadu hi am geisio cael rhywfaint o drefn ar Minafon. Roedd hi'n un o fil yn para i'w ymgeleddu a'i fwydo fo.

Pan agorodd Gwen ddrws rhif wyth, yr unig ddrws yr oedd ganddi hawl arno bellach, cafodd fod Dei wedi ennill y blaen arni am unwaith.

'O . . . ac mi 'dach chi'n ôl o'r diwadd,' meddai'n gyhuddgar.

'Wedi bod yn gneud dipyn o siopa.'

'Maen nhw'n gorad yn hwyr iawn heno.'

'Mi alwis i weld Magi ar fy ffordd adra.'

'Yno y buoch chi, felly.'

'Dim ond picio i mewn wrth basio. O, dynas anwybodus ydi hi . . . rioed wedi clywad am usuriaeth na manna.'

'Dosbarth Beiblaidd oedd ganddoch chi?'

'Ŵyr honna mo'r gwahaniaeth rhwng Gardd Eden a Gardd Gethsemane. Ond be sydd i'w ddisgwyl, ran'ny, gan un gafodd 'i magu i feddwl mai rheola mewn Bingo ydi'r Deg Gorchymyn.'

'I be 'dach chi'n cyboli efo hi 'ta?'

'Mi 'dan ni'n ffrindia 'd ydan?'

'Ers pryd?'

'Ers pan oeddan ni'n yr ysgol. Mi 'dan ni wedi cael ein . . . gwahaniaetha . . . o dro i dro, ond pwy sydd ddim ynte?'

'Ia, pwy?'

'Be sydd ganddoch chi yn 'i herbyn hi?'

'Dim.'

'Ond mi 'dach chi'n filan 'mod i'n galw yno.'

'Galwch chi lle mynnoch chi, Gwen.'

'Mae'n debyg eich bod chi'n disgwyl imi gau arna i fy hun yn y tŷ 'ma ddiwrnod ar ôl diwrnod tra 'dach chi'n piltran yn y parc 'na.'

Roedd o'n ôl efo'i lyfr, wedi dweud ei ddweud, ac yn disgwyl iddi hi dderbyn y cwbwl heb gael cyfle i achub ei cham. Be haru'r dyn yn ei phiwsio hi fel 'ma? Difaru roedd o, debyg, ei fod o wedi mynnu gadael Y Rhosydd ac yn rhy grintach i gydnabod mai hi oedd yn iawn. Croesodd Gwen am y gegin ac meddai o'r drws,

'Mi ddeuda i i chi beth arall . . . mi 'dw i'n cael dipyn amgenach croeso gen Magi na gen neb yn Minafon 'ma.'

'A bai pwy ydi hynny?' yn dawel.

'Be 'dach chi'n 'i feddwl?'

''D ydach chi rioed wedi anghofio.'

'Anghofio be?'

'Y llythyra.'

'Ac mi 'dach chi am ddannod rheini imi eto?'

'Dim ond eich atgoffa chi.'

'Mi ddeudis i wrthoch chi . . . 'D oedd gen i ddim dewis. Roedd yn rhaid i rywun 'neud.'

Roedd hi ar gamu i'r gegin pan syrthiodd geiriau Dei trosti fel cawod o eirlaw a'i rhewi'n ei hunfan.

'Ond pwy arall fydda *wedi* gneud,' meddai. 'Mi fuoch yn lwcus, Gwen, i Lena Powell farw pan ddaru hi.'

7

Â'r mwyafrif o bobl Minafon wedi cefnu ar y diwrnod ac yn ildio i gwsg a roddai iddynt nerth i wynebu trannoeth, deffrôdd Brian Murphy o'i slwmbran anesmwyth i gael Eunice yn sefyll wrth y ffenestr yn syllu i'r tywyllwch. Pwysodd yn ôl ar y gobennydd a chaniatáu i'w lygaid ddilyn rhediad ei chorff. Ysai am gael rhoi'r un rhyddid i'w ddwylo ond bob tro y ceisiai ei thynnu ato byddai ganddi ryw esgus neu'i gilydd i gadw pellter. Byddai'n amau weithiau mai ofni i'r afiechyd gael gafael ynddi hithau yr oedd hi er i Doctor Puw ei harchwilio a'i chael yn glir. Ni allai ei beio. Peth cwbwl annheg oedd disgwyl i eneth iach ei chlymu ei hun wrth un na allai byth obeithio ei bodloni. Ond roedd arno ei heisiau. Dduw mawr, roedd arno'i heisiau.

Galwodd arni, ei lais yn floesg gan deimlad.

Clywodd Eunice y llais yn atsain yn ei phen fel y gwnâi ganol nos, ar y stryd, mewn siop. B'le bynnag y ceisiai ddianc, mewn breuddwyd neu ar droed, cydiai'r llais ynddi fel tennyn.

Trodd yn gyndyn a'i gael yn syllu arni, ei lygaid yn annaturiol o ddisglair yn llwydni'r ystafell.

'Mi a' i i 'neud panad iti,' meddai'n frysiog.

'Na, 'd oes dim angan, Eunice.'

'Wyt ti wedi cymryd y tabledi?'

'Ddim eto.'

''Nei di ddim anghofio? Fedri di ddim fforddio colli rhagor o gwsg.'

'Mi 'dw i'n siŵr y gallwn i 'u torri nhw i lawr i'r hannar, rŵan 'mod i'n gwella.'

'Y doctor sydd i ddeud.'

'Waeth heb â'i boeni o. Mae ganddo fo ddigon ar 'i blât.'

'Dyna'i waith o 'te,' yn bigog.

Rhwbiodd y gwydr â chledr ei llaw.

'Rwbath diddorol?' holodd Brian.

'Na, dim. Mi fedrat saethu hyd y lle 'ma heb daro neb.'

''D oes 'na ddim byd i guro tawelwch. Fe 'naethon ni'n ddoeth symud i Finafon 'ma 'sti.'

''D oedd ganddon ni fawr o ddewis, yn nac oedd?' yn oeraidd.

'Mae pawb mor glên yma. Biti na fydda Mrs Lloyd drws nesa'n dod yn 'i hôl. Mi fyddwn i'n teimlo'n hapusach 'tae gen ti rywun yn gwmni.'

''D ydw i mo'i hangan hi. P'run bynnag, mi wyt ti yma 'd wyt.'

'Lwcus 'i bod hi o gwmpas pan gest ti'r godwm 'na.'

''D ydw i ddim isio siarad am hynny.'

'Nac oes siŵr. Mae'r cwbwl tu cefn inni rŵan ac mi 'dw i'n cryfhau bob dydd. Ond mi 'dw i *yn* meddwl y dylwn i symud mwy.'

'I b'le felly?'

'Cael dipyn o awyr iach.'

'Ac annwyd yn 'i sgîl o. A sut drefn fydda 'na ar betha wedyn?'

Roedd hi'n siarad synnwyr wrth gwrs. Byddai annwyd yn ddigon i ddad-wneud holl ymdrech y misoedd diwethaf. Ond synnwyr neu beidio, onid oedd y syrffed yn fwy o fygythiad na'r salwch? Wrth iddo wylio Eunice yn cau'r llenni ar y nos, ei symudiadau'n swrth a diynni, gwyddai Brian y byddai'n rhaid iddo weithredu'r cynllun a fu'n gogordroi yn ei feddwl ers wythnosau, cyn ei bod hi'n rhy hwyr.

PENNOD 2

Dydd Llun, Medi'r 5ed

1

Ha' côt ac ambarél a gawsai trigolion Trefeini'r flwyddyn honno. Nid fod hynny wedi mennu fawr ar bobl Minafon. Bu Emma'n ddigon anffodus i gael ei dal mewn 'stynllaw ar ei ffordd adref o'r orsaf wedi diwrnod allan yn Llandudno ond gan ei bod hi, wrth gwrs, wedi ei pharatoi ei hun, nid oedd fawr gwaeth. Ni chawsai Eunice a Brian fawr o lwc ar eu gwyliau yn Aberystwyth chwaith wrth iddynt symud dow-dow o un lloches i'r llall, Brian yn dotio at ynni a nerth y môr ac Eunice yn cymryd ei chas ato am ei fod mor bowld.

Yn ei barc, croesawai Dei Elis y cawodydd mynych a'r pelydrau anaml o haul fel ei gilydd ond prin y sylwai Gwen ar y naill na'r llall wrth iddi gadw'i llygaid yn agored am amgenach pethau. Yn Cartref, rhif un, Minafon nid oedd wahaniaeth yn y byd gan Mati petai'n glawio hen wragedd a ffyn bob dydd ond iddi gael yr haf drosodd, gynted ag oedd bosibl. Ac yn rhif dau, ni allai Pat fod wedi dygymod â chael y plentyn o dan draed ddiwrnod ar ôl diwrnod oni bai am ymweliadau mynych Os.

A rŵan fod yr ha'n tynnu tua'i derfyn daethai'r haul a fu'n chwarae mig efo nhw allan o'i guddfan, yn fawr a beiddgar a phryfoclyd. Roedd mamau yn eu gwaith yn ceisio darbwyllo'u plant ei bod hi bellach yn rhy ddiweddar ar y flwyddyn iddyn nhw fynd i ymdrochi i'r afon ar fin nosau ac i'r plant, a ysbeiliwyd o'u tripiau i lan y môr, yr oedd yr ysgol yn fwy o garchar nag erioed.

2

Am y tro cyntaf ers misoedd gallodd Mati groesawu bore Llun. Eisteddai'n awr wrth fwrdd y gegin yn cymell Emyr i fwyta'r brecwast y cawsai'r fath fwynhad o'i baratoi. Cyndyn oedd o o 'forol ati. Wedi'i esgeuluso ei hun dros y gwyliau, debyg. Ond fe wnâi hi iawn am hynny.

'Lle mae'ch brecwast *chi,* Mati?' holodd.

'Mi ga' i rwbath yn nes ymlaen.'

'Ond mi gymrwch banad, yn gwmpeini imi?'

Roedd o mor feddylgar. Nid fel Richard, yn cythru i bethau heb falio dim pwy a âi'n brin. Tywalltodd Mati baned iddi ei hun a'i sipian gyda blas, gan gofio'r holl baneidiau y bu'n eu hyfed yma, ar ei phen ei hun, a'r rheini'n wermod ar ei thafod.

'Mae'ch mam fymryn yn well, felly,' meddai.

'Mae'n anodd deud. Mae hi'n gallu symud rywfaint ar 'i braich rŵan, ond dyna'r cwbwl.'

'Mae hynny ryw galondid. Gwylia digon digalon gawsoch chi?'

'Ia, braidd. Mae 'nhad ar goll.'

'Ydi, mae'n siŵr.'

'Rioed wedi arfar.'

'Mi ddaw. Mae'n syndod be fedar rhywun 'i 'neud pan fo raid.'

'Mae 'na nyrs yn galw i mewn ddwywaith y diwrnod. Ond teimlo'r ydw i y dylwn i fod yno, rŵan fod arnyn nhw fwya o f'angan i.'

'Felly roeddach chi'n deud yn eich llythyr,' yn dawel.

'Fy nghyfrifoldab i ydi o ynte, fel yr unig un?'

'Ia, debyg. Ond mae'n rhaid i chi feddwl amdanoch eich hun, a'ch dyfodol hefyd.'

'Mi fyddwn i'n gwerthfawrogi'ch barn chi, Mati. Mi wn i y galla i ddibynnu arnoch chi.'

Nid oedd neb erioed wedi mynd ar ei gofyn fel hyn. Pydru ymlaen wrth ei bwysau a wnâi Arthur gan gadw'i boenau iddo'i hun rhag ei blino hi. Âi'r gweddill ohonynt—Glyn a Lena, Richard a Gwyneth—i ddilyn eu trwynau fel y mynnent, er bod Richard a Gwyneth yn ddigon parod i fanteisio ar ei bendith hi. Roedd hi wedi meddwl ar un adeg y gallai fod o gysur i Pat y drws nesaf ac wedi bod mor dwp â chredu y byddai Emma Harris, hyd yn oed, ar ei mantais o gael ei chefnogaeth, ond cawsai ar ddeall yn ddigon buan nad oedd hi'n ddim ond hwylustod i un a chlust barod i'r llall.

'Be fyddach chi'n 'i 'neud pe baech chi'n fy lle i?'

'Fedra i ddim atab hynna, Emyr.'

'Na. Ddylwn i ddim fod wedi gofyn.'

Roedd hi wedi ei siomi. Ysai am allu dweud wrtho am ddal ymlaen efo'i fyw ei hun ond gwyddai ynddi ei hun mai cymhelliad hollol hunanol a fyddai i'r cyngor hwnnw. Nid oedd Emyr i wybod fel yr oedd o wedi gweddnewid ei bywyd. Bu ond y dim i'r gaeaf diwethaf fod yn drech na hi. Ni fyddai'n ddim ganddi aros yn ei gwely drwy'r dydd, yn slwmbran ac yn hel meddyliau ar yn ail. Ac yn y cyflwr truenus hwnnw yr oedd hi pan alwodd y dieithryn gwallt golau i holi ynglŷn â llety. Drwy drugaredd, bu'r cwrteisi cynhenid yn drech na'i diflastod. Cytuno'n ddigon grwgnachlyd a wnaethai, fodd bynnag, i'w gael yma am wythnos tra oedd o'n chwilio am le parhaol, ond oddi yma y dychwelodd i'w gartref saith wythnos yn ddiweddarach.

Yn ystod gwyliau'r haf bu'n rhaid iddi ymladd yn galed â hi ei hun rhag llithro'n ôl ond o leiaf gallai weld rhyw lygedyn o oleuni ym mhen draw'r twnnel a hwnnw'n chwyddo fel yr âi'r haf rhagddo. Nes iddi dderbyn llythyr yn dweud i'w fam gael strôc. Bu Mati'n gweddïo am nosweithiau ar ran y fam nad oedd yn ddim ond enw iddi. Ond gweddïau cwbwl hunanol oedden nhw ac ni feiddiai gredu fod Duw wedi ei dwyllo.

Ond roedd Emyr yn ôl, am ryw hyd beth bynnag. Nid oedd disgwyl i un a oedd mor barod ei gysur a'i gydymdeimlad allu taflu'i gyfrifoldeb i'r gwynt ac ni allai hithau barchu person felly. Teimlodd Mati'r un hen ofn yn ei cherdded a gwyddai na fyddai ganddi mo'r nerth i ymladd brwydr arall.

3

Cododd gwrid uchel i ruddiau Emma Harris wrth iddi gerdded yn fân ac yn fuan heibio i'r twr plant a lusgai eu traed tua'r ysgol ac ni wnaeth y pwffian chwerthin o'i hôl ond dyfnhau'r gwrid. Byddai'n rhaid iddi godi'n gynt er mwyn cael y blaen arnyn nhw. Ni fyddai'n ddim trafferth ganddi godi ben bore i fynd i'r swyddfa pan oedd yr hen Jones Davies yn ei breim a'r busnes yn ffynnu bob dydd. Roedd hi'n stori wahanol pan gafodd y Jones Davies ieuengaf ei bump ar y lle a'r Gladys Owen yna'n gwneud ati i gyrraedd o'i blaen, y gnawes ddichellgar iddi hefyd. Diolch i'r drefn na fu iddi ildio i bwl o wendid a mynd ar ofyn Jones Davies ieuengaf am ei swydd yn ôl. Ac roedd y lle'n mynd ar ei waered, oedd? Be arall oedd yna i'w ddisgwyl wedi i Gladys Owen gael ei bodiau seimllyd ar bethau? Hy, ni fyddai na'i choesau na'i pharodrwydd i'w dangos o unrhyw help iddi pan âi'r busnes â'i ben iddo.

Cyrhaeddodd Emma ei hystafell. Cyn iddi dynnu ei chôt, gwnaeth yn siŵr fod y drws wedi ei gloi. Ni fyddai'n ddim ganddynt, yn athrawon a phlant, rusio i mewn yma heb gnocio, er ei bod hi wedi mynnu cael arwydd dwyieithog i'r perwyl a hwnnw'n ddigon mawr fel na allai'r byrraf ei olwg ei fethu. Ond dyna fo, pethau i'w hanwybyddu oedd arwyddion, heddiw, a phethau i'w torri oedd rheolau. Mor wahanol oedd hi'n y swyddfa ers talwm . . . parch a gwerthfawrogiad o boptu a rhyw urddas tawel yn rhoi graen ar bob dim. Eithriad fyddai i chi gael diolch am eich llafur yn y fan yma. Be oedd hi'n ei wneud yma, mewn difri, yn gocyn hitio i bawb ac yn fwch dihangol i'r prifathro pan âi pethau'n drech na fo? Roedd y gwerthoedd a fu'n ei chynnal trwy dreialon wedi diflannu'n llwyr a'i gadael fel slefren fôr ar draeth a'r hen lanw mawr, estron yn bygwth ei llyncu.

4

Ceisiodd Dei symud mor dawel ag y gallai o gwmpas y llofft rhag aflonyddu ar Gwen. Nid oedd ganddo ond dau gam cyn cyrraedd diogelwch y landin pan glywodd hi'n gofyn, rhwng cwsg ac effro,

'Lle 'dach chi'n mynd, Dei?'

'I 'ngwaith 'te.'

'Faint neith hi o'r gloch?'

'Tynnu am naw.'

'Bobol annwyl. Pam na fasach chi'n 'y neffro i?'

''D oes dim angan i chi godi.'

'Wrth gwrs fod 'na. Mi fyddwch isio brechdana i fynd efo chi.'

'Mi gwna i nhw.'

''D ydach chi rioed wedi gorfod gneud.'

Roedd hi ar godi ei choesau dros yr erchwyn pan gydiodd y gwayw yn ei meingefn nes peri iddi weiddi mewn poen.

'Y cefn eto?' holodd Dei.

'Mi 'dw i wedi cael llonydd reit dda ganddo fo'n ddiweddar. Effaith yr ha' tamp mae'n rhaid.'

Gwnaeth Gwen un ymdrech arall i godi ond roedd ei choesau fel pe'n rhy drwm i'w chorff.

'Arhoswch lle rydach chi, da chi,' meddai Dei, yn siarp.

'Ond fedrwch chi ddim dŵad i ben eich hun.'

'Mae'n hen bryd imi ddysgu.'

Pam roedd o'n dweud hynna? Byw yn y gobaith, efallai, fod y poen cefn yn gwaethygu, yn raddol ond yn sicr, ac y byddai hi, cyn bo hir rŵan, yn gaeth i'w chornel. Byddai hynny'n ei blesio . . . cael mocha o gwmpas y parc 'na drwy'r dydd gan wybod ei bod hi'n garcharor rhwng pedair wal.

'Ac mi 'dach chi'n meddwl y medrwch chi 'neud hebdda i, ydach?' holodd.

'Ddeudis i mo hynny.'

'A dyma'r diolch mae rhywun yn 'i gael ar ôl gneud 'i ora glas.'

'Bendith y nefoedd ddynas . . . 'D o'n i ddim ond yn trio helpu.'

'Mi fydda mam yn deud bob amsar mwya 'newch chi i rywun lleia'n byd o barch gewch chi. Mi fyddwn inna'n well allan heddiw taswn i wedi meddwl mwy amdana i fy hun yn lle rhoi cysur pobol er'ill yn flaena.'

'Dechreuwch rŵan 'ta. Ewch yn ôl i'r gwely 'na ac aros yno tan ginio . . . drwy'r dydd os mynnwch chi.'

'O, ia, mi fydda hynny'n eich plesio chi'n iawn, yn bydda? 'Y nghadw i'n garcharor yn y tŷ 'ma, heb 'r un enaid yn dŵad ar 'y nghyfyl i. 'D ydw i ddim wedi anghofio be ddeudoch chi am gloi'r drws a byrddio'r ffenestri.'

'Nac wedi anghofio pam, gobeithio.'

Ac felly y gadawodd o hi, a'i meddwl mor ddolurus â'i chefn. Roedd hi wedi gobeithio, yn ystod yr haf, fod y gwayw wedi cilio, ond dyma fo'n ôl, yn llymach nag erioed. Be oedd hi wedi'i wneud i haeddu hyn, mewn difri?

5

Er ei fod yn hwyrach nag arfer yn cychwyn i'w waith ni allai Dei feddwl am wynebu'r diwrnod heb bicio i'r drws nesaf at Madge. Oni bai am ei chefnogaeth hi ni fyddai byth wedi magu digon o blwc i gynnig am y swydd yn y parc ac oni bai am ei gwên a'i chydymdeimlad ni allai fod wedi dal ei afael ynddi. Iddi hi'r oedd o'n ddyledus am bob llwyddiant a gawsai ac am allu goresgyn yr anawsterau a'r methiannau. Roedd o eto i ddygymod â breuder pethau a'r meddalwch o dan ei wadnau ond o leiaf roedd o'n rhydd i adael i haul a glaw a gwynt wneud fel y mynnen nhw â fo. Mae'n wir nad oedd gweld y chwarel yn y pellter o ddim help er ei fod yn gwneud ati i'w atgoffa ei hun nad chwarel oedd hi bellach, ond sham. Ar yr adegau dirdynnol hynny, pan na lwyddai'r un perswâd i leddfu'r golled, byddai wedi rhoi'r byd am gael Madge wrth ei ochr, yn yr haul, yng ngŵydd pawb.

Heddiw, yr oedd arno fwy o'i hangen nag erioed. Ond pan aeth trwodd i'r ystafell eistedd cafodd Os a hithau ar eu pengliniau ar yr aelwyd a'r ceir ar chwâl o'u cwmpas.

''Ro'n i'n meddwl dy fod ti wedi hen fynd,' meddai Madge, dros ei hysgwydd.

'Ddim heb dy weld di.'

'Lle buost ti mor hir?'

'Gwen sy'n cwyno efo'i chefn eto.'

'Mi ddyla fynd i weld doctor.'

'Neith hi ddim ond fel licith hi. Hidia befo hynny rŵan . . . mi 'dw i isio siarad efo chdi.'

'Mi 'dw i'n gwrando.'

Taflodd Dei gipolwg awgrymog i gyfeiriad Os. Cododd Madge ac aeth i estyn ei bag a'i phwrs.

'Wyt ti am fynd i nôl negas rŵan, Os?' holodd.

'Ddim isio.'

Cipiodd Dei'r bag oddi ar Madge a'i wthio i law Os.

'Gna fel mae dy fam yn deud,' arthiodd.

Er bod yr wyneb yn ymddangos mor ddifynegiant ag erioed gwelodd Dei yn llygaid Os lewyrch o olau a'i hatgoffai o'r llygoden fawr a welsai unwaith, wedi'i chornelu yn y cwt mochal ffiar. O bellter, clywodd Madge yn rhybuddio Os i gymryd gofal wrth groesi'r ffordd. Yna fe'i gorfodwyd i gamu'n ôl wrth i Os wthio'i gorff afrosgo heibio iddo. Gwelodd fod Madge ar fynd i'w ddanfon a rhoddodd ei law allan i'w hatal. Fe'i daliodd felly nes clywed y drws yn cau.

'Neith hyn mo'r tro, Madge,' meddai'n chwyrn.

'Be, felly?'

'Mae o yma rownd y rîl.'

Symudodd Madge oddi wrtho ac aeth ati i glirio'r aelwyd.

'Sôn am Os wyt ti?' holodd, yn dawel.

'Mae o'n gneud ati i fod yn styfnig.'

'Hwn ydi'i gartra fo 'sti. Mae ganddo fo hawl bod yma.'

'Wn i, mach i,' yn dynerach. 'Dim ond isio i ni'n dau gael cyfla i fod efo'n gilydd yr ydw i.'

Aeth ati, a phenlinio ar yr aelwyd wrth ei hochr. Rhoddodd ei fraich amdani a'i thynnu'n glòs.

'Mi 'dw i d'isio di, Madge. 'D ydw i ddim wedi cael cyffwrdd ynat ti ers misoedd.'

Llithrodd ei law dros ei hysgwydd i orffwys yn y nyth cynnes rhwng ei bronnau.

'Mi fydd Os yn ôl, Dei.'

'Ddim am sbel. Plîs, Madge.'

Gwthiodd ei law'n is i deimlo llyfnder ei chnawd o dan ei fysedd. Gyda'r teimlad, daeth holl wefr y caru cynnar yn ôl a llifodd nerth i'w gyhyrau, y nerth na theimlodd mohono er pan oedd o'n chwarelwr go iawn, yn ei elfen ar wyneb y graig.

'Na, fedrwn ni ddim, Dei.'

Tynnodd Madge ei hun yn rhydd o'i afael. Yna, heb edrych i'w gyfeiriad, cododd a rhuthrodd trwodd i'r gegin. Ac i Dei, wedi'r eiliadau o lawnder, yr oedd y gwacter a adawodd o'i hôl yn oerach ac yn fwy bygythiol nag erioed.

6

Yn ei hystafell yn Ysgol y Graig, a'r haul yn goglais ei gwar, am yr hafau ers talwm y meddyliai Emma Harris. Caeodd ei llygaid a gwelodd y cyfan yn agor o'i blaen. Madge a hithau, a'u ffrogiau ymhlyg yn eu nicers nefi blw, yn marchogaeth yr hen feic hwnnw i lawr y Ceunant dan floeddio canu, 'Daisy, Daisy'. Madge yn cerdded canllaw'r bont pan oedd yr afon ar ei huchaf a'r hen wraig ei nain yn cael sterics ar ben drws. Y ddwy ohonyn nhw'n dal Robin Penmeini ar Cae Ochor, yn tynnu'i drowsus ac yn ei wthio i lwyn o ddanadl poethion. Hwnnw'n eistedd yno a'i ben ôl yn swigod i gyd, yn bloeddio am ei fam, a hwythau'n dawnsio o'i gwmpas gan ddynwared yr Indiaid Cochion a fyddai'n llenwi sgrîn pictiwrs chwain ar bnawn Sadwrn. Codi efo'r haul, a phob diwrnod yn llawn o olau a gwres a sŵn. Nid oedd dim a safai o'u blaenau. Nhw oedd piau'r dref, i wneud fel y mynnen nhw â hi.

'Miss Harris.'

Agorodd Emma ei llygaid i weld Miss Humphries yn sefyll ar ganol llawr yr ystafell.

'Chlywais i monoch chi'n cnocio,' meddai.

'Wnes i ddim. 'D oes gen i ddim amsar i'w wastraffu. Eisiau gair efo'r prifathro yr ydw i.'

'Mae o'n brysur.'

'Os gnewch chi adael iddo fo wybod fy mod i yma.'

''D ydw i ddim yn credu y dylwn i aflonyddu arno fo.'

'A be ydach chi'n awgrymu imi 'i wneud?'

'Dod yn ôl mewn hannar awr falla?'

'Mae gen i wers.'

'Mi fydd raid i fory wneud y tro felly, mae arna i ofn.'

Ac eitha gwaith â chdi'r hen gyrbiban, meddyliodd Emma. Chei di ddim cerddad drosta i fel y gnest ti'r tymor dwytha, o na. Mi 'dw i wedi bod yn rhy wirion rioed. Caniatáu i'r Gladys Owen 'na gael y gorau arna i, heb godi bys bach i'm harbed fy hun, a gadael i Jones Davies ieuenga fy nhaflu i ar y domen fel pe bawn i'n sbwriel. Mi fedrwn fod wedi tynnu nyth cacwn yn fy mhen, o medrwn. Ond pa well fyddwn i? Pa well? O leia mi fyddwn wedi gwneud iddyn nhw wingo o gwilydd. Ond pwy sy'n 'nabod cwilydd heddiw ran'ny? P'run bynnag, mae hi'n rhy hwyr i hynny. Ond 'd ydi hi ddim rhy hwyr imi roi fy nhroed i lawr yn fan'ma. Rydw i wedi gadael iddyn nhw fy sathru i am flwyddyn gyfan . . . hon yn edrych i lawr 'i thrwyn arna i . . . ac mae ganddi lathan go dda o drwyn hefyd. Be mae hi'n 'i feddwl ydi hi yn cerddad i mewn heb gnocio? Rŵan ydi'r amsar i ddangos iddi gan bwy mae'r llaw ucha.

Ond roedd Miss Humphries heibio iddi ac yn sodlu am ystafell y prifathro.

'Hannar munud,' meddai Emma, mewn llais bach.

'Ia, Miss Harris?'

''D ydw i ddim yn meddwl y dylach . . .'

'Mi gymra i'r cyfrifoldeb am hynny.'

Diflannodd Miss Humphries i ystafell y prifathro gan dynnu'r drws yn glòs o'i hôl, ond nid cyn i Emma gael cip ar y cymylau o fwg a droellai uwchben y ddesg.

Â'r haul yn gynnes ar ei gwar, caeodd Emma ei llygaid yn dynn ond ni allai weld dim ond tywyllwch dudew.

7

Trwy niwl ei gwrw a chymylau mwg y Nag's Head gwyliodd Richard Powell y chweched vodka yn diflannu i lawr lôn goch Rosie. Neu efallai mai'r wythfed oedd o . . . roedd o wedi colli cownt ers meitin. Nefoedd fawr, dyna be ydi ceg, meddyliodd, wrth ei gweld yn sugno'r dafnau olaf. Ni fyddai'n synnu gweld y gwydryn yn mynd i ganlyn y dafnau. I feddwl ei fod o wedi mentro cael ei lyncu, gorff a chalon, gan y gweflau mawr cochion yna.

'Let's go home, Ros,' meddai.

'Not bloody likely. It's not every day I come up on the gee gees. Get us another drink, eh, love.'

Gwthiodd ei gwydryn gwag tuag ato. Bu'n gorchestu yn ei henillion trwy gydol y min nos a'i dychymyg yn rhampio wrth iddi gael eu gwared, ond ni welsai neb hyd yma yr un arlliw ohonynt.

'Where is it then? The money?' holodd Richard.

'Me little brother's bringing it.'

'I'll believe it when I see it.'

O'i adnabyddiaeth ef o'r 'little brother', yn ei dychymyg yn unig y byddai Rosie'n gwario'i henillion. Pwysodd yn ôl yn ei gadair gan anwybyddu'r gwydryn gwag. Closiodd Rosie tuag ato a rhoddodd ei llaw i orffwys ar ei lin.

'What's up, eh, love?'

Dringodd ei bysedd i fyny ei glun, yn araf ond sicr eu cerddediad. Ar ei waethaf, gallai Richard deimlo'r cyffro arferol yn ei gerdded i ganlyn y bysedd. Yna'n sydyn, teimlodd ei hewinedd yn suddo i'w gnawd wrth iddi ddweud, yn fuddugoliaethus,

'What about this then, eh?'

Dilynodd Richard ei llygaid i weld y brawd bach yn gwthio'i ffordd trwy'r tarth. Daeth i fyny atynt a tharo pentwr o bapurau, yn ddegau ac ugeiniau, ar y bwrdd.

'And about time too,' mwmiodd Richard.

'You talking to me, mate?' yn fygythiol.

Cododd Rosie'r bwndel papurau a'u cusanu cyn eu gollwng blith draphlith i'w bag llaw.

'You'd better count it,' oddi wrth Richard.

'Why don't you sod off, Taffy.'

Trodd Nick ato, ei lygaid bach mileinig yn gwanu trwyddo. Fedri di mo 'nychryn i, y Sgowsar diawl, meddyliodd Richard. Lle bydda dy chwaer oni bai amdana i? 'D oes 'na neb arall yn gofyn i be mae'r hen foilar yn da. Ond mi 'dw i wedi cael llond bol ar dywallt vodkas i'r pwll diwaelod 'na sydd ganddi hi.

Estynnodd Rosie bapur pumpunt i Nick a pheri iddo dalu am rownd.

'And don't forget the change . . . brother,' ychwanegodd Richard.

Gwelodd y brawd bach yn camu tuag ato a gwasgodd ei ddyrnau. Ni fyddai fawr o dro yn setlo un a oedd â'i nerth i gyd yn ei geg. Ni roddai dim fwy o bleser iddo na gweld hwn yn llyfu'r llwch a'r fflem oddi ar lawr y Nag's Head.

'Leave off, Nick.'

Gwthiodd Rosie un fraich nobl yn wrthglawdd rhyngddynt. Klondike Kate, myn uffarn i, meddyliodd Richard. Liciwn i ddim tynnu hon yn fy mhen.

Dan regi rhwng ei ddannedd, aeth Nick am y bar. Tynnodd Rosie ei chadair yn nes at un Richard a'i garcharu rhyngddi a'r wal. Er bod ei bysedd ar ei glun yr un mor sicr eu cerddediad ni allai Richard anwybyddu'r cnoi ingol ym mhwll ei stumog. A gwyddai, wrth iddo ildio i anwes Rosie, nad oedd bellach ond un ffordd ymwared rhag y niwl a oedd yn prysur gau amdano a bygythiad gwancus y gweflau mawr cochion.

PENNOD 3

Dydd Sul, Medi'r 11eg

1

Newydd daro'i chnul olaf yr oedd cloch yr eglwys pan sythodd Hyw Twm o'i gwman i ymestyn am y sigaret y bu'n ei blysu ers awr a rhagor. Siawns ei fod yn ei haeddu bellach a deunydd wythnos o goed tân o gwmpas ei draed.

Roedd y sigaret rhwng ei wefusau ac yntau ar ddiflannu i'r lle chwech rhag i Magi ei weld yn mygu, pan glywodd lais main yn galw o'r tu arall i glawdd yr ardd,

'Glywist ti ddim be sy'n digwydd i bobol sy'n torri coed tân ar y Sul?'

Yr hen blant yna eto—Magi'n eu tynnu nhw yn ei phen a hwythau'n dial eu llid arno fo.

'Heglwch hi'r diawliad.'

Gafaelodd mewn dyrnaid o'r coed a'u taflu, â'r ychydig nerth a oedd ganddo'n weddill, tros y clawdd.

'Be wyt ti'n drio'i 'neud, y ffŵl hurt?'

Cododd Hyw Twm ei ben i weld Richard Powell yn llamu fel jac yn y bocs o'r tu ôl i'r clawdd.

'Wel, myn uffarn i.'

'Hannar modfadd arall ac mi fasat wedi cael fy llygad i.'

''D o'n i ddim i wybod ma chdi oedd 'na, yn nac o'n,' yn guchiog.

'Pwy oeddat ti'n 'i feddwl oedd 'na?'

'Yr hen uffernols plant 'na. O lle doist ti tro yma, Pŵal?'

'Lerpwl.'

'Mi ge'st le da mae'n rhaid,' yn sychlyd.

'Iawn tra parodd o. Sut wyt ti?'

'Fel gweli di fi.'

''D oes gen ti fawr i fynd yn ôl dy olwg.'

'Wedi bod yn 'y nghwman efo'r hen goed 'ma 'dw i 'te . . . methu sythu.'

'Un atab sydd 'na i hynna.'

'Be felly?'

'Peint 'te.'

'Dydd Sul ydi hi.'

'Be am hynny? Mae'r lle 'ma'n wlyb 'd ydi?'

'Diwrnod i orffwyso ydi dydd Sul medda Magi.'

'Be wyt ti'n 'i 'neud yn bustachu yn fan'ma 'ta? Lle mae madam?'

'Yn y tŷ. Mae Gwen Elis, Minafon, efo hi.'

'Nefoedd fawr, dim rhyfadd fod golwg legach arnat ti.'

'Mae hi'n byw ac yn bod yma 'sti . . . y ddwy geg yn geg am oria.'

'Dyma dy gyfla di. A waeth iti heb â thynnu yn honna . . . 'd oes gen ti ddim tân.'

Syllodd Hyw Twm heibio i'w sigaret at ffenestr y gegin gan ddisgwyl gweld Magi'n dangos ei dannedd. Sawl tro yr oedd o wedi deffro liw nos i weld y dannedd yn crechwenu arno o'r gwydr ar y bwrdd gwisgo fel pe baen nhw ar frathu i'w benglog a gwneud pryd o'i feddyliau?

Ond roedd Richard Powell eisoes yn brasgamu i gyfeiriad y Queens.

'Tyd 'laen, Hyw Twm,' gwaeddodd, dros ei ysgwydd.

Gan gadw'i olwg ar y ffenestr, llusgodd Hyw Twm ei hun tros y clawdd. Ac wrth fynd i ddilyn Richard Powell, cyn gyflymed ag y gallai ei goesau dolurus ei gario, gofynnodd i'r Duw a oedd wedi ei anghofio ers tro byd gymryd trugaredd arno, am unwaith, gan ei bod hi'n nos Sul.

2

Tenau iawn oedd y gynulleidfa yng Nghalfaria y nos Sul honno. Go brin y gallen nhw fod wedi cadw gwres hyd yn oed pe baen nhw wedi closio at ei gilydd. Gwasgodd Mati ei hun i'r gornel lle'r arferai Arthur eistedd, ei benelin ar y pared bach a'i ben fymryn ar ogwydd. Bob hyn a hyn, byddai'n estyn pwt o bapur o'i boced ac yn taro rhyw sylw i lawr rhag ofn yr âi'n angof cyn i'r gweinidog alw ganol yr wythnos. 'Mae sgwrs efo Arthur yn well na seiat,' meddai hwnnw wrth adael, a'i lygaid yn disgleirio fel rhai plentyn wedi cael anrheg.

Ond pŵl oedd ei lygaid heno a'i ddwylo'n llipa wrth iddo agor y Beibl mawr ar astell y pulpud. Fel petai wedi cael ei lusgo yma gerfydd gwallt ei ben, meddyliodd Mati. Y creadur bach, nid oedd cynulleidfa mor ddi-fflach â hon yn debygol o ysgogi neb. Ond o leiaf yr oedden nhw yma, rhai ohonyn nhw trwy ymdrech. Byddai'n llawer haws iddyn nhw fod wedi aros wrth glydwch eu tanau na mentro dal annwyd a fyddai'n eu plagio weddill y gaeaf. Ond yma'r oedden nhw eisiau bod. Yma'r oedd hithau eisiau bod, yn gwrando atsain tenor ysgafn Arthur yn rhoi ystyr yng ngeiriau'r emyn, yn dal cysgod ei wên gam wrth iddi hi wthio da-da mint i'w cheg yn slei bach er mwyn gallu dioddef pregeth sychach nag arfer. Adref ym Minafon mynd a dod y byddai Arthur ac ni allai byth ddal ei gafael ynddo yn ddigon hir, ond yma yr oedd o efo hi. Wrth iddi swatio i'r gornel gallai deimlo ei anadl yn gynnes ar ei hwyneb. Ac fel y chwalai'r gweinidog trwy dudalennau'r Beibl teimlai y dylai hithau fod wedi dod â phwt o bapur i'w chanlyn fel y gallai wneud nodyn o'r testun.

Deuai hwnnw o lyfr y proffwyd Jeremeia—y cwynwr mawr ei hun, ond am reswm da, yn ôl Arthur.

'Yn y dyddiau hynny ni ddywedant mwyach, Y tadau a fwytasant rawnwin surion, ac ar ddannedd y plant y mae dincod.

Ond pob un a fydd farw yn ei anwiredd ei hun: pob un a'r a fwytao rawnwin surion, ar ei ddannedd ef y bydd dincod.'

Caeodd y gweinidog y Beibl a chododd ei olygon ohono. Cyfarfu llygaid Mati â'i lygaid ef a'u cael yn oer a chyhuddgar. Cofiodd fel y bu iddi gyfaddef wrth Doctor Puw na fu iddi erioed allu caru ei phlant ac nad oedd yn teimlo dim o wybod fod Lena'n marw uwchben ei thraed. Torrodd euogrwydd yn chwys oer trosti.

Roedd y gweinidog wedi ceisio ei darbwyllo yn ystod y dyddiau cynnar hynny pan oedd hi'n farw i boen y byddai Arthur yn aros amdani ac y byddent eto fel un. Er ei bod yn gyfarwydd â'i eirfa nid oedd erioed wedi ei deall nac wedi gallu credu mewn nac enaid na nefoedd chwaith. Eisiau darfod efo Arthur yr oedd hi; cael ymadael law yn llaw a diflannu tros y gorwel. Cyn lleied oedd hynny i'w ofyn. 'Rhaid inni blygu i'r drefn, Mrs Huws bach,' meddai'r gweinidog. Ond pa synnwyr oedd yna mewn trefn a oedd yn ysgar gŵr a gwraig ac yn dinistrio cartref, holodd hithau. Nid oedd ganddo ateb i'w gynnig, dim ond peri iddi ddal wrth ei ffydd a phwyso ar fraich Un cryfach na hi ei hun.

O bellter, clywodd y gweinidog yn ailadrodd y geiriau,

'Y tadau a fwytasant rawnwin surion, ac ar ddannedd y plant y mae dincod.'

Hyd yn oed pe gallai gredu fod gobaith iddi weld Arthur eto, pa gysur a fyddai hynny iddi heddiw? Y cyfan yr oedd arni ei angen y munud yma oedd cael ei glywed yn sibrwd yn ei chlust, 'Mi wnest ti dy ora 'nghariad i.' Cael teimlo'i fraich amdani, yr unig fraich y dymunai bwyso arni, a'r gwaed yn llifo'n gynnes trwy'i gwythiennau wrth i chwys oer yr euogrwydd gilio.

3

'Tyd i ista, Pŵal, mae 'nghefn i'n fy lladd i.'

Dilynodd Richard Hyw Twm i'r cysgodion ym mhen draw'r ystafell a'i wylio'n ei ollwng ei hun yn dringar i gadair.

'Wyt ti'n meddwl y gweli di'r bora?' holodd.

''D ydw i'n mynd ddim iau 'sti. Chditha chwaith.'

'Mi ro' i dri tro am un i chdi'r hen gant,' yn orchestol.

'Wyt ti ddim yn meddwl 'i bod hi'n bryd iti 'rafu bellach?'

'Be?'

Rhythodd Richard arno nes peri i Hyw Twm suddo'n is i'w gadair.

'Anghofia fo.'

'Na, deud. Be sy'n dy gorddi di? Fi sydd wedi pechu, ia . . . wedi deud, gneud rwbath?'

'Mi wyt ti'n ôl 'd wyt? Mae hynny'n ddigon.'

'Yma mae 'nghartra i 'sti.'

'Yma roedd o flwyddyn yn ôl hefyd. Mi 'nest dro shabi, Pŵal.'

'Ti'n meddwl?'

'Arglwydd, sut medrat ti? Mi ge'st wybod, do . . . am Lena?'

''D oedd 'na ddim byd arall i'w ddisgwyl.'

'Mi wyddat 'i bod hi'n wael?' mewn syndod.

'Yli, roedd pob dim drosodd rhwng Lena a fi.'
'Mi ddaru ddiodda'i siâr 'sti.'
'Be fedrwn i fod wedi'i 'neud?'
'Diawl, 'd wn im . . . bod o gysur iddi falla?'
'Fedra hi ddim diodda 'ngyts i, yn na fedra? Ddylwn i ddim fod wedi'i phriodi hi.'
'Ond mi 'nest.'
'Am fod raid imi 'te.'
Rhoddodd Hyw Twm ei holl sylw i'w beint. Damio unwaith, siawns nad oedd ganddo yntau hawl i leisio barn. Fe gymerai amser go hir iddo anghofio'i siom ddiwrnod angladd Lena. Bu nosweithiau heb allu cysgu, yn gweld wyneb Mati o'i flaen, wedi'i greithio â straen yr wythnosau o ofalu am Lena. Nid oedd gan yr un dyn hawl i wadu'i gyfrifoldeb a pheri'r fath ofid.
'Mi fedrat fod wedi dŵad i'r angladd o leia.'
'Fedra i ddim rhagrithio.'
'Mi fydda wedi bod yn o ddrwg ar Lena oni bai am Mati.'
''D oedd hi'n fam iddi. Dyna'r peth lleia fedra hi 'i 'neud.'
'Mae dy enw di'n fwd yn y lle 'ma.'
''D ydi hynny ddim byd newydd.'
'Faswn i ddim yn aros yma taswn i chdi.'
'Ond nid chdi ydw i, diolch i'r nefoedd. 'D ydw i ddim isio dy farn di, na neb arall . . . dallt? Mae gen ti ddigon o waith edrych ar ôl yr ast 'na sydd gen ti adra.'
'Howld on, Pŵal . . .'
'Hi sydd wedi bod yn tantro 'te, a chditha fel rhyw gi bach yn cyfarth drosti. Ti'n 'y ngneud i'n sâl.'
Cododd Richard yn wyllt, gan daro'r bwrdd yn ei ffrwcs, a brasgamodd allan o'r ystafell. Sylwodd Hyw Twm fod y perchennog yn gwgu arno o'r tu ôl i'r bar. Nid oedd ganddo ddigon o Gymraeg, drwy drugaredd, i allu dilyn y sgwrs. Diolch byth ei bod hi'n rhy gynnar ar y nos i'r ffyddloniaid neu fe fyddai'r stori ar dafodau'r dref ac yng nghlustiau Magi erbyn y bore.
Yfodd Hyw Twm weddill ei beint ar un llwnc. Roedd Magi'n siŵr o fod wedi gweld ei golli bellach. Byddai'n holi ac yn stilio fel twrna ac yntau'n clymu yn ei eiriau wrth geisio rhaffu celwyddau. Go fflamio'r Dic Pŵal 'na. 'D oedd gwneud

stomp o'i fywyd ei hun ddim yn ddigon ganddo. O, na, roedd yn rhaid tynnu pawb arall i'r mwd i'w ganlyn . . . Magi ac yntau yn eu mysg. Pam aflwydd na fyddai wedi aros yn Lerpwl efo'i debyg a gadael llonydd iddyn nhw?

4

Ar gyrion y dref lle roedd yr awel yn ysgafnach a mwy o raen ar y glaswellt eisteddai Tom Bevan, prifathro Ysgol Y Graig, ar fainc yn yr ardd yn tynnu cysur o'i bibell. Bu wythnos gyntaf y tymor yn fwy o laddfa nag arfer. Tyfodd y cecru di-baid rhwng Miss Humphries ac Emma Harris yn destun siarad athrawon a phlant gan effeithio ar holl awyrgylch yr ysgol. Byddai gofyn iddo setlo'r mater rhag blaen, a hynny gyda'r doethineb mwyaf.

Wrthi'n dethol ei eiriau yr oedd pan glywodd ei wraig yn galw arno i'w swper.

'Mi fydda i yna rŵan,' meddai.

Gwagiodd ei bibell a'i gadael i oeri ar y fainc.

Pan gyrhaeddodd y gegin roedd ei wraig wedi gorffen bwyta ac ar glirio'r bwrdd.

'Dyna'r trydydd tro imi alw,' meddai.

'Mae'n ddrwg gen i. Chlywais i monat ti.'

'Chlywaist ti mo'r ffenast neithiwr chwaith, debyg?'

''D ydi hi ddim gwell felly?'

'Sut y gall hi fod yn well? 'D ydi Robert Jones y saer ddim yn broffwyd.'

'Fi oedd i fod i drefnu iddo fo alw?'

'Ia . . . dydd Gwenar, yn ddi-ffael, meddat ti.'

'Che's i 'r un eiliad o lonydd drwy'r dydd.'

'Mwy na finna neithiwr, a'r noson cynt, a'r noson cyn honno, efo'r ffenast 'na'n clecian yn ddi-baid.'

Estynnodd ei fwyd o'r popty. Roedd hwnnw wedi sychu'n grimp ond ni fyddai Tom fawr callach petai'n rhoi dysglaid o fwyd ci o'i flaen. Ni thrafferthodd ail-ferwi'r tecell. Byddai'n gadael i'w de oeri fel dŵr pwll p'run bynnag.

'Mi ga' i olwg ar y ffenast 'na heno. Ond mae gen i waith i'w orffan gynta.'

''D wyt ti rioed yn mynd yn ôl i'r ysgol 'na eto heno?'

'Mi wyddost fel mae petha ar ddechra tymor.'
'Fel maen nhw'n ystod tymor, ac ar 'i ddiwadd o.'
'Arna i mae'r cyfrifoldab.'
'Yr un hen gân . . . hyd at syrffed.'
'Mi ddaw petha'n well.'
'Sawl tro yr ydw i wedi clywad hynna o'r blaen.'
Cliriodd Tom Bevan ei blât heb sylwi dim ar ei gynnwys. Efallai ei fod ar fai, ond fe ddeuai pethau i drefn cyn bo hir a châi yntau gyfle i wneud iawn iddi am ei hesgeuluso. Addawodd iddo'i hun y byddai'n ffonio'r saer ben bore trannoeth. Ond yn gyntaf oll byddai'n rhaid iddo gael gair efo Emma Harris, cyn iddi gael cyfle i godi gwrychyn Miss Humphries.
Yfodd ei de'n frysiog ac aeth trwodd i'r cyntedd i estyn ei faco o boced ei gôt.
''D oes dim angan iti aros amdana i,' galwodd.
Wrth iddo adael y tŷ fe'i clywodd yn dweud, o'r gegin, ''D ydw i ddim yn bwriadu gneud.'

5

Arafodd Richard ei gamau wrth iddo nesu am Finafon. Nid oedd ar frys i gyrraedd adra. Hy!—adra—dyna oeddan nhw'n galw'r twll lle 'na y cawsai gip arno rhyw gwta awr yn ôl? Roedd yna fwy o gysur mewn mynwent.
Ni fyddai waeth i Mati fod wedi cynnau tân yno o dro i dro ddim. Roedd ganddi ddigonedd o amser ar ei dwylo. Wedi pwdu'r oedd hi, debyg. Dim posib nad oedd hi wedi ei glywed yn curo wrth ei drws gynnau. Byddai wedi disgwyl rhywbeth amgenach gan Mati. Ond 'd oedd yna goel ar neb, ran'ny. Pwy fyddai'n meddwl y gallai Hyw Twm fod mor fileinig? Rhyw fwngral fel 'na'n dweud wrtho fo beth i'w wneud ac yntau wedi dwndran cymaint arno. Ei fwydo efo gwaith a hwnnw'n agor ei big am ragor, fel cyw deryn; pitïo wrth weld ei wydryn blaenor a'i bacedi sigarets gweigion, a mentro i diriogaeth Jaws ei hun yn hytrach na'i adael i dreulio'r nos ym môn clawdd.
Roedd o wedi gobeithio cael boliad iawn o gwrw'r Queens cyn gorfod wynebu Minafon ond, diolch i'r Hyw Twm 'na,

roedd o cyn syched â Harri Lloyd. Sut siâp oedd arni hi bellach, tybed? Go brin fod yna ddim ar ôl o'r Cit honno a roesai'r fath ryfeddod o ddiwrnod iddo, diwrnod yr oedd hi, i bob golwg, yn fodlon byw arno am weddill ei hoes.

'D oedd yna ddim dallt ar ferchad, waeth beth oedd eu hoed nhw. Dyna'r Rosie 'na, yn crafangio amdano fel cath wyllt pan ddywedodd ei fod yn bwriadu gadael, ac yn erfyn arno'i phriodi. Roedd o wedi addo hynny iddi, meddai. Ond dylai Rosie, o bawb, wybod yn well na rhoi coel ar addewid mewn cwrw. Pa ddyn yn ei lawn synnwyr a fyddai'n dewis ei chlymu hi'n faen melin am ei wddw a hithau i'w chael yn rhad ac am ddim? Nid mor rhad, chwaith, o gofio'r holl gins a'r vodkas a ddiflannodd i'r pwll diwaelod ar hyd yr wythnosau. Ond fe wnaethai'n siŵr fod rhan o'r ddyled honno, o leiaf, wedi ei thalu. Byddai wedi ildio cyfran go dda o'r arian, fodd bynnag, am gael bod yn bry ar y wal i weld Rosie'n deffro bore Sadwrn i gael fod ei henillion wedi diflannu. Gallai'r hen fuwch gybyddlyd fod wedi fforddio'u haneru gan mai fo ddewisodd y blydi ceffyl. Ond y cyfan gafodd o oedd peint neu ddau ac addewidion meddw o rywbeth gwell i ddyfod. Bag gwag a gwely gwag—pa un fyddai'r golled fwyaf tybed? O 'nabod Rosie, nid oedd yn anodd dyfalu.

Wrth iddo'i ollwng ei hun i mewn i rif pedwar, Minafon, a phob symudiad o'i eiddo'n tabyrddu'n ei glustiau teimlodd Richard hwrdd sydyn o hiraeth am gwmni swniog y Nag's Head a'r cwrw a wnâi i gwrw'r Queens flasu fel dŵr tap. Ond waeth heb â hiraethu am y fan honno bellach. Roedd hi'n ta-ta Lerpwl, ac yn ta-ta Rosie hefyd. Ond be rŵan? Ia, be rŵan?

6

'Chwytha.'

'Y?'

'Chwytha.'

Gollyngodd Hyw Twm ebwch o anadl a barodd i Magi gamu'n ôl mewn dirmyg.

'Ychafi. 'Ro'n i *yn* ama. Fedri di ddim gneud hebddo fo hyd yn oed ar y Sul. Mi gafodd Gwen Elis ddigon o fodd i fyw.'

'Efo be, felly?'

'Dy fod ti wedi gneud ffŵl ohona i 'te . . . sleifio i ffwrdd y munud y ce'st ti 'nghefn i.'

Teimlodd Hyw Twm ei goesau'n gwegian 'tano ac ymbalfalodd am gefn cadair i'w sadio ei hun.

'Wedi meddwi wyt ti?' arthiodd Magi.

'Che's i ddim digon i godi pendro ar ddryw bach.'

'Mae'i ogla fo'n ddigon i amball un. A lle ce'st ti bres i slotian, dyna liciwn i i wybod.'

'Un o'r hogia ddaru 'nhretio i.'

'Cardod.'

'Mae 'ma stoc dda o goed, Magi.'

'Dim hannar digon. Welist ti'r bil glo dwytha?'

'Mae bilia'n codi beil arna i.'

'Mi wyt ti'n rhawio glo ar y tân 'na fel 'tae o'n fanna o'r nefoedd.'

'Be ydi hwnnw?'

'Dŵr glaw 'te.'

'Fedrwn i ddim fod wedi torri rhagor. Roedd 'y nghefn i'n 'y lladd i.'

'Ista gormod wyt ti. A waeth iti heb â rhoi dy din i lawr rŵan chwaith. Dos i molchi, cyn swpar.'

Cychwynnodd Hyw Twm am y gegin dan lusgo'i draed i'w ganlyn.

'I fyny grisia, plîs. Dim ond gwehilion cymdeithas sy'n molchi'n y sinc.'

Ac i fyny'r grisiau'r aeth Hyw Twm, a'i draed yn trymhau efo pob cam. Nid oedd hyn ond dechrau, meddyliodd, wrth roi llyfiad cath i'w wyneb. Ni fyddai eiliad o heddwch, rŵan fod Dic Pŵal yn ei ôl.

7

Daeth Leslie trwodd i'r gegin yn cario pâr o esgidiau bychain, yn drwch o fwd.

'Lle aflwydd mae Robert wedi bod efo'r rhain?' holodd.

'Chwara.'

'Mi 'dw i wedi deud a deud wrthat ti am 'i gadw fo i mewn.'

Ceisiodd Pat roi ei holl sylw i'r smwddio ond cyn sicred ag y câi un rhan o'r crys i drefn byddai rhan arall yn stremp o grychiadau.

'Gwranda arna i pan 'dw i'n siarad efo chdi.'

'Mi 'dw i'n brysur, Les.'

'Gadael petha tan y munud ola, fel arfer. 'D wyt ti ddim i dy drystio funud. Mae'n hen bryd inni symud i Aberystwyth imi gael cadw golwg arnat ti.'

''D ydw i ddim isio mynd.'

'Be ddeudist ti?'

'Well gen i yn fan'ma.'

''D oeddat ti rioed yn meddwl 'y mod i am 'neud y siwrna 'ma bob penwythnos am byth mwy?'

'Wnes i ddim meddwl.'

''D wyt ti byth yn meddwl, yn nac wyt. Faint fyddi di eto?'

'Mi 'dw i wedi darfod.'

Cipiodd Leslie'r crys oddi arni a chraffu'n feirniadol arno cyn ei blygu'n ofalus, wnïad wrth wnïad, a'i roi'n y cês.

'Mi fydda i'n rhoi'r tŷ 'ma ar y farchnad gyntad ag y ca' i sicrwydd o'r fflat,' meddai. ''Does 'na ddim byd i'n cadw ni ym Minafon 'ma rŵan.'

'Gas gen i Aberystwyth.'

'A pryd buost ti yno? Y?'

''D ydw i ddim wedi bod.' Yna'n herfeiddiol, ohoni hi, 'A 'd ydw i ddim am fynd chwaith.'

Caeodd Leslie'r cês a'i gloi cyn troi ati a dweud, yn oeraidd,

'Fydd gen ti ddim dewis. Yno mae 'ngwaith i ac yno mae dy le ditha.'

Wedi i Leslie ei gadael diffoddodd Pat yr haearn ac aeth trwodd i'r ystafell eistedd. Gorweddai Robert ar ei fol ar lawr yn chwarae efo'r injian dân a ddaethai ei dad iddo.

'Car coch Os, yli,' meddai.

Estynnodd Pat ddwy dabled o'r botel a oedd wedi ei gwthio i ben draw drôr y seidbord. Nid oedd wiw iddi eu cymryd pan fyddai Les o gwmpas. Mynnai ef y dylai ganolbwyntio ar ei gwella ei hun, heb help cyffuriau. Roedd o eisoes wedi tywallt llond potel o'r tabledi i lawr y lle chwech ond ni wyddai am fodolaeth hon. Unwaith y câi hi Robert i setlo, ac roedd mwy o waith setlo arno wedi i Les ei ddwndran trwy'r penwythnos, câi hithau lonydd am y nos.

Eisteddodd ar y setî a gorffwyso'i phen ar glustog. Yn raddol, wrth i'r tabledi gymryd effaith, dechreuodd flasu'r tawelwch a'r teimlad braf o allu ymlacio am y tro cyntaf ers dyddiau gan wybod na fyddai'n rhaid iddi rannu ei gwely am bedair noson arall.

8

'Wedi pwdu ydach chi?'

Eisteddodd Richard, heb ei gymell, ac edrychodd trwy gil ei lygad ar Mati. Arglwydd mawr, roedd golwg annymunol arni hi.

''D oedd dim rhaid i chi 'neud hynna chwaith, Mati.'

'Gneud be?'

'Peidio agor drws imi.'

'Pryd, felly?'

'Rhyw awr a hannar yn ôl. Yma dois i ar f'union . . . hiraeth am eich gweld chi.'

'Ia, reit siŵr. P'run bynnag, chlywais i monoch chi.'

'Mi ddylach weld doctor, felly. Mae'n rhaid fod 'na ryw ddiffyg ar eich clustia chi.'

'Fedrwn i mo'ch clywad chi'n hawdd. 'D o'n i ddim yma.'

'Wedi dechra hel tai, ia?'

'Mi 'dach chi *yn* cofio pa noson ydi hi?'

'Nos Sul, am wn i. Mae'n anodd deud . . . 'd ydi pob diwrnod 'r un fath.'

'Ddim i bawb.'

B'le bynnag oedd hi wedi bod yn hel ei thraed roedd rhywun wedi sathru'n go egar ar ei chyrn hi. Syllodd Richard yn awgrymog i gyfeiriad y tebot a swatiai o dan ei gôt weu ar ganol y bwrdd ond ni wnaeth Mati unrhyw osgo i estyn amdano.

'Yn y capel 'ro'n i.'

'Capal?'

'Mae pobol yn dal i fynd yno, wyddoch chi. Dim ond llond dwrn o ffyddloniaid falla . . .'

'Ac mi 'dach chi'n un o'r rheini?'

'Trio bod.'

'Yno roeddach chi, felly?'

'Mae'n rhaid. 'D ydw i ddim yn un i beidio agor i neb, pwy bynnag ydi o.'

'Nac ydach, siawns. 'S gen i ddim mynadd efo pobol felly.'

Fel y Katie Lloyd honno, meddyliodd Richard, yn dal y drws yn ei erbyn ac yntau newydd fod â hi am sbri ar draws gwlad. Ac yn ei foedro wedyn efo esgusodion nad oedden nhw'n dal dim dŵr . . . sôn am boeri gwawd yn wyneb dyn a oedd wedi cicio'r bwced ers blynyddoedd. Mae'n rhaid ei bod hi'n ddotus. Hi a'r Eunice Murphy 'na, yn mynd i sterics yng-hylch rhyw fymryn o damprwydd ac yn malu awyr am hawliau ac ati, dim ond i leddfu ei chydwybod ei hun. Ond ni châi'r un o'r ddwy gyfle i gau'r drws arno eto reit siŵr.

'Wel, sut siâp sydd ar betha yma?' holodd.

'Lle?'

'Minafon 'te. Dowch â dipyn o hanas.'

''Nelo fi ddim byd â fo,' yn siarp.

'Ers pryd?'

''D ydw i ddim wedi bod hannar da.'

'Dyna sydd. Be oedd, felly?'

'Mi ge's amsar go galad, efo Lena.'

'O, hynny.'

'Tri mis o hunlla, Richard. Peth sobor ydi gorfod gwylio rhywun yn marw.'

'Ia, debyg. Ond mae o drosodd rŵan 'd ydi.'

'Ddim i mi.'

Be aflwydd oedd ar y ddynas yn rhythu arno fo fel'na? 'D oedd ei chapel wedi gneud fawr o les iddi, yn ôl pob golwg. Ond dyna oedd eu hobi nhw yn fan'no ran'ny—pigo pechodau fel y byddai mwncïod yn pigo chwain.

'Mi fydd yn flwyddyn toc.'

'Ia, wel, 'd oes 'na ddim diban sôn am hynny rŵan, yn nac oes?'

''Dach chi'n meddwl?'

'Waeth heb â chodi hen gnecs.'

'Dyna ydach chi'n 'u galw nhw?'

Am y tro cyntaf, syllodd Mati i fyw'r llygaid gleision hynny a fu'n cymryd y fath fantais arni ar hyd y blynyddoedd. Digio'n bwt wrtho, a maddau'r cyfan wedyn, dro ar ôl tro. Ei dderbyn yn ôl a chwerthin am ben ei gampau, fel petai'n gog bach direidus. Ond ddim eto. Na, ddim eto.

Cododd Richard ac aeth i sefyll wrth y ffenestr. Meddai, â'i gefn tuag ati,

''Ro'n i'n meddwl falla y cawn i aros yma heno.'

Y nefoedd fawr, roedd o'n disgwyl iddi allu anghofio'r cyfan a'i groesawu'n ôl; anghofio'r misoedd hunllefus hynny o wylio Lena'n mynd yn fwy a mwy dibynnol arni. Y Lena, nad oedd wedi mynd ar ei gofyn er pan oedd yn blentyn, yn erfyn arni efo'r llygaid mawr, clwyfus i aros efo hi, ddiwrnod ar ôl diwrnod, nos ar ôl nos. A hithau'n ildio o ran dyletswydd, am nad oedd yno neb arall. Gorfod ysgwyddo'r cyfan o drefniadau'r angladd a wynebu'r cwestiynau a'r ensyniadau heb fod ganddi ateb i'r un ohonynt. Dychwelyd i dŷ gwag a gweld eisiau Arthur yn fwy nag erioed. Ei llusgo ei hun o gwmpas y tŷ fel un mud a byddar; torri ei bys ar gyllell fara a gwaedu fel mochyn, heb deimlo ias o boen; cydio'i throed yng ngharped y grisiau a syrthio i'r lobi a gorwedd yno am oriau heb wneud unrhyw ymdrech i godi.

Trodd Richard ati, ei wefus isa'n hongian yn llac a'i lais yn drwm o hunan-dosturi.

'Fedra i ddim diodda'n y tŷ 'cw, Mati.'

'Mi fydd raid i chi, mae arna i ofn. Ydach chi'n cofio be ddeudoch chi wrtha i y tro dwytha i chi fod yma?'

'Sut mae posib imi gofio peth felly?'

'Mi 'dw i'n cofio. Fe ddaru chi fy nghyhuddo i o ddeud celwydd wrthoch chi . . . am Lena.'

'Wedi cynhyrfu'r o'n i 'te.'

'Llwfrgi ydach chi, Richard.'

'Fedrwn ni i gyd ddim bod yn berffaith.'

'Ac mi 'dach chi'n cymryd hynny fel esgus dros ysgwyddo pob cyfrifoldab ar rywun arall. Ond ddim rhagor. 'D oes 'na ddim croeso i chi yma, Richard.'

'Be 'dach chi'n 'i feddwl? Fydda i ddim traffarth. Mi gysga i ar y gadair.'

'Ylwch . . . mi rho' i o cyn blaenad ag y medra i. 'D ydw i mo'ch isio chi yma, heno na'r un noson arall.'

Symudodd Mati am y drws, a'i agor. Yr un munud, clywodd Richard sŵn traed yn yr iard gefn. Cyn iddo allu symud cam roedd gŵr dieithr yn cerdded yn dalog i'r gegin a Mati'n dweud, yn ffrwcslyd,

''D o'n i ddim yn eich disgwyl chi mor gynnar, Emyr.'

Sodrodd y dieithryn, yr Emyr yma, ei gês ar ganol y llawr a gwenodd ar Mati.

'Ar frys i ddŵad yn ôl,' meddai.

Nodiodd i gyfeiriad Richard, cyn ychwanegu,

'Mi a' i i nôl gweddill y petha o'r car.'

'Na, gadwch nhw am rŵan. Tamad o swpar gynta. Os gnewch chi'n hesgusodi ni, Richard.'

Ac felly, heb air pellach, y gadawodd Richard Powell dŷ Mati Huws, heb na llymaid na thamaid, y nos Sul honno o Fedi cynnar.

PENNOD 4

Dydd Gwener, Medi'r 16eg

1

Paratoi i adael yr oedd Emma Harris y prynhawn Gwener hwnnw pan roddodd y prifathro ei ben heibio i'r drws.

'Cyn i chi fynd, Miss Harris,' meddai.

Teimlodd Emma law oer yn cau am ei chalon. Bu'n disgwyl yr alwad hon ers dyddiau. Ni allodd gysgu winc neithiwr nac echnos wedi i Miss Humphries ddweud brynhawn Mercher ar ôl ffrwgwd danbeitiach nag arfer,

''D ydw i ddim yn credu fod yna le i'r ddwy ohonon ni yn Ysgol Y Graig, Miss Harris.'

A neithiwr, wrth iddi droi a throsi, a geiriau'r athrawes yn canu fel tiwn gron yn ei phen, daethai holl drueni'r diwrnod y gadawsai'r swyddfa yn ôl iddi a'i sigo'n llwyr. Clywsai eto lais amhersonol y Jones Davies ieuengaf yn ei chymell i arfer ei doethineb ac i gadw rhag chwerwi. Gwelsai eto'r wên yn chwarae ar wefusau Gladys Owen wrth iddi sylweddoli fod ei thriciau bach budron wedi talu ar eu canfed. Ai dyna a fyddai ei phenyd yma, hefyd? Cael ei thaflu o'r neilltu am ei bod hi'n ddigon hen ffasiwn i gredu yng ngwerthoedd sylfaenol bywyd, fel parch a chwrteisi?

'Chadwa i mohonoch chi'n hir. 'Steddwch.'

Cydiodd y prifathro mewn pensel oddi ar y ddesg a dechreuodd sgriblan ar y papur blotio. Papur glân y bore 'ma, meddyliodd Emma, rŵan yn llanast i gyd. Dal i sgriblan yr oedd o pan saethodd y cwestiwn ati, fel bwled o wn,

'Ydach chi'n hapus yma, Miss Harris?'

Ceisiodd Emma ymbalfalu yng nghefn ei meddwl am ryw lun o ateb ond cyn iddi allu dod o hyd i'r un, meddai wedyn,

'Ydi'r gwaith yn eich poeni chi? 'R ydan ni wedi cael pythefnos galed.'

'O, nac ydi, ddim o gwbwl. Mi 'dw i wrth 'y modd efo hwnnw.'

'Ond mae 'na boen?'
'Wel . . . oes mae'n debyg.'
'Ga' i ofyn sut mae petha rhyngoch chi a Miss Humphries erbyn hyn?'
'Wedi bod yn achwyn mae hi eto, ia?'
'Mae arna i ofn.'
'Mi wyddoch, felly.'
'Ond mi hoffwn i glywed eich ochor chi. Roedd Miss Humphries wedi'i tharfu'n arw.'
'Mae hi'n un hawdd iawn 'i tharfu.'
'Wyddoch chi 'i bod hi'n dysgu yma ers pum mlynedd ar hugain?'
'Mi ddylwn, bellach. Ond fydd hi byth yn meddwl cnocio, Mr Bevan, dim ond cerddad i mewn fel petai hi piau'r lle.'
'Ers faint yr ydach chi yma, Miss Harris?'
'Blwyddyn 'te,' yn bigog.
'Finna ers pedair. Cymharwch chi hynny â phum mlynedd ar hugain. 'D oes ryfedd fod Miss Humphries yn teimlo fod ganddi 'i hawlia, yn nac oes?'
'Ond mae hi'n gosod 'siampl ddrwg. On'd ydi pawb arall yn meddwl fod ganddyn nhw'r un hawl.'
'Mi ga' i air efo hi ynglŷn â hynny.'
'Mae hi wedi gneud ati i 'nghroesi i er pan ydw i yma.'
'Yr un ydi'i chŵyn hitha.'
'Ac mi 'dach chi'n 'i chredu hi?'
'Fedra i ddim fforddio cymryd ochor, Miss Harris.'
'Eistedd ar ben llidiart, felly?'
'Dyna'r lle doetha, heb wybod yr amgylchiada. Ond mi 'dw i'n meddwl y dylwn i'ch rhybuddio chi y gall Miss Humphries wneud petha'n anodd i chi . . . yn anodd iawn.'
'Pam y dylwn i blygu iddi hi?'
'Er eich mwyn eich hun, ac er fy mwyn i. Ychydig bach o ddoethineb, ynte, Miss Harris? Mi wn i fod ganddoch chi ddigonedd o hwnnw.'
Cyn gynted ag y caeodd Emma'r drws o'i hôl taniodd Tom Bevan ei bibell. Gyda lwc, gallai glirio peth o'i waith cyn swper. Nid oedd ganddo unrhyw archwaeth at fwyd ond byddai Ceri wedi paratoi ac ni allai fentro'i chroesi. Er iddo wneud ymdrech i dreulio mwy o amser yn ei chwmni yn ystod

yr wythnos, llugoer iawn oedd ei hymateb a phan awgrymodd y byddai'n ceisio cael penwythnos yn rhydd rhwng hyn a'r Nadolig y cyfan a ddywedodd hi oedd—''D oes 'na fawr o ddiban, bellach.'

Rai oriau'n ddiweddarach, ac yntau wedi cymryd hoe i ail-lenwi ei bibell, sylweddolodd Tom Bevan ei bod ymhell wedi amser swper a chododd y ffôn i ymddiheuro. Gadawodd iddo ganu'n hir ond ni ddaeth neb i'w ateb.

2

Gan na allai oddef eiliad yn rhagor ar ei ben ei hun a gan ei bod hi'n rhy gynnar i'r Queens penderfynodd Richard fynd i alw ar Brian Murphy, yr unig un o drigolion Minafon a fyddai'n deb-ygol o'i gyfarch â gwên. Gwelsai Eunice yn mynd heibio am y dref rhyw hanner awr yn ôl. Byddai cyfle, felly, iddo gael ei draed 'tano cyn dod wyneb yn wyneb â hi. Cymysg iawn oedd ei deimladau wrth iddo'i gwylio—un llaw yn ysu am gael ei thynnu ato a theimlo'i chorff yn ei erbyn a'r llall yr un mor barod i roi ysgytwad iawn iddi nes y byddai'r dannedd bach gwynion yna'n rhincian. Mistar oedd ar honna ei angen, dyn go iawn, nid rhyw gadach llawr o rwbath yr oedd yn rhaid ei ddandwn bob awr o'r dydd.

Ond roedd y Brian Murphy a agorodd y drws i Richard Powell yn dipyn nobliach dyn na'r un a gofiai ef ac roedd sbonc newydd yn ei gerddediad wrth iddo ei arwain i'r gegin.

'Mae'n dda'ch gweld chi, Mr Powell.'

'Dim ond galw i weld sut mae petha efo chi bellach.'

''D ydw i ddim 'r un dyn.'

Roedd y gegin lle y treuliodd Richard oriau yn sipian coffi yng nghyfnod yr ara-deg-a-phob-yn-dipyn wedi ei hailbapuro a'i hailwampio.

'Mae rhywun wedi bod yn brysur yma,' meddai.

'Eunice sydd wedi bod wrthi. 'Steddwch. Mi wna i goffi inni. Wedi picio i'r siop mae Eunice . . . fydd hi fawr o dro.'

Rhoddodd Brian y tegell i ferwi ac eisteddodd, gyferbyn â Richard, ei wyneb agored mor ddifalais ag erioed.

'Wn i ddim sut i ddiolch i chi,' meddai.

'Am be, felly?'

'Am fod yn gefn i Eunice. Mi fydda wedi bod yn o ddrwg arni hebddoch chi.'

''Chydig iawn wnes i. Mi fuo'n rhaid imi adael y lle 'ma ar dipyn o frys . . . gwaith yn galw.'

'Roedd hi dros y gwaetha erbyn hynny, diolch i chi. Mi fydda wedi dŵad i ben yn iawn oni bai am y godwm 'na.'

'Codwm?'

'Yn y stryd gefn.'

'Mae o'n hen le egar.'

'Taro'i phen ddaru hi. Mi fuo yn yr ysbyty am ddyddia. Mi 'dw i wedi deud digon wrthi am 'rafu, ond be 'newch chi.'

'Be fedrwch chi 'i 'neud.'

'Mi fuo Mrs Lloyd drws nesa'n ffeind iawn. Hi a Miss Harris ddaeth o hyd i Eunice. Mae pobol yn dda.'

Da? Ers pryd? Efallai fod yna bosibiliadau yn Katie Lloyd ond i rywun ymlafnio i gyrraedd atyn nhw, heibio i'r hen Harri, ond roedd yna ddôs go helaeth o'r diafol yn Emma Harris.

Gwyliodd Brian yn picio yma ac acw, yn estyn a chadw, mor ddeheuig â merch, ac yn rêl shani.

'Mi 'dw inna'n ailddechra gweithio dydd Llun, Mr Powell,' meddai'n eiddgar.

'Wedi gwella'n iawn felly?'

'Naddo, medda Eunice. 'D ydi hi ddim yn gwybod eto . . . 'mod i am fynd yn ôl. Ond mae'n bryd imi 'forol ati. Mae Eunice wedi gorfod fy nghario i'n rhy hir.'

A'i gario fo y byddai hi am byth. Roedd hogan fywiog fel hi'n haeddu gwell na rhyw lipryn meddal na allai weld ymhellach na'i drwyn.

'Roedd yn ddrwg gen i am eich collad chi.'

'Ia, wel, mae o'n dŵad i bawb yn 'i dro.'

'Wn i ddim be faswn i'n 'i 'neud heb Eunice.'

Estynnodd Richard am ei baced sigarets a chynnig un i Brian.

'Ddim diolch. Fiw imi.'

'Ydi o wahaniaeth ganddoch chi?'

'Wel . . . y . . .'

Gwthiodd Richard y sigaret yn ôl i'r paced, a'i gadw.

'Mi 'dach chi'n dechra dygymod â'r lle 'ma erbyn hyn, debyg,' meddai.

'Sut oeddach chi'n deud?'

'Y tamprwydd yn yr awyr . . . mi 'dach chi wedi dŵad i arfar efo fo.'

'Mae o'n lle braf.'

''Dach chi'n meddwl? Licias i rioed mo'no fo.'

'Tewch.'

'Naddo. Teimlo fel taswn i mewn carchar.'

Tawodd Richard. Be oedd diben dweud ei gŵyn wrth un â'i draed mewn slipars? Be wyddai hwn, wedi'i lapio fel nionyn rhwng pedair wal, am yr oerni y tu allan?

'Mae'n ymddangos ein bod ni am gael ha' wedi'r cwbwl,' meddai Brian.

'Braidd yn hwyr ydi hi 'te.'

'Gwell hwyr na hwyrach.'

O'r nefoedd, roedd y creadur yn annioddefol. Cododd Richard.

'Mi ddylwn i 'i throi hi,' meddai.

'Fedrwch chi ddim mynd heb banad. Ac mi fydd Eunice yn 'i hôl unrhyw funud rŵan. Mi fydd hi'n falch o'ch gweld chi.'

Pan ddaeth Eunice, roedd y coffi wedi ei yfed a'r sgwrs wedi mynd yn hesb. Ac roedd Richard yn torri'i fol eisiau smôc.

Wrth iddi dynnu ei chôt a'i chadw'n y cwpwrdd o dan y grisiau roedd meddwl Eunice ar yr hyn a glywsai yn y dref. Daethai dyn dieithr iddi hi i fyny ati ar y stryd a dweud,

''Ro'n i'n falch o glywad fod 'rhen Brei yn dŵad yn ôl aton ni.'

Aethai'r geiriau â'r gwynt o'i hwyliau am funud ac ni allai wneud dim ond syllu'n syn ar y dyn.

'Mrs Murphy ydach chi 'te?' holodd yntau.

'Ia.'

'Mi fydda Brei a finna yn arfar gweithio shifft nos efo'n gilydd. Mi 'dw i'n dallt 'i fod ynta wedi cael 'i symud i'r shifft dydd rŵan.'

'Lle clywsoch chi hynny?' yn siort.

'Y bos ddeudodd. Dechra bora Llun, medda fo.'

'Wel, nac ydi wir.'

'Fi ddaru gamddeall mae'n rhaid.'
'Mae'n rhaid.'
'Mi fedrwn i daeru . . .'
Taered o faint a fynnai, nid oedd rhithyn o wir yn y stori. Be oedd ar bennau pobol, yn siarad ar eu cyfer? Ceisio awgrymu yr oedd o, efallai, mewn ffordd dan din, ei bod hi'n bryd i Brian afael ynddi. Rhag ei gwilydd o, a Brei wedi bod mor wael. Byddai'n rhaid iddi ei rybuddio rhag blaen, cyn i rywun fel Gwen Elis gael ei phig i mewn, a'i darfu. Galwodd, o'r cyntedd,
'Chredi di ddim be glywis i'n y dre rŵan.' Yna, pan na ddaeth ateb,
'Brei!'
'Ia?'
'Lle wyt ti d'wad?'
'Yn y gegin.'
'Be wyt ti'n 'i 'neud yn fan'no a thân braf yn y stafall ffrynt? Tyd drwodd.'
'Na, tyd ti yma. Mae 'na ddyn diarth wedi galw i dy weld ti.'
Safodd Eunice yn ei hunfan. Nid oedd ganddi fawr o awydd dal pen rheswm efo neb ar y munud.
'Eunice.'
Daeth Brian trwodd i'r cyntedd, yn wên o glust i glust.
'Mi wyt ti'n hir iawn.'
'Pwy sydd 'na?'
'Richard Powell. Deud o'n i wrtho fo rŵan mor falch fyddi di o gael cyfla i ddiolch iddo fo.'
'Fedra i ddim dŵad yna rŵan.'
'Pam?'
''Y mhen i. Mae'n rhaid imi fynd i orwadd.'
'Tyd i ddeud helo gynta.'
Ond roedd Eunice eisoes ar y grisiau. Dychwelodd Brian i'r gegin a phryder wedi cymylu'i wên.
'Eunice ddim yn dda,' eglurodd.
'Felly 'ro'n i'n clywad.'
'Mae hi'n cael 'i phoeni dipyn efo'i phen. Mi 'dw i'n siŵr fod a wnelo fo â'r hen godwm 'na.'
Wrth weld Richard yn paratoi i adael, meddai'n ofidus,

''D oes dim angan i chi fynd.'

'Mae 'na betha'n galw.'

'Oes, siŵr. Mi ddowch eto? Mae hi'n braf cael sgwrs.'

Paid ti â phoeni, 'ngwas i, meddyliodd Richard, mi fydda i'n ôl. Ond nid i dy glywad di'n cyfri dy fendithion ac yn gwneud angylion o ddiawliaid, reit siŵr.

3

Erbyn i Emma adael yr ysgol roedd y plant, drwy drugaredd, wedi cilio, ar wahân i gwpwl a oedd yn llercian yn y cysgodion wrth y giât. Adnabu Emma'r eneth fel un a fu mewn helynt efo'r prifathro'r llynedd, wedi cael ei dal yn un o dafarnau'r dref a hithau o dan oed. Roedd y bachgen yn ddieithr iddi ac wedi gadael yr ysgol, yn ôl ei wisg. Syllodd Emma mewn dirmyg ar y tlws a grogai o'i glust a'r tocyn gwallt ar ei gorun. Rhythodd y bachgen yn ôl arni. Gallai wneud efo trochfa iawn a'i sgwrio efo brws bras. Hen bethau budron oedd hogiau ers talwm hefyd, ran'ny, ac ogla'u traed yn codi cyfog ar rywun. Ni fu gan Madge a hithau erioed ddim i'w ddweud wrth yr un ohonyn nhw, dim ond i'w herio i sgarmes. 'Phrioda i byth,' meddai Madge. 'Na finna.' A dyna nhw wedi cadw at eu gair. Roedd hi, beth bynnag am Madge, yn well allan fel roedd hi. Beth petai Idris Preis adra'n ei haros hi rŵan, yn dylyfu gên yn barod i'w de, a hithau'n gorfod dawnsio tendans arno wedi diwrnod caled o waith? Roedd rhywun, neu rywbeth, wedi cofio amdani y diwrnod hwnnw y cymerodd Idris Preis y goes. 'Mi gei di rywun fydd yn deilwng ohonat ti ryw ddiwrnod,' meddai ei thad. Ond ni welsai hi yr un dyn yr hoffai rannu na'i bwrdd na'i gwely efo fo. Dim ond trafferth oedd efo nhw i gyd. Dyna'r Mr Bevan 'na, yn ei chymell i wadu'i hegwyddorion ac i 'sgubo'i gwerthoedd o'r neilltu. Pum mlynedd ar hugain neu beidio, ganddi hi'r oedd yr hawl ar ei hystafell, ac o fore Llun ymlaen fe wnâi'n siŵr na châi Miss Humphries na neb arall fynediad heb ei chaniatâd hi.

'Eich meddwl chi'n bell, Emma.'

Daethai Gwen Elis ar ei gwarthaf. Safodd yn ei llwybr a'i gorfodi i aros.

'Wedi dŵad i ben am wythnos arall?'

'Wel . . . ia.'

'Er, 'd ydi gwaith dynas byth yn darfod, yn nac ydi? Sut le sydd 'na tua'r ysgol rŵan?'

'Prysur.'

''D ydi'r hed 'na fawr o gop fel 'dw i'n deall. Gadael i'r plant 'neud fel mynnan nhw. Ydach chi'n cofio Williams bach, Emma? Fiw i chi edrych yn gam ar hwnnw na fyddai'r wialan ar draws eich coesa chi.'

'Roedd hynny cyn fy amsar i.'

Daeth y cwpwl a welsai Emma'n llempian caru wrth y giât heibio â'u breichiau am ei gilydd.

'Bobol annwyl be oedd hwnna 'dwch?' holodd Gwen. 'Mewn cawall dyla fo fod. Rhoi gliw ar 'u gwalltia maen nhw 'chi. Roedd o'n deud yn yr hen bapur dydd Sul comon 'na fod peryg iddyn nhw golli'r cwbwl. Mi fydd 'na olwg da arnyn nhw . . . llond lle o betha penna lard. Mynd adra 'dach chi?'

'Ia.'

'Finna hefyd. Mi fydd Dei'n barod am 'i de. Edrych ar ôl y parc mae o rŵan 'chi. Fe 'naethon nhw dro gwael efo fo yn Y Rhosydd 'na . . . 'i gymryd o'n ganiataol a fynta'r crefftwr gora gawson nhw rioed. Ond 'u collad nhw ydi hi, o ia.'

Symudodd y ddwy ymlaen, gyda Gwen Elis yn preblian yn ddi-baid ac yn arafu bob hyn a hyn i gael ei gwynt ati ac Emma'n gollwng ebychiadau unsillafog o gytundeb neu anghytundeb, yn ôl y galw. Pan oedden nhw gyferbyn â Siop y Becws, meddai Emma,

'Esgusodwch fi, Gwen Elis, ond mi 'dw i newydd gofio fod arna i angan torth.'

'Mi arhosa i amdanach chi.'

'Na, ewch chi 'mlaen. Mae'r siop yn llawn, ylwch. 'D oes wybod faint fydda i.'

Prynodd Emma dorth nad oedd arni fwy o'i hangen na chur yn ei phen. Ond roedd hi'n werth pob ceiniog. Ni fu erioed cyn falched o gyrraedd ei chartref. Am y tro cyntaf ers misoedd roedd y gwacter a'r tawelwch a fu'n gymaint o fwrn arni yn falm i'w henaid.

4

Safai Mati yn yr iard gefn yn syllu gyda balchder ar leiniad o ddillad. Roedd Emyr wedi protestio'i siâr pan fynnodd iddo gasglu'i ddillad budron cyn iddo gychwyn i'r ysgol ond llwyddodd i'w ddarbwyllo y byddai ganddo amgenach pethau i fynd â'i fryd tros y penwythnos.

Ni fu iddo fynd ar ei gofyn wedyn, ond gwyddai Mati nad oedd y frwydr o'i fewn wedi tawelu dim ac y gallai godi ei bac unrhyw funud. Y penwythnos oedd y gwaethaf. Roedd anwybod yn obaith, medden nhw, ond penyd oedd o arni hi, a'r ofn yn cnoi ynddi, fel ddannodd.

Y nos Sul ddiwethaf, wrth iddi gerdded adref o'r capel, roedd hi'n sicr ynddi ei hun mai dilyn llwybr dyletswydd a wnâi Emyr. Wedi'r cyfan, pa hawl oedd ganddi hi i ddisgwyl. dim ganddo? Pa hawl oedd ganddi i ddisgwyl dim gan neb? Cofiodd fel y bu i Richard ddweud, wrth iddi ei beio ei hun a'i feio yntau am fethu caru Lena,

'Fedar neb 'i charu hi. Mae hi fel carrag.'

Ond onid hi a wnaeth Lena yr hyn ydoedd; onid hi oedd yn gyfrifol am y dincod a'i rhwystrodd rhag gallu rhoi dim ohoni ei hun?

A hithau'n ei chystwyo ei hun felly, cyrhaeddodd Richard—y Richard a fyddai'n taflu pob doe i'r bin sbwriel i ganlyn y poteli a'r pacedi gweigion. Bu gofyn iddi grynhoi'r holl nerth a oedd ganddi'n weddill er mwyn gallu ei wrthsefyll ac ni wyddai sut y gallai fod wedi ymdopi wedyn oni bai am Emyr. Bu'r ddau'n eistedd am ddwyawr, a rhagor, wrth fwrdd y gegin, y hi'n tywallt ei gofidiau i ganlyn y paneidiau te ac yntau'n yfed ac yn gwrando ond yn dweud fawr ddim. A dyna'r cyfan oedd arni ei angen ar y pryd—rhywun i gymryd y cyfan oddi arni dros dro, heb gynnig nac esboniad nac ateb, na chysur chwaith.

Roedd yr haul a'r awel wedi gwneud eu gwaith a'r cwbwl yn barod i'r haearn. A hithau'n paratoi i dynnu'r dillad, clywodd sgrech o'r stryd gefn. Cythrodd am y giât, i weld Robert bach y drws nesaf ar ei hyd ar y ffordd.

'O, diar, be wyt ti wedi'i 'neud, 'ngwas i?'

Roedd hi bron â'i gyrraedd pan ddaeth Pat ar wib rownd y

tro, yn gyrru'r goits gadair o'i blaen a'i holwynion yn sgrialu trwy'r cerrig.

'Peidiwch â dychryn, Pat,' galwodd. 'Wedi cael codwm fach mae o.'

Cododd Mati'r bychan ar ei draed ond tynnodd yn ôl yn sydyn pan geisiodd estyn cic iddi. Gollyngodd yntau ei hun ar lawr a dechrau bloeddio'i ben i ffwrdd.

'Tyd ti rŵan,' meddai Mati, o bellter diogel.

'Waeth i chi heb . . . cael sterics mae o.'

Safodd Pat â'i phwys ar y goits.

'Ond fedrwn ni mo'i adael o fel 'ma.'

'Mi flinith toc.'

'Falla 'i fod o wedi brifo. Mi 'dw i'n deud o hyd y dyla'r Cyngor 'neud rwbath ynglŷn â'r ffordd 'ma.'

'Arno fo mae'r bai. Ddeudis i wrtho fo am beidio rhedag o 'mlaen i.'

''D oes 'na ddim dal arnyn nhw yn yr oed yma.'

''D ydi o ddim munud llonydd. A fedra inna ddim bod ym mhob man.'

'Na fedrwch siŵr. Mi a' i i edrych oes gen i rwbath da iddo fo.'

'Na, gadwch o.'

'Chi ŵyr. Sut ydach chi'n teimlo erbyn hyn, Pat?'

'Mi 'dw i'n iawn.'

'Mae'n dda gen i glywad. I ffwrdd mae'r gŵr o hyd, ia?'

'Dŵad adra heno, dros y Sul.'

'Oes ganddoch chi awydd symud efo fo?'

'Fan 'ma mae 'nghartra i 'te.'

Roedd ar flaen tafod Mati ei gwahodd i'r tŷ, ond nid oedd am ddechrau ei chynnwys. Roedd hi wedi dysgu ei gwers yn hynny, o leiaf. O, wel, roedd ganddi reitiach pethau i'w gwneud na gwylio plentyn yn cael sterics. Ond fel yr oedd hi ar droi am y tŷ gwelodd Os yn ymlwybro tuag atynt. Aeth heibio i'r ddwy ac ar ei union at y bychan a oedd yn para i sgrechian a dobio'r ffordd â'i draed.

'Helo, babi,' meddai.

Penliniodd wrth ochr Robert ac estynnodd gar bach glas o'i boced.

'Yli, babi, car coch.'

Peidiodd y sgrechian a'r dobio traed a chythrodd y bychan am y car. Rŵan am helynt, meddyliodd Mati. Ond eisteddodd Os yn ôl ar ei sodlau i wylio Robert yn gwthio'r car ar hyd y ffordd.

'Wel, wir, welsoch chi hynna, Pat?' holodd Mati.

'Mae o'n ffrindia mawr efo Os. Chwara oria efo fo.'

A cherddodd Pat ymaith heb gymaint â 'da bo'ch.

'Tyd, babi,' meddai Os, a'i godi ar ei draed.

Estynnodd ei law iddo ac aeth y ddau i ddilyn Pat.

5

Wedi iddo olchi'r cwpanau a'u cadw gwnaeth Brian baned ffres o goffi i Eunice. Wrthi'n chwilio am y tabledi cur pen yr oedd pan ddaeth hi i'r gegin.

''D oedd dim angan iti godi. 'Ro'n i am ddŵad â choffi i fyny iti.'

'Mi 'dw i'n well.'

'Diolch am hynny. Mi fydd raid iti weld doctor ynglŷn â'r pen 'na.'

'Wedi moedro'n y siopa 'ro'n i. 'D ydi pnawn Gwenar mo'r amsar gora.'

'Yfa'r coffi 'ma rŵan, a chym' rai o'r tabledi.'

''D ydw i mo'u hangan nhw. Mi awn ni drwodd i'r stafall ffrynt, ia?'

Crwydrodd llygaid Eunice, yn reddfol, at y pared rhyngddyn nhw a thŷ Madge Parry a theimlodd y cryndod arferol yn ei cherdded.

'Roedd Mr Powell yn siomedig na welodd o mo'nat ti.'

'Oedd o?'

'Mynd i ffwrdd i weithio ddaru o, felly?'

'Be wn i. A sôn am waith, mae 'na stori'n mynd o gwmpas y lle dy fod ti'n mynd yn ôl i'r ffatri ddydd Llun.'

'O. Pwy ddeudodd, felly?'

'Rhyw ddyn yn y dre. 'Naba i mo'no fo. Roedd o'n arfar gweithio shifft nos efo chdi medda fo.'

'Ron mae'n siŵr. Hen foi clên.'

'Y bos wedi deud wrtho fo, medda fo . . . siarad ar 'i gyfar. Wn i ddim pa blesar mae pobol yn 'i gael o hel straeon. Mi fydda'n rheitiach iddyn nhw edrych adra.'

'Mae o'n iawn, Eunice,' yn dawel. 'Mi 'dw i *yn* mynd yn ôl. 'Ro'n i am ddeud wrthat ti heno.'

'A pryd ddaru ti setlo hyn?' yn oeraidd.

'Mi 'dw i wedi bod yn meddwl am y peth ers hydoedd. Mi es i weld y bos wythnos dwytha.'

'Tu ôl i 'nghefn i.'

'Roedd hi'n hen bryd imi 'neud rwbath pendant. Mi 'dw i wedi dibynnu gormod arnat ti. Mae gan ddyn 'i falchdar 'sti.'

'Wyt ti wedi meddwl be fydda'n digwydd 'tasat ti'n cael annwyd eto?'

'Mi fydda i'n ofalus. Mi 'dw i wedi 'laru ar fod rhwng pedair wal, Eunice.'

'A be amdana i? Be ddigwyddodd pan ge's i gynnig gwaith yn Siop y Becws?'

'Roedd arna i dy angan di yma.'

'Ond 'd wyt ti mo f'angan i rŵan.'

'Wrth gwrs 'y mod i.'

'Ond dim digon i ofyn 'y marn i, nac i falio sut yr ydw i'n teimlo.'

''D ydi hynny ddim yn wir. Mi wyt ti wedi cael digon o draffarth efo fi.'

'Mwy o draffarth ga' i rŵan, ynte? Fedra i ddim wynebu rhagor o salwch, Brei.'

'Mi 'dw i wedi gwella.'

'Wyt ti?'

Cododd Eunice yn wyllt.

'Lle wyt ti'n mynd?'

'I baratoi swpar.'

'Mi ddo i i dy helpu di.'

'Na, aros lle rwyt ti.'

Yn y gegin, ar ei phen ei hun, ildiodd Eunice i'r dagrau a fu'n ei bygwth ers dyddiau. Roedd hi wedi gobeithio, rŵan fod Brian yn dechrau cryfhau, y byddai hi'n rhydd i symud allan. Heddiw ddwytha roedd Mrs Evans y Becws yn cwyno eu bod yn fyr o ddwylo. Bu ond y dim iddi â'i chynnig ei hun. Byddai wedi mentro oni bai fod y siop yn orlawn ar y pryd. Diolch am hynny—roedd hi eisoes wedi siomi Mrs Evans unwaith.

Rhyw ddeufis oedd yna er pan ddaeth adref o Siop y Becws yn dân i gyd. Roedd hi wedi setlo'r cyfan yn ei meddwl rhwng y siop a'r tŷ. Ni châi Brian unrhyw drafferth i gadw trefn ar bethau yn ystod yr wythnos a gallai hithau wneud y gwaith trymaf ar y Sul. Ond aethai'r cynlluniau oll yn gandryll pan ofynnodd Brian, cyn iddo hyd yn oed ystyried y cynnig,

'Be wna i hebddat ti?'

Yma y bu hi wedyn, ar wahân i'r wythnos ddiflas honno yn Aberystwyth. Ac yma yr oedd hi'n mynd i aros hyd byth yn ôl pob golwg. Creu gwaith iddi ei hun er mwyn ceisio llenwi'r oriau hirion; noswylio'n gynnar rhag aflonyddu ar Brian, a gorwedd yno awr ar ôl awr yn syllu i'r tywyllwch. Ei chael ei hun yn ail-fyw llawenydd ysig y diwrnod hwnnw o Fehefin—cryfder ei freichiau a chaledwch ei gorff yn ei herbyn. Codi, a dod i lawr i'r gegin, a'i weld yn eistedd am y bwrdd â hi a'i lygaid gleision yn pefrio o ddireidi. A mynd ati, un diwrnod, fel lladd nadroedd, i droi'r gegin â'i hwyneb i waered mewn ymdrech ofer i'w ddileu o'i chof.

Clywodd Eunice ystwyrian am y pared â hi a llais Brian yn galw'n bryderus,

'Eunice? Wyt ti'n iawn?'

Unrhyw funud rŵan, a byddai yn y gegin, yn stwna o gwmpas ac yn swnian arni i gymryd pwyll. Fe fu amser pan na chymerai Eunice mo'r byd â gadael i Brian weld ei dagrau ond heddiw ni wnaeth unrhyw ymdrech i'w dal yn ôl.

6

Rhoddodd Dei ei gyllell a'i fforc i orffwys yn ddestlus ar y plât gwag.

'Roedd hwnna'n flasus iawn, Gwen,' meddai.

'Mi ddyla fod. Mi gostiodd ddigon.'

'Ydach chi angan rhagor o arian?'

'Na, mi wna i'n iawn. Dim ond i chi beidio disgwyl sgram fel 'na bob nos. Panad arall?'

'Diolch. Sut mae'ch cefn chi bellach?'

'Yn well . . . ar adega.'

Petrusodd Gwen. Roedd o'n fwy rhydd ei dafod nag arfer. Penderfynodd fentro'i siawns.

'Wyddoch chi fod Dic Pŵal yn 'i ôl?' holodd.

'Gwn.'

'Newydd gyrraedd, yn ôl Magi Goch.'
'Na, mae o o gwmpas ers dyddia.'
''D ydi hitha ddim yn gwybod pob dim, felly.'
'Pwy sydd 'te.'
'Mae o'n ôl i aros, ydi?'
'Am wn i. Mi fuo i lawr yn y parc ddoe, yn holi oedd 'na waith i'w gael.'
'Roesoch chi ddim gwaith iddo fo, siawns?'
'Nid fi sydd i ddeud. Ond mae 'na betha angan 'u gneud acw.'
'Rown i ddim ceiniog o waith yn 'i ffordd o.'
'Ia, wel, nid chi sydd i ddeud chwaith, yn nace?'
''D oes 'na ddim ond trwbwl pan mae hwnna o gwmpas.'
'Rhyngddo fo a'i betha.'
'Roedd Magi'n deud 'i fod o'n uwch 'i gloch nag erioed.'
'Newidith o mo'i natur bellach, mwy na neb arall.'
'Roedd Magi'n deud . . .'
'Mae Magi'n deud gormod.'
'Ydi, 'dach chi'n iawn, Dei, mae hi.'
Cododd Gwen yn llafurus a dechreuodd glirio'r llestri. Pan ddychwelodd o'r gegin roedd Dei â'i drwyn mewn llyfr.
'Be ydi hwnna sydd ganddoch chi?' holodd.
'Llyfr garddio, J. E. Jones.'
Tawodd Gwen. Waeth iddi heb â gwastraffu'i hanadl. Pa well oedd o o ymlafnio, mewn difri? 'D oedd yna fawr o ddyfnder pridd yn y parc, mwy nag ym Minafon, ac ni wyddai pobol Trefeini mo'r gwahaniaeth rhwng blodau a chwyn. Pa synnwyr oedd yna mewn mynd i weithio efo llyfr yn un llaw a fforch yn y llall? Mae'n siŵr eu bod nhw'n cael gwerth chweil o sbort am ei ben. Petai ond wedi gwrando arni hi byddai'n fawr ei barch yn Y Rhosydd a phobol yn tyrru o bellteroedd i'w edmygu. Efallai, rhyw ddiwrnod, ac yntau at ei bengliniau mewn chwyn yn y parc 'na, y byddai'n cyfaddef, mewn sachliain a lludw, mai hi oedd yn iawn ac yn sylweddoli'r cam a wnaethai â hi trwy ei dirmygu a'i hanwybyddu.

PENNOD 5

Dydd Llun, Medi'r 19eg

1

Roedd yr haul fel petai'n magu mwy o hyder bob dydd. Agorwyd drysau a ffenestri Minafon iddo'r bore Llun hwnnw a mentrodd Mati Huws roi'r gadair ganfas, na welsai olau dydd ers blynyddoedd, allan yn yr ardd. Daethai Emyr yn ôl neithiwr, yn llawn hwyliau da, wedi'i fodloni fod ei fam mewn dwylo diogel, a theimlai Mati y gallai anadlu'n rhydd, am rai dyddiau o leiaf.

Bu'n syllu sbel ar Os a Robert yn chwarae yng ngardd y drws nesaf a dotio wrth weld yr Os afrosgo mor ofalus o'r bychan. Ond aeth y gwres anghynefin yn drech na hi a theimlai ei llygaid yn trymhau.

''Dach chi'n meddwl eich bod chi'n gneud peth doeth, Mati?'

Gwen Elis, wrth gwrs, wedi digwydd cyrraedd ar yr amser iawn, fel arfer. Agorodd Mati ei llygaid, yn gyndyn.

'Be felly, Gwen Elis?'

'Cysgu yn fan'na 'te.'

''D o'n i ddim yn cysgu. A ph'run bynnag, wela i ddim fod 'na unrhyw ddrwg yn y peth.'

'Yn eich oed chi? Nid ha' ydi hi, wyddoch chi.'

'Mae o'n gleniach peth na'r ha' gawson ni. A dyma'r tro cynta ers blynyddoedd imi ista allan fel hyn.'

'Mwy o beryg fyth, felly.'

'O, wel, os ydach chi'n deud.'

Cododd Mati a chau'r gadair yn glep.

'Dim ond caru'ch lles chi o'n i, Mati. Fedrwn ni ddim fforddio bod yn esgeulus.'

Sodrodd Mati'r gadair o dan ei chesail a dechreuodd symud wysg ei chefn am y tŷ.

'Faint o'r gloch neith hi 'dwch?' holodd.

'Mae hi wedi tri, siŵr o fod.'

'Hen bryd imi hel fy nhraed, neu fydd 'na ddim te i Emyr.'
'Lwcus imi'ch deffro chi, felly.'
'Ia, lwcus iawn,' yn sychlyd.
'Oes 'na lawar o draffarth efo fo?'
'Pwy?'
'Y lojar.'
'Nac oes wir.'
'Un digon di-ddeud ydi o 'te?'
'Swil.'
'Mm. Mae hynny'n beth diarth heddiw.'
Dechreuodd Mati anobeithio y câi wared â Gwen Elis. Efallai y dylai ei gwahodd i'r tŷ. Roedd golwg reit legach arni. Ond cawsai ddigon o dâl am agor ei drws ac ni fyddai Gwen, unwaith y câi ei throed tros y rhiniog, ond yn rhy barod i ymestyn modfedd yn llathen.
'Yli, Mrs.'
Dilynodd Mati'r llais i weld Os yn dal clamp o dywarchen yn ei law. Y munud nesaf, roedd honno'n hedfan trwy'r awyr ac yn taro Gwen Elis yn ei hysgwydd. Clywodd Mati chwerthin mawr, boliog o ardd y drws nesaf, yn cael ei ddilyn gan chwerthiniad bach croyw.
'Yr hulpyn digwilydd. Aros nes ca' i afael arnat ti.'
Parodd cri Gwen i Mati ollwng y gadair yn ddiseremoni i'r gwair a brasgamu am y giât.
'Welsoch chi hynna, Mati?' holodd Gwen, yn stormus.
'Wel, do. 'D ydach chi ddim wedi brifo, gobeithio?'
Cythrodd Gwen am fraich Mati.
'Dowch efo fi rŵan, yn dyst,' meddai.
'I b'le 'dwch?'
'I setlo petha efo Madge Parry. 'D ydi hwnna ddim ffit i gael 'i draed yn rhydd.'
'Waeth heb â gneud helynt. 'D oedd o'n meddwl dim drwg.'
'Mi fedra fod wedi 'mrifo i'n arw.'
'Wnaeth o ddim, drwy drugaradd.'
'Ond mae'n ddyletswydd arna i ddeud, cyn i ddim byd gwaeth ddigwydd.'
Agorodd Mati'r giât ac meddai'n ymbilgar,
'Dowch i'r tŷ am banad gynta.'

Bu'r gair 'panad' cystal â thonig i Gwen. Gadawodd i Mati ei harwain am y tŷ. Wrth iddi gau'r drws o'i hôl cafodd Mati gip ar ddau wyneb yn serennu arni tros ben y clawdd. Cododd ei dwrn ar y ddau cyn eu cau hwy, a'r haul, allan.

2

Daeth Emma allan o'i hystafell ganol dydd i gael Miss Humphries yn aros amdani.

'Be ydi ystyr peth fel hyn, Miss Harris?' holodd, yn haerllug.

'Be ydi be?' yr un mor haerllug.

'Fedrwch chi ddim gadael y drws 'ma ar glo drwy'r dydd.'

'O, medra.'

'A phwy roddodd ganiatâd i chi?'

''D oes arna i ddim angan caniatâd. Fy ystafell i ydi hi. A phe baech chi a'ch tebyg wedi bod yn ddigon cwrtais i gydnabod y rhybudd ar y drws fydda ddim rhaid imi 'i gloi o. Esgusodwch fi, Miss Humphries.'

Penderfynodd Emma fentro cyn belled â'r parc i fwyta'i brechdanau. Roedd hwnnw y tu allan i libart yr ysgol a châi hanner awr go dda o lonydd a chyfle i fagu nerth erbyn y prynhawn.

Ond pan gyrhaeddodd, cafodd fod amryw o rai eraill ar yr un perwyl â hi a bod y lle'n debycach i bromenâd Llandudno ar ddiwrnod gŵyl. Cafodd ei throi i ffwrdd o un fainc gan hen wraig a fynnai ei bod yn cadw sêt i'w gŵr.

'Lle mae o?' holodd Emma, yn bigog.

Pwyntiodd yr hen wraig at griw a oedd yn chwarae bowls ar y glas. Yn eu mysg, yn uwch ei gloch na'r un, yr oedd Richard Powell, a'i grys yn agored i'w ganol. Crwydrodd Emma at fainc arall lle roedd dwy wraig helaeth wedi eu parcio eu hunain a'u llwythi negesau.

'Os gwn i fedrwch chi symud y bagia 'ma?' holodd.

Syllodd y ddwy arni fel pe bae wedi gofyn yr amhosibl. Gwthiodd Emma'r bagiau i'r naill ochr, ac eisteddodd. Gallai deimlo llygaid y ddwy arni, yn gwylio pob symudiad. Meddai'r hynaf, toc,

'Un o Drefeini 'ma 'dach chi?'
'Ia. Minafon.'
'O, fan'no. Mi 'dach chi'n 'nabod Gwen Elis, felly?'
'Ydw.'
'Pwy sydd ddim,' ychwanegodd yr un goch. 'Emma Harris ydach chi 'te?'
'Ia, 'na chi.'
'Mi 'dach chi wedi crwydro'n bell iawn i fwyta'ch cinio. Yn falch o gael mynd o gyrraedd yr hen rapsgaliwns plant 'na, ia?'
'Ia, a deud y gwir.'
''D ydw i ddim yn eich beio chi. Fydda waeth gen i weithio mewn sŵ ddim. Efo Jones Davies roeddach chi 'te?'
'Ia.'
'Dipyn amgenach lle.'
'Wedi bod.'
'Be wnaeth i chi adael?'
'Amgylchiada.'
'O, wela i. Be sydd, Jane Ann, cynhron yn dy din di?'
Roedd yr hynaf wedi codi ac yn cythru am y bagiau.
'Edrych be sy'n dŵad,' meddai.
'O'r nefoedd!'
Dilynodd Emma'r ddau bâr o lygaid i weld Richard Powell yn anelu tuag atynt. Yn ei brys, daliodd yr un goch ei bag â'i wyneb i waered nes bod ei gynnwys yn chwydu i bob cyfeiriad.
'Mi 'dach chi ar hast garw, Magi Griffiths.'
Plygodd Richard i godi cynnwys y bag.
'Cadwch eich dwylo budron oddi ar rheina, Dic Pŵal,' arthiodd Magi.
'Newydd 'u golchi nhw 'dw i.'
'Fedar dŵr a sebon byth gael gwarad ag ôl pechod.'
Safodd Richard yn ôl i wylio Magi'n ymbalfalu o dan y fainc.
'Faswn i ddim yn mystyn gormod taswn i chi, Magi, rhag ofn i lastig eich blwmars chi roi.'
Taflodd Magi weddill y pethau i'w bag. Sythodd i'w llawn hyd a'i maint, ac meddai,
'Mi 'dw i'n eich rhybuddio chi i gadw'ch pelltar, Dic Pŵal.'
'Faswn i ddim yn mynd i'r afael â chi 'tasach chi'n talu imi, Magi Griffiths.'

'Gad i'r hen sglyfath.' Hyn oddi wrth ei chydymaith.

'Dew, chdi sydd 'na Jane Ann. 'Nabas i mo'nat ti. Mi wyt ti wedi lledu'n arw. Wyt ti wedi ffeindio rhywun i 'neud dynas onast ohonat ti bellach?'

'Dyna gael gwarad â rheina,' meddai Richard, wrth i'r ddau ohonynt wylio Magi a Jane Ann yn hwylio i'r pellter. Eisteddodd ar y fainc gan daflu golwg blysiog ar y pentwr brechdanau ar lin Emma.

'Sut mae hi tua'r ysgol 'na?' holodd.

'Digon helbulus.'

'Be 'dach chi'n 'i 'neud yno, felly?'

'Ysgrifenyddes, i Mr Bevan y prifathro.'

'Roedd yr hogan 'cw'n meddwl y byd ohono fo. Hen foi iawn, rhy glên o'r hannar i'r criw sydd 'no. Ydi'r hen Hwmffris wedi cicio'r bwcad bellach?'

'Na, mae hi'n dal mor fyw ag erioed.'

'Ac yn dân ar eich croen chi, fetia i.'

''D ydi hi mo'r un hawdda 'i thrin.'

'Mi 'nae brifweinidog iawn. Choelia i byth nad ydi hi'n yr ysgol 'cw ers canrifoedd.'

'Chwartar canrif.'

'Mi fydd raid 'i saethu hi i gael 'i gwarad hi. Peidiwch â gadael iddi sathru arnoch chi, Emma.'

'Mi rhois i hi'n 'i lle bora 'ma.'

'Go dda chi.'

Lapiodd Emma weddill y brechdanau'n ddestlus yn y papur saim. Sychodd ei cheg a'i dwylo â hances bapur.

'Gwaith yn galw?' holodd Richard.

'Mae arna i ofn 'i fod o.'

'Mae'n bechod bod dan do ar bnawn fel heddiw.'

''D ydw i ddim yn rhy hoff o'r haul . . . y gwres yn deud arna i.'

'Waeth gen i faint mor boeth fydd hi.'

'Lwcus iawn,' yn sur.

Cododd Emma ac ysgwyd y briwsion o'i sgert.

'Cofiwch be ddeudis i,' meddai Richard. 'Mi 'naech gymwynas â channoedd 'taech chi'n setlo'r hen fursan 'na.'

'Mi wna i 'ngora, Richard Powell.'

Chwarddodd Richard, ond sobrodd yn sydyn pan welodd Emma'n gollwng y paced brechdanau i fin sbwriel. Wel, myn cythral i, ac yntau ar ei gythlwng. Rhyw fyd od oedd hi ar honna, hefyd. Be fyddai wedi dod ohoni, tybed, petai Idris Preis heb gael dôs o ddolur rhydd ar y munud ola? A be fyddai wedi dod o Idris Preis?

Collodd Richard bob diddordeb yn Emma Harris a chwiliodd o gwmpas am rywun a allai ei helpu i wastraffu rhagor o'r diwrnod. Gwelodd Dei Elis yn piltran o gwmpas y tŷ gwydr, yn fodiau i gyd, a phenderfynodd fynd i boeni hwnnw.

3

Pan gyrhaeddodd Brian o'i waith roedd Eunice wrthi'n crafu wal yr ystafell ffrynt. Safodd yn y drws yn ei gwylio.

'Mi wyt ti wedi tynnu gwaith yn dy ben,' meddai.

'Waeth imi hynny ddim.'

'Fydda ddim gwell iti fynd allan i'r haul, i gael dipyn o liw yn dy focha?'

'Mi fydda 'na olwg da arna i efo bocha mawr, cochion.'

'Mi wyt ti wrthi ormod efo'r hen dŷ 'ma. Mi fydd yma ar ein hola ni 'sti.'

'Be wyt ti'n awgrymu imi 'i 'neud drwy'r dydd, felly?'

'Fedri di ddim cael rhywun i mewn am sgwrs?'

'Fel pwy?'

'Mae gwraig Ron tua d'oed di.'

''Naba i mo'ni hi.'

'Mi fedrat ddŵad i'w 'nabod hi. Ga' i ofyn iddi alw?'

'Na, well gen i iti beidio.'

'Mae hi'n gollad ar ôl Katie Lloyd.'

'Dipyn o hen nain oedd honno hefyd.'

Ochneidiodd Brian, yn ddwfn ac yn hir.

'Wyt ti am ddal ati?'

'Mi fydd raid imi orffan crafu'r wal 'ma.'

Mae'n debyg ei fod o'n disgwyl iddi ollwng pob dim, rŵan ei fod o adra, ac eistedd yn troi ei bodiau am fin nos arall. Gwthiodd Eunice y gyllell yn ffyrnig o dan gwr y papur a thynnu stribed ohono. Cyffyrddodd cefn ei llaw â'r wal. Roedd teimlad oer iddi. Er bod Brian yn mynnu fod y tamprwydd wedi cilio roedd hi'n sicr ei fod yn dal i lechu yno.

'Pa well ydan ni o ffraeo, Eunice?'

'Pwy sy'n ffraeo?'

'Mae petha wedi bod mor dda. Paid â gadael i hyn ddŵad rhyngon ni.'

'Wn i ddim am be wyt ti'n sôn, wir.'

'Mae'n ddrwg gen i na faswn i wedi trafod y peth efo chdi. Gormod o fabi . . . ofn iti sefyll yn erbyn.'

'Ac mi faswn wedi gneud hefyd. 'D oeddat ti ddim yn barod i fynd yn ôl.'

'Na, wn i.'

'Pam mynd 'ta?'

'Mi wyddost pam.'

'Be ddaw ohonon ni, Brei?'

'Mi wyt ti ym mhen dy dennyn, 'd wyt? Mi 'dw i wedi bod yn meddwl be fyddwn i'n 'i 'neud 'tasat ti'n 'y ngadael i.'

'Dy adael di?' mewn dychryn.

'Fedrwn i mo dy feio di. 'Taswn i ddim mor hunanol mi faswn wedi cynnig dy ryddid iti.'

'O, Brei.'

Rhoddodd Eunice y gyllell o'r neilltu ac aeth ato. Wrth iddi orffwyso'i phen ar ei ysgwydd daeth yn ymwybodol o gaethder ei anadl.

'Wna i ddim gwella 'sti.'

'Paid â deud hynna.'

'Mae'r hen glefyd 'ma wedi cael gafael rhy dynn arna i. Mi fedra i fyw efo fo, ond 'd oes gen i ddim hawl dy orfodi di i'w ddiodda fo.'

Heibio i ysgwydd Brian gallai Eunice weld y pared, yn hanner noeth. Teimlodd eto'r oerni ar gefn ei llaw, yn brathu i'w chnawd. Oedd, roedd y gelyn yno o hyd, yn llercian yn y tywyllwch, yn aros ei gyfle i ddial arni.

4

'Mi wyt ti wedi bod yn ddiarth, Gwen.'

Dilynodd Gwen Magi Goch i'r tŷ heb drafferthu sychu ei thraed. Nid oedd y lobi wedi gweld na brws na mop ers dyddiau. Hen slebog oedd Magi Goch, tu mewn a thu allan. Roedd o'n gwilydd o beth ei bod hi wedi cael lle Miss Jenkins yn y syrjeri. Ond dyna fo, on'd oedd y Doctor Puw 'na wrth ei fodd yn sbrogian mewn cwteri?

'Mi wnes i alw pnawn.'

'Lawr yn y parc o'n i.'

'Be oeddat ti'n 'i 'neud yn fan'no?'

'Be mae pobol yn 'i 'neud mewn parc?'

'Wn i ar ddaear.'

'Meddwl roeddan ni y dylan ni 'neud yn fawr o'r haul . . . tra parith o 'te.'

'Pa ni?'

'Jane Ann a finna. Ond mae'r parc 'na wedi mynd mor gomon â Minafon.'

'Sut felly?' yn siort.

'Paid â phoeni . . . 'd oes 'na ddim bai ar Dei. Mae o mor ddiniwad â babi . . . y creadur. Ond am y llall 'na.'

'Pwy?'

'Dic Pŵal.'

'Wel, 'tawn i'n glem, mae o wedi cael gwaith yno, felly.'

'Choelia i fawr, chwara roedd o.'

'Chwara?'

'Bowls. Efo hen begoriaid hannar dall yn berwi o gricmala. 'Tasat ti'n 'i weld o'n gyrru'r jac 'na cyn bellad ag y medra fo er mwyn cael sbort am 'u penna nhw.'

'Pa Jac ydi hwnnw?'

'Y bêl fach 'te. Lle wyt ti'n byw d'wad?'

'Wn i ddim byd am y gêm, nac isio gwybod chwaith.'

'Mae Dei chdi'n giamstar arni hi.'

Dyna oedd o'n ei wneud yno, felly, rowlio peli drwy'r dydd, a hithau wedi bod yn moedro'i phen yn ei gylch ac yn gwastraffu ei chydymdeimlad arno.

'Mi fedrwn i roi twca drwy'r Dic Pŵal 'na. O, mi fuo'n fudur 'i dafod efo Jane Ann. Gofyn iddi os oedd hi wedi cael rhywun i 'neud dynas onast ohoni bellach.'

''D ydi hynny ddim yn debygol.'

'Ond nid 'i le fo ydi deud. Be fuost ti'n 'i 'neud efo chdi dy hun heddiw?'

'Yfad te yn nhŷ Mati Huws.'

'Rioed! Sut le sydd 'no?'

'Crand.'

'Hy! Wedi mynnu cael bob dim 'te. Gyrru ar y dyn druan 'na a fynta'n gweithio'i gyts allan yn y chwaral.'

'Mi wnaeth ddrwg mawr iddo'i hun.'

'Mi fydda wedi byw flynyddoedd oni bai amdani hi. A be ydi hi, wedi'r cwbwl?'

'Pry oddi ar . . . faw . . . hedith ucha.'

'Fuo 'na rioed fwy o wir. Ond Mati Cwt Sinc fydd hi am byth, er 'i chrandrwydd. Be wnaeth iti fynd ar 'i gofyn hi d'wad?'

'Hi ofynnodd imi. Wedi cael dipyn o fraw o'n i . . . yr hogyn drws nesa 'cw wedi 'mhledu i efo topins.'

'Lle roeddat ti, felly?'

'Yn sefyll yn y ffordd, yn dal pen rheswm efo Mati . . . gneud dim drwg i neb.'

'Be wnest ti efo'r Os 'na?'

'Dim. 'Ro'n i am fynd i weld Madge Parry ar f'union, ond fe ddaru'r Mati 'na 'y mherswadio i i beidio.'

'Mae isio chwilio dy ben di'n gwrando ar honno. Cym' di gyngor gen i . . . dos i weld Madge Parry rhag blaen a deud wrthi am gadw'r hogyn 'na dan glo. Mae o'n sobor o beth na all rhywun gerddad stryd heb gael 'i gam-drin.'

Roedd Magi'n iawn, am unwaith, meddyliodd Gwen. Roedd yn ddyletswydd arni gael gair efo Madge Parry cyn i'r Os 'na wneud rhagor o ddrwg. Fe alwai yno heno nesa, tra oedd yr haearn yn boeth.

5

Pan alwodd Dei i weld Madge ar ei ffordd o'r parc gwyddai ar unwaith fod rhywbeth wedi ei tharfu ond bu'n rhaid iddo holi a stilio gryn dipyn cyn cael gwybod.

''D o'n i ddim am sôn wrthat ti,' meddai Madge.

'Wrth pwy ddeudi di os nad wrtha i? Rŵan, dechra o'r dechra.'

'Gwen ddaru alw yma.'

'Gwen? Pryd?'

'Rhyw awr yn ôl. Welis i mo'ni hi; Os aeth i'r drws.'

'Ddeudodd hi rwbath?'

'Ddim i mi wybod. Fuo hi ddim yno ddau funud.'

'Lle mae Os?'

'Yn 'i wely. Roedd o wedi blino.'

'Galw arno fo.'

'Na . . . plîs, Dei. Yli, falla nad oedd 'na ddim yn y peth.'

'Be wnaeth iddi alw yma 'ta?'

'Be wn i? Wyt ti ddim yn meddwl, 'tae hi'n ama rwbath, mai dy daclo di wnâi hi gynta?'

''D o'n i ddim yno, yn nac o'n? Synnwn i ddim nad y Magi Griffiths 'na sydd wrth wraidd hyn.'

'Be ŵyr honno?'

'On'd ydi hi â'i bys ym mhob brwas. 'D oes wybod be ddeudodd hi.'

Daeth Madge i fyny ato a chyffwrdd â'i fraich ond tynnodd ei llaw'n ôl pan ddywedodd Dei, yn sarrug,

'Ddylat ti ddim fod wedi fy rhwystro i i ddeud wrthi hi. Mae hi'n rhy hwyr rŵan.'

'Falla mai dychmygu'r cwbwl yr ydan ni.'

Ond nid oedd fymryn elwach o geisio'i ddarbwyllo. Roedd y Dei a safai o'i blaen yn ddieithr iddi a'i wyneb wedi'i ystumio gan ddicter a gofid.

'Dos ati hi, Dei,' meddai'n dawel.

Rhythodd arni, ei lygaid yn ddau golsyn poeth yn ei ben. Yna, heb air ymhellach, trodd ar ei sawdl a gadawodd y tŷ.

6

Roedd Gwen yn y gegin yn crafu tatws.

'Mi 'dach chi'n gynnar heno, Dei,' meddai. ''D ydi swpar ddim yn barod mae arna i ofn, ond fydda i fawr o dro. Wedi bod yn trio glanhau 'nghôt yr ydw i. Be sy'n dda am godi staen gwair 'dwch?'

Tawodd Gwen, yn sydyn. Be 'haru'r dyn, yn rhythu arni hi fel 'na? 'D oedd o rioed wedi cael gwybod yn barod iddi alw yn nhŷ Madge Parry? Ni welsai neb mohoni . . . am a wyddai hi. Ond digon posib' fod yna ryw bâr o lygaid blysiog yn sbecian o rywle a thafod yr un mor awyddus i gario.

'Pwy welsoch chi rŵan, Dei?' holodd, yn betrus.

Mae'n rhaid ei fod wedi ei chlywed. On'd oedd pobol yn brysur? Ac yntau ond yn rhy barod i feddwl drwg ohoni. Byddai gofyn iddi achub ei cham, ar unwaith.

'Roedd hi'n ddyletswydd arna i adael i Madge Parry wybod. Mae hi wedi cael llonydd yn rhy hir.'

'Pwy ddeudodd wrthoch chi, Gwen?'

Roedd o wedi dod o hyd i'w dafod, o'r diwedd.

'Magi Goch. Ond mi faswn wedi mynd yno ar f'union pnawn oni bai am Mati Huws.'

'Ddaru chi ddim deud wrthi hi?'

'On'd oedd hi yno. Siarad efo hi 'ro'n i. Ddeudis i 'r un gair wrtho fo. 'D oedd 'na ddim rheswm dros iddo fo 'neud be ddaru o.'

'Am bwy 'dach chi'n sôn, Gwen?'

'Yr Os 'na. Mi alla fod wedi 'mrifo i.'

'Be ddaru o, felly?'

'Taflu topins ata i. Fedra i'n 'y myw gael y staen oddi ar y gôt 'ma. Mi ddylwn 'neud i Madge Parry dalu am 'i glanhau hi. Pa gelwydd glywsoch chi amdana i, felly?'

'Celwydd?'

'Rhaid i chi beidio bod mor barod i wrando arnyn nhw, Dei. Faswn i ddim wedi gneud helynt . . . dim ond gadael i Madge Parry wybod, cyn i ddim byd gwaeth ddigwydd. Ond che's i ddim cyfla. Mi gaeodd yr hogyn 'na'r drws yn fy wynab i. 'D oes dim angan i chi fod mor ddig efo fi . . . 'ro'n i wedi dychryn yn arw.'

''D ydw i ddim yn ddig.'

'Nac ydach?' yn syn.

'Na. Mi wnaethoch yn iawn, Gwen. Mi ga' i air efo Os pan wela i o.'

Ni allai Gwen gredu ei chlustiau. Roedd o nid yn unig yn rhoi sêl ei fendith ar ei hymweliad â'r drws nesaf, ond yn cynnig siarad trosti. Hwn oedd y Dei a ddewisodd hi; y Dei a addawodd fod yn gefn ac yn gysur iddi am byth. Cawsai ei gamarwain, dro, gan y Katie Lloyd goeg-dduwiol yna, ond dynol oedd yntau, ac roedd pawb yn llithro weithiau. Roedd pobol mor dwyllodrus, ac yn eu helfen yn lledaenu celwyddau ac yn creu anghydfod. Ond fe gâi wybod pwy a fu'n achwyn arni, o câi. Fe fu ond y dim i'r Katie Lloyd yna andwyo pethau rhwng

Dei a hithau. Ond ei lle hi oedd maddau iddo. Er iddo ei thrin mor egar, yn ei anwybodaeth y gwnaeth hynny, heb sylweddoli mor agos oedd Minafon at ei chalon ac mor awyddus oedd hi i gael y lle'n lân ac yn bur fel roedd o ers talwm. Roedd hi'n anodd i rywun dderbyn fod yna rai yn weddill, mewn byd mor ddi-feind, oedd yn fodlon dioddef dros eu hegwyddorion.

'Ewch drwodd, Dei,' meddai'n glên. 'Mi 'dw i wedi cynna tân. Ydach chi wedi gorffan am heddiw?'

'Do.'

'Mi gawn fin nos bach difyr efo'n gilydd, felly.'

Yng ngwres ei llawenydd newydd ni sylwodd Gwen ar osgo truenus Dei wrth iddo symud yn ei gwman am y drws. A hyd yn oed petai wedi sylwi byddai wedi beio'r pridd neu'r bowls, neu beth bynnag a ddigwyddai ddod i'w meddwl ar y pryd.

PENNOD 6

Dydd Gwener, Medi'r 23ain

1

Aethai'r wythnos heibio'n weddol ddidramgwydd a theimlai Emma y gallai fentro ei llongyfarch ei hun. Er na fu ond ychydig eiriau rhyngddi a Miss Humphries, dim ond hynny a oedd ei angen i gadw'r olwynion i droi, ni chlywsai ragor o sôn am y drws clo.

Brynhawn Mercher, daethai Mr Bevan i'w hystafell yn ffrwcs i gyd. Ni chawsai fawr o synnwyr ganddo, dim ond digon i wybod iddo gael galwad ffôn yn ystod yr awr ginio ac na fyddai'n ôl tan drannoeth. Roedd hi'n hwyr ddoe arno'n cyrraedd, ac wedi cyfarchiad swta fe'i caeodd ei hun yn ei ystafell am weddill y prynhawn. Gadawsai hithau lonydd iddo. Ni fyddai wedi mynd ar ei ofyn y bore 'ma chwaith oni bai fod ganddi ffurflenni yr oedd yn rhaid eu harwyddo rhag blaen.

'Rhowch nhw ar y cwpwrdd, Miss Harris,' meddai, â'i lygaid wedi eu hoelio ar ei ddesg.

'Mi fydd angan 'u dosbarthu nhw'r pnawn 'ma.'

Nid oedd yn siŵr a oedd wedi ei chlywed ai peidio. O, wel, rhyngddo fo a'i bethau. Roedd hi ar droi i ffwrdd pan ddywedodd, yn frathog,

''Ro'n i'n credu imi ofyn i chi arfer eich doethineb, Miss Harris.'

Rhewodd Emma yn ei hunfan. Felly, wir, roedd y cadoediad ar ben. Dylai fod wedi sylweddoli na fyddai Miss Humphries mor barod i chwifio baner heddwch.

'Rydach chi'n siŵr o fod yn cofio.'

'Ydw. Ac mi wnes.'

'A'ch syniad chi o ddoethineb ydi cloi drws yr ystafell?'

'Ia.'

'Fydda pawb ddim yn cytuno.'

'Na fyddan, debyg.'

'Mae'r peth yn creu anhwylustod mawr.'

'Rydw i'n 'i agor o bob tro mae galw.'

'Ydi hynny ddim yn dreth arnoch chi?'

'Ydi. Ond mi rois i bob cyfla iddyn nhw. Siawns nad ydyn nhw wedi dysgu 'u gwers bellach.'

'Ydi hynny'n golygu eich bod chi am ddatgloi'r drws?'

'Bora Llun . . . gyda lwc.'

'Ac mi alla i sicrhau Miss Humphries o hynny?'

'Gallwch, dim ond i chi 'i hatgoffa hi 'i bod hi i guro gynta. Oes 'na rwbath arall, Mr Bevan?'

'Na. Ond 'ro'n i am ymddiheuro i chi am ddiflannu mor ddirybudd bnawn Mercher. Mi fu'n rhaid imi fynd â'r wraig at 'i mam . . . honno wedi cael 'i tharo'n wael.'

'Mae'n ddrwg gen i.'

'Mae'r ddwy'n glòs iawn. Unig blentyn, wyddoch chi. Ond a' i ddim i'ch cadw chi.

Wrth iddi adael, meddai Emma, o ran cwrteisi,

'Gobeithio y daw petha'n well.'

Heb godi'i olygon o'r ddesg, atebodd Bevan,

'Mae arna i ofn na ddôn nhw ddim.'

Hanner awr yn ddiweddarach, pan ddychwelodd Emma, roedd yr ystafell yn dew o fwg a'r ffurflenni yn yr un lle, heb eu cyffwrdd.

'Be wna i efo rhain?' holodd.

'Ewch â nhw i Miss Humphries.'

Cipiodd Emma'r ffurflenni oddi ar y cwpwrdd. Roedd y dyn yn mynd yn fwy digynnig bob dydd. Pa hawl oedd ganddo i adael i salwch gwraig nad oedd hi'n perthyn yr un dafn o waed iddo ymyrryd â'i waith? Roedd gan yr hen Jones Davies ei broblemau, ond y gwaith a ddeuai gyntaf, bob tro. Ac ni adawsai hithau erioed i'w phroblemau personol andwyo'i gwaith. Dim rhyfedd fod y byd yn mynd â'i ben iddo tra oedd rhai mewn awdurdod yn llaesu dwylo ac yn gwrthod ysgwyddo cyfrifoldeb. A rŵan, dyma fo'n ei rhoi hi ar drugaredd Miss Humphries, o bawb.

Aeth Emma ati i archwilio'r tabl amser. Go brin y byddai Miss Humphries yn croesawu cael ei haflonyddu arni ar ganol gwers ac ni fyddai'n ddim ganddi ei cheryddu yng nghlyw'r plant. Nid oedd ennill iddi yn y lle yma. Ond nid oedd ennill iddi hi yn unman, ran'ny. Roedd hi wedi'i thynghedu i fod yn gocyn hitio ac yn fwch dihangol am byth.

2

Roedd y waliau i gyd yn noeth a'r ystafell yn barod i'w phapuro. Aeth Eunice trwodd i'r gegin i baratoi'r pâst. Gadawodd y drws cefn yn agored er mwyn cael teimlo'r haul ar ei gwar. Wrthi'n mesur y dŵr yr oedd hi pan glywodd sŵn chwibanu o'r iard gefn. Er bod misoedd er pan glywsai'r chwiban hwnnw byddai wedi ei adnabod yn unrhyw le. Gollyngodd y jwg i'r sinc a rhuthrodd am y drws. Ond cyn iddi allu ei gyrraedd, roedd Richard yn y gegin.

'Dyma be ydi croeso,' meddai. 'Methu aros i 'ngweld i, ia?'

'Mynd i gau'r drws o'n i.'

'Mae gen i ryw go' ohonat ti'n gneud peth tebyg o'r blaen. 'D oedd gen i ddim llai na dy ofn di.'

Safodd Eunice wrth y drws a'i ddal yn agored led y pen.

'Mi fydda'n dda gen i 'tasach chi'n gadael rŵan,' meddai.

'Rho gyfla imi. Mae gen i waith egluro gynta.'

''D ydw i ddim isio clywad.'

'Mae hyd yn oed llofrudd yn cael cyfla i'w amddiffyn 'i hun. Cau'r drws, 'na hogan dda, mae 'na ddrafft ar 'y ngwar i.'

'Plîs, Richard, fedra i ddim wynebu helynt.'

'Pwy sy'n gneud helynt? Wedi dŵad yma i ddeud fod yn ddrwg gen i'r ydw i. Nid yn amal y bydda i'n gneud hynny.'

Aeth Richard at y drws, a'i gau. Safodd, â'i gefn yn ei erbyn.

'Mi 'dw i wedi pechu o ddifri, yn do?'

''D ydw i ddim isio siarad am y peth.'

'Ddim isio siarad, ddim isio helynt, ddim isio eglurhad. Be wyt ti 'i isio d'wad?'

'I chi adael . . . rŵan.'

'Hei, howld on, be ydi'r "chi" ma? Fi sydd 'ma 'sti, y gŵr drwg 'i hun. Oes gen ti goffi i sbario? Mi 'dw i'n addo yr a' i'n syth wedyn. Ydi hynny'n fargan?'

'Ydi, am wn i.'

Eisteddodd Richard, a thanio sigaret. Tynnodd yn wancus ynddi.

'Roedd hi'n uffernol o ddrwg arna i am smôc tro dwytha o'n i yma. Lle diflannast ti mor sydyn?'

''Ro'n i'n teimlo'n sâl.'

'Ar ôl dallt pwy oedd yma, ia? Tyd i ista i fan'ma tra mae'r teciall yn berwi.'

'Well gen i lle 'r ydw i.'

Chwarddodd Richard.

'Rwyt ti'n dipyn o storman, 'd wyt? Mi 'dw i wedi bod hiraeth amdanat ti 'sti.'

'Pwy fasa'n meddwl.'

''D oes dim angan bod fel 'na. Mi ddois i i chwilio amdanat ti, cyn gadael, ond che's i ddim atab.'

''Ro'n i'n yr ysbyty.'

'A finna'n gwybod dim. Ac yn mynd a d' adael di, dy hun. Ond be arall fedrwn i 'i 'neud? Wyddwn i ddim fod Lena'n wael. Rhyw fymryn o gur pen ... ond 'd oedd hynny ddim syndod. Arglwydd mawr, 'd oes gen ti ddim syniad be fuo'n rhaid i mi fynd drwyddo fo. Mi lwyddodd i droi fy merch fy hun yn f'erbyn i, ac wedi i honno adael mi symudodd 'i phetha i'w llofft hi a 'ngadael i ar y clwt. Mi wnaeth bob dim ond 'y nhroi i allan. Fedra hi ddim gneud hynny'n hawdd a'r tŷ yn f'enw i. 'D oes dim disgwyl i'r un dyn allu diodda peth felly, yn nac oes?'

''D ydi o ddim o 'musnas i.'

Ni chymerodd Richard y sylw lleiaf o'i phrotest.

'Ac fel tasa hynny ddim digon, mi ddechreuodd Mati mosod arna i a 'ngalw i'n bob enw ... trio rhoi allan fod Lena'n wael a'i bod hi'n ddyletswydd arna i i ofalu amdani. Mi feddylias mai tric oedd o, i 'nghadw i ym Minafon 'ma. Be fyddat ti wedi'i feddwl?' Yna, heb aros am ateb, ''Ro'n i wedi cyrraedd y pen, ac yn torri 'mol isio dy weld ti.'

'Y coffi.'

Sodrodd Eunice y gwpan o'i flaen ar y bwrdd.

'Hidia befo'r blydi coffi. Isio iti ddallt 'dw i nad oedd gen i ddewis.' Yna'n erfyniol, 'Rwyt ti *yn* 'y nghredu i 'd wyt? Mae'r diawliad i gyd wedi troi yn f'erbyn i, hyd yn oed fy mêt gora i. Ac mae'r Mati 'na wedi 'nhroi i allan o'r tŷ heb roi cyfla imi egluro. Paid ti â gneud. Fedrwn i ddim diodda hynny.'

Eisteddodd Eunice wrth y bwrdd, gyferbyn â Richard, ac meddai'n dawel,

'Rydw i yn dy gredu di.'

'Dyna'r cwbwl o'n i isio'i glywad. 'D ydi o ddim ots gen i am neb arall yn y twll lle 'ma cyn bellad â dy fod ti'n credu yna i.'

Yfodd Richard y coffi ar ei dalcen.

'Wyt ti am imi fynd rŵan?'

Nodiodd Eunice.

'Reit. Addewid ydi addewid. Mi gwela i di o gwmpas. Cofia fi at Brian.'

A diflannodd Richard mor sydyn ag y daethai gan adael y drws yn llydan agored ar ei ôl.

3

Treuliodd Emyr brynhawn mwyaf anniddig ei fywyd y dydd Gwener hwnnw. Gallai deimlo'r cyfog yn codi i'w lwnc bob tro yr agorai drws yr ystafell ddosbarth. Wedi'r penwythnos, teimlai'n hyderus fod ei fam yn cael chwarae teg. Yr un oedd y stori pan ffoniodd nos Lun a nos Fercher a'i dad yn canmol y nyrs i'r cymylau. Nid oedd wedi bwriadu ffonio neithiwr, ond daethai rhyw anesmwythyd rhyfedd trosto ac ni allai fyw yn ei groen. Gan gymryd arno wrth Mati mai mynd am dro yr oedd, aeth i'r bwth ffonio yn y stryd fawr. Cyn gynted ag y clywodd ei lais, dechreuodd ei dad igian crio. Tybiodd Emyr i ddechrau mai ei fam oedd wedi cael ail bwl, ond sawl deg ceiniog yn ddiweddarach cafodd ar ddeall mai ei dad oedd wedi cael geiriau efo'r nyrs, wedi ei chyhuddo o esgeuluso'i gwaith yn ôl pob golwg. Aethai'r ffrwgwd yn ffrae a'r canlyniad oedd eu bod rŵan heb yr un nyrs a bod y doctor yn gwrthod anfon un arall.

'Oes 'na un ar gael, tybad?' holodd Emyr.

'Wrth gwrs fod 'na. Y doctor 'na sy'n dial 'i lid arna i. Penci mul fuo fo rioed. Sut mae o'n disgwyl i mi allu symud dy fam a'r cricmala 'ma'n fy ysgwydd i? Mi 'dw i'n deud wrthat ti, mi a' i â'r achos yma 'mlaen 'tae o'r peth ola wna i.'

Â'i ddeg ceiniog olaf ar chwythu'i blwc, meddai Emyr,

'Triwch ddal ati tan fory. Mi fydda i adra gyntad medra i. Mi gawn setlo petha'r adag honno.'

Roedd y doctor wedi eu rhybuddio mai llonyddwch oedd ar ei fam ei angen ac y gallai unrhyw gyffro ddad-wneud gwaith wythnosau. Be oedd ar ben ei dad yn achosi'r fath helynt? Ond un byrbwyll oedd o ran'ny—hogyn mawr, trystiog yn bwnglera'i ffordd trwy fywyd. Byddai wedi cael sawl codwm oni bai am ei wraig. Ei llaw hi a fyddai'n ei sadio pan fynnai ruthro â'i ben yn gyntaf. Roedd ei doethineb tawel fel eli ar ddoluriau. Hebddi hi roedd o mor ddiymadferth â chyw 'deryn.

Pan ganodd y gloch ginio aethai Emyr ar ei union i'r bwth ffonio y tu allan i'r ysgol. Gadawodd i'r ffôn ganu yn hir ac yn groch ac aeth trwy'r rhifau wedyn, rhag ofn ei fod wedi methu, ond ni ddaeth ateb. Bu ond y dim iddo â chodi ei bac yr eiliad honno ond gwyddai na wnâi hynny ond codi gwrychyn yr athrawon eraill ac ni allai fentro gwneud hynny mor gynnar ar y tymor. Yn ystod y prynhawn bu'n pwyso a mesur, yn tin-droi yn ei unfan heb fod ddim elwach, a phan ddaeth i'w derfyn roedd mewn cymaint o benbleth ag erioed.

Roedd o allan o'r ysgol ac yn troi trwyn ei gar i gyfeiriad y dref cyn i'r gloch orffen canu. Ac wrth iddo yrru cyn gyflymed ag y meiddiai am Finafon, wyneb ei fam a welai o flaen ei lygaid, a'i gwefusau'n gweithio wrth iddi ymdrechu i roi tafod i'w geiriau. Roedd effaith y strôc ar ei chorff yn ddigon amlwg ond nid oedd dichon mesur y niwed a wnaethai i'w meddwl. Fel yr oedd o wedi edmygu'r meddwl hwnnw; ei gallu i ddarllen rhwng llinellau ac i synhwyro'i ofid. Ni allai byth fod wedi tynnu trwy'r arholiadau oni bai am ei chefnogaeth hi. Ei dad yn haeru mai allan yn cicio pêl y dylai fod yn lle swatio yn y tŷ fel cadi ffan â'i drwyn mewn llyfr a hithau'n gwenu'n dawel ac yn dweud,

'Ym mhen Emyr mae'i allu o, nid yn 'i draed.'

Bu'n meddwl ganwaith sut y gallai ad-dalu ei ddyled iddi ac yn mesur hwnnw mewn gwerth ariannol. Ond gwyddai nad oedd unpeth y gallai arian ei brynu'n debygol o roi'r golau'n ôl yn y llygaid pŵl. Dim ond ei gariad a'i ofal ef a allai wneud hynny.

Sylweddolodd, cyn cyrraedd drws cefn ei lety, fod gan Mati gwmni a phenderfynodd droi am adref fel yr oedd. Ond clywodd Mati sŵn ei draed ac agorodd y drws i'w dderbyn.

'Mi 'dach chi'n gynnar iawn, Emyr,' meddai.

'Ar dipyn o frys yr ydw i.'
'Mae te'n barod.'
''D oes gen i ddim amsar, mae arnā i ofn.'
'Oes 'na rwbath yn bod? 'D ydach chi ddim wedi cael newydd drwg, gobeithio.'
''D ydi petha ddim rhy dda.'
'Tewch. Dowch i mewn, am funud.'
'Mae ganddoch chi bobol ddiarth.'
'Dim ond Gwen Elis, Minafon 'ma.' Gostyngodd Mati ei llais. 'Mi 'dw i wedi bod yn trio cael 'i gwarad hi ers awr a rhagor, ond mae hi fel y gelan. Dowch rŵan, fyddwch chi fawr o dro yn llyncu panad.'
'Mae'n well gen i beidio. Dim ond isio'ch gweld chi cyn mynd yr o'n i . . . i egluro . . . rhag ofn i betha fynd yn chwithig.'
'Be felly?' yn bryderus.
'Wn i ddim eto. Mae'n rhaid imi fynd, Mati. Diolch i chi, am bob dim.'

Dychwelodd Mati i'r gegin a'i meddwl yn bigau i gyd.
'Be oedd hynna, Mati?' holodd Gwen.
'Glywsoch chi ddim?' yn sur.
''D ydi 'nghlyw i ddim be fydda fo. Mi 'dw i'n ama fod sŵn yr hen afon 'na'n deud ar glustia rhywun. Y lojar oedd 'na, ia? Roedd o ar frys garw.'
'Ar 'i ffordd adra roedd o.'
'Fydda ddim rheitiach iddo fo aros yma dros y Sul yn lle mynd i jolihoetio ar draws gwlad? Dipyn o fabi mam ydi o falla.'
'Mae hi'n wael . . . 'i fam o. Wedi cael strôc.'
'O. Dynas go ifanc, ia?'
'Tua f'oed i.'
'Rargian, dim ond llefnyn ydi o.'
'Roeddan nhw'n tynnu 'mlaen yn 'i gael o.'
'Ac wedi dotio dicin i. Mae 'na ryw olwg wedi'i ddifetha arno fo, erbyn meddwl.'
Cewciodd Gwen Elis ar Mati. Roedd rhywbeth wedi ei hysgwyd hi. Roedd ganddi fyd garw efo'r hogyn 'na, yn ei faldodi fel petai'n blentyn iddi. Ac yntau'n llempian y cwbwl; wedi

arfer cael ei dendans. Dim ond gobeithio y câi Mati well trefn arno nag a gafodd ar ei phlant ei hun. Cofiodd fel y bu iddi sôn am y cawl a wnaethai Mati Cwt Sinc o fagu'i phlant wrth Katie Lloyd ac fel y bu i honno, yr hen sarff iddi, droi arni a'i tharo yn ei man gwan. Ond diolch i'r drefn na chafodd hi blentyn. Roedd ganddi ddigon ar ei phlât efo Dei.

Roedd hi wedi meddwl nos Lun ei fod wedi dechrau sylweddoli mor annheg fuo fo'n credu'r gwaethaf amdani, ac wedi edrych ymlaen am fin nos fach glòs, gytûn. Ond cyn iddi allu rhoi ei chlun i lawr roedd o wedi ei gladdu ei hun yn yr hen lyfr garddio 'na ac ni chawsai ebwch ohono. Ni welsai fawr arno ers hynny . . . dim ond picio i nôl ei fwyd a gadael cyn sychu ei geg, a golwg dyn wedi cael tynnu'i berfedd arno.

''D oes 'na waith dallt arnyn nhw, Mati,' meddai.

'Pwy 'dwch?'

'Dynion. Mae angan 'u trin nhw efo cyllall a fforc.'

'Mae'n debyg bod.'

'Mae'n swydd ni'n sâl, yn 'mystyn ac yn cyrraedd iddyn nhw, heb fod ddim uwch ein parch. Dyna i chi'r hogyn 'na rŵan, yn rhusio odd'ma a chitha wedi mynd i draffarth ar 'i gyfar o.'

Crwydrodd llygaid Gwen Elis i gyfeiriad y bwrdd. Ochneidiodd Mati.

'Gymrwch chi banad arall, Gwen Elis?' holodd.

'Waeth imi hynny ddim. I lawr sinc yr aiff o, debyg.'

Tywalltodd Mati'r te i Gwen a'i hannog i gymryd darn arall o deisen, gan wybod ei bod, wrth wneud hynny, yn ymestyn ei harhosiad. Ond byddai hynny, o leiaf, yn byrhau rhywfaint ar y min nos ac yn ei chadw hithau rhag dechrau hel meddyliau.

4

Newydd adael y stryd fawr yr oedd Brian pan welodd Eunice yn dod i'w gyfarfod. Cyflymodd ei gamau.

'Be sydd, Eunice?' holodd, cyn gynted ag y daeth o fewn clyw.

'Dim byd.'

'Lle wyt ti'n mynd?'

'I dy gyfarfod di siŵr iawn.'

Daeth Eunice ato a phlethu'i braich am ei fraich. Cerddodd y ddau ymlaen yn hamddenol am Finafon. Er bod yr haul yn dechrau colli ei wres roedd ei liw a'i olau ar bopeth a theimlai Eunice yn benysgafn. Er pan alwodd Richard wythnos yn ôl bu'r ofn yn gwasgu arni a theimlai liw nos yn ei gwely fel petai ar fygu. Ni wnâi tynerwch Brian a'i ymdrech i'w bodloni ond dyfnhau'r arswyd. Cofiodd fel y byddai Katie Lloyd yn sôn am y Farn a ddeuai i ran pawb; pan fyddai pechodau yn codi i'r wyneb a'r anghyfiawn yn cael eu cosbi. A heddiw, pan welodd Richard yn cerdded i mewn i'r gegin, mor herfeiddiol ag erioed, teimlai'n sicr fod ei hamser hithau wedi cyrraedd.

Ond cawsai ei harbed. Bu'n eistedd oriau yn y gegin a'r papuro wedi mynd yn angof, yn crio ac yn chwerthin ar yn ail a'r rhyddhad yn llifo trosti fel ton ar draeth cynnes.

Wedi iddynt gyrraedd y tŷ, parodd Eunice i Brian eistedd a chau ei lygaid. Clywodd yntau sŵn cypyrddau'n agor a chau a thincial gwydrau a phan agorodd ei lygaid, ar orchymyn Eunice, roedd potel o win a dau wydryn ar y bwrdd o'i flaen.

'Be ydi hyn?' holodd.

'Dathlu 'te.'

'Dathlu be, felly?'

'Wythnos o waith 'te'r gwirion. Chdi oedd yn iawn 'sti, Brei. Mi wyt ti'n edrych yn well yn barod.'

'Ydw i?' Yna, gydag ymdrech, 'Mi fydda i'n well fyth ar ôl yfad hon.'

'Wel, agor hi 'ta.'

Wrth iddo ymlafnio efo'r botel sylwodd Brian ar y llestr llwch ar y bwrdd.

''D wyt ti rioed wedi dechra smocio?' holodd.

'Dim peryg. Richard Powell fuo yma.'

'O. Be oedd o 'i isio?'

'Dim byd arbennig. Gormod o amsar ar 'i ddwylo, debyg.'

'Pam na ofynni di iddo fo ddŵad yma i swpar ryw noson?'

'I be?'

'I'r creadur gael gwybod fod ganddo fo rai ffrindia'n wedd-ill. Mae 'na ddeud drefn garw amdano fo o gwmpas y lle 'ma.'

'Mae o i weld reit hapus.'

'Cadw wynab falla.'

''D oes wnelon ni ddim byd â fo.'

'Mi fuo'n dda wrthon ni, Eunice. Fedrwn ni ddim anghofio hynny.'

'Mi 'dan ni wedi diolch. 'D oes dim angan inni fynd ar ein glinia, yn nac oes?'

'Ti ŵyr. Wyt ti'n barod am y gwin 'ma?'

'Faswn i'n meddwl wir.'

Bu'r botel win yn foddion i leddfu blinder Brian ac i atal yr hedyn ofn a blannwyd ym meddwl Eunice rhag tyfu ac ymestyn. A'r noson honno, wrth iddi ildio i gwsg braf, teimlai Eunice yn sicr fod y gwaethaf o'u hôl.

5

Cawsai Mati ei gorfodi i ddilyn Gwen Elis i'r iard gefn ac allan i'r stryd gan fod honno'n para i barablu fel lli'r afon. Yno'r oedden nhw a Mati'n ceisio dyfalu sut y gallai atal y llifeiriant pan ddaeth Leslie Owens heibio.

'Sut ydach chi, ledis?' holodd, gan gogio moesymgrymu.

Meddyliodd Mati, am eiliad, fod Gwen Elis, hithau, am blygu glin.

'Go lew â chysidro, ynte,' meddai'n glên. 'A sut ydach chi, Mr Owens?'

'Ar i fyny, Mrs Elis. A chitha, Mrs Huws?'

'Dal i fynd,' yn sychlyd.

'Yn yr hen Sowth 'na ydach chi o hyd?' holodd Gwen.

'Yn y Canolbarth . . . Aberystwyth, Mrs Elis.'

'Sut le ydi hwnnw 'dwch?'

'Braf iawn . . . digon o wynt môr.'

'Faswn i ddim yn malio cael wythnos fach ar lan môr. Oes ganddoch chi awydd dŵad efo fi, Mati?'

'Well gen i lle 'r ydw i.'

'Mi 'nae les inni symud odd' ma am sbel a gadael i'r dynion 'ma 'forol amdanyn 'u hunain. Newydd fod yn deud wrth Mati 'ro'n i, Mr Owens, gymaint o waith trin sydd arnoch chi.'

'Rhai ohonon ni, falla.'

'Ia, wel, mae 'na eithriada. Be 'dach chi'n 'i ddeud, Mati?'

'Ŵyr neb ond 'i fyw 'i hun, Gwen Elis.'

''D oes 'na ddim traffarth efo Mr Owens 'ma 'dw i'n siŵr.'

'Gobeithio wir, Mrs Elis. 'D ydi hi ddim yn hawdd bod yn ŵr a thad da. Mae 'na ormod o lawar yn cymryd y peth yn ysgafn.'

''Dach chi'n iawn. Biti na fydda 'na ragor fel chi.'

'Diolch i chi, Mrs Elis. Nid yn amal y bydd rhywun yn cael clod y dyddia yma.'

'Rhowch glod lle mae clod yn ddyledus, ynte Mati?'

Ni allai Mati oddef rhagor. Taflodd ffarwel swta i gyfeiriad y ddau a brysiodd am y tŷ.

'Gobeithio na ddeudis i ddim byd i darfu Mrs Huws,' meddai Leslie.

'Choelia i fawr. Un oriog ydi hi wedi bod rioed.'

Estynnodd Leslie ei law iddi.

'Os gnewch chi f'esgusodi i, Mrs Elis . . . mi fydd Pat yn fy nisgwyl i.'

'Mae hi'n falch o'ch cael chi adra 'dw i'n siŵr.'

'Bob penwythnos fel mis mêl.'

Roedd ei ysgydwad llaw mor gadarn a diffuant â'r dyn ei hun a theimlai Gwen ei hun yn tynnu nerth ohono. Y fath fantais i bobol Minafon oedd cael dyn mor ystyrlon a boneddigaidd yn eu plith, yn esiampl iddyn nhw i gyd. Ac roedd gobaith, o oedd, y byddai Minafon hefyd, cyn bo hir, yn esiampl o le, fel roedd o ers talwm.

6

Roedd y drws wedi ei folltio o'r tu mewn a bu'n rhaid i Leslie guro deirgwaith cyn y daeth Pat i'w agor.

'Lle aflwydd wyt ti wedi bod?' holodd.

'Rhoi Robert yn 'i wely'r o'n i.'

Gwthiodd Leslie heibio iddi i'r tŷ.

'A be oedd isio cloi'r drws 'ma? Y?'

'Ofn i rywun gerddad i mewn sydd gen i, a dwyn rwbath.'

'Hy! Mi fydda un olwg ar y lle 'ma'n ddigon i ddychryn unrhyw leidar. Fedri di ddim clirio rhywfaint?'

'Mi 'dw i wedi clirio. Fo . . . Robert . . . ddaru dynnu llanast wedyn.'

Pigodd Leslie ei ffordd trwy'r cawdel teganau. Sodrodd ei fag ar y bwrdd a thynnu bocs ohono.

'Trên, i Robert,' meddai.

'Mae ganddo fo ormod o degana'n barod.'

Ond roedd Leslie wrthi'n agor y bocs ac yn taenu'i gynnwys ar hyd y bwrdd.

'Dos i nôl Robert.'

'Mae o'n cysgu, Les.'

'Deffra fo 'ta.'

'Ond mi gymrodd awr imi 'i gael o i setlo i lawr.'

'Dos i'w nôl o, Pat.'

Cydiodd y rheiliau wrth ei gilydd ar gylch.

'Mi gaiff Robert 'i gychwyn o,' meddai.

Symudodd Pat dow-dow am y cyntedd. Gosododd Leslie yr injian a'r tryciau yn ofalus ar y rêl. Camodd yn ôl i edmygu'r cyfanwaith ac i ragflasu adwaith ei fab i'r rhyfeddod newydd hwn y daethai ei dad ag o iddo.

7

Pwysodd Dei Elis ei fys ar y gliced. Tybiodd i ddechrau mai Madge oedd wedi cloi'r drws yn ei erbyn ond sylweddolodd fod rhywun â'i bwysau arno.

'Madge!' galwodd.

Pan na ddaeth ateb, galwodd eilwaith. Rhoddodd ei ysgwydd yn erbyn y drws a gwthio. Agorodd cil hwnnw i ddangos wyneb Os, yn dywyll a bygythiol.

'Os . . . fi sydd 'ma . . . Dei.'

'Cer o'ma. Ddim isio chdi.'

'Gad imi ddŵad i mewn, 'na hogyn da.'

'Cer o'ma, diawl.'

Hyrddiodd Os ei hun yn erbyn y drws nes bod Dei'n cael ei daflu'n erbyn y wal. Wrthi'n ceisio ei sadio ei hun yr oedd pan welodd y drws yn agor a Madge yn sefyll yno, mewn cylch o oleuni.

'Wyt ti wedi brifo, Dei?' galwodd.

'Na, mi 'dw i'n iawn.'

'Tyd i'r tŷ.'

'Mae'n well imi beidio.'

'Mae Os wedi mynd i'w lofft. Tyd.'

Safodd Dei ar ganol llawr y gegin gyfarwydd, fel dieithryn.
'Siaradodd o rioed efo fi fel'na o'r blaen,' cwynodd.
'Mae'n ddrwg gen i, Dei. Wedi digio mae o falla.'
'Digio? Am be?'
'Mi wyt ti wedi bod yn ddiarth.'
''Ro'n i'n meddwl mai dyna'r peth calla . . . ar ôl yr hyn ddigwyddodd.'
'Fedri di ddim disgwyl i Os ddeall hynny.'
''D ydi Gwen yn gwybod dim.'
''D o'n i ddim yn meddwl 'i bod hi. Os oedd wedi pechu, ia?'
'Wedi taflu t'warchen ati hi. Ond 'ro'n i'n meddwl y bydda'n well imi gadw draw am sbel, rhag ofn. Roedd o'n goblyn o straen, cofia. Ond mi 'dw i'n ôl rŵan.'
'Wyt,' yn dawel.
'Ac Os yn fy rhegi i'r peth cynta. Mae o'n mynd yn ormod iti, Madge. Nid plentyn ydi o rŵan 'sti.'
'Plentyn fydd o am byth.'
'Yn 'i feddwl. Ond beth am 'i gorff o? Mi ddeudist dy hun na ŵyr o mo'i nerth.'
''D oedd Gwen ddim gwaeth?'
'Ddim tro yma.'
'Mi 'dw i'n siŵr nad oedd o wedi bwriadu gneud niwad iddi.'
'A beth am Eunice Murphy?'
'Dei . . . fe ddaru ti addo peidio sôn am hynny.'
'Mae'n rhaid wynebu'r peth, Madge. Mi fedrwn gyfri'n bendithion fod Emma a Katie Lloyd wedi cytuno i gadw'n ddistaw. Ond falla'r tro nesa . . .'
'Fydd 'na ddim tro nesa.'
'Wyddost ti ddim.'
'Wedi cynhyrfu 'r oedd o . . . meddwl fod Eunice Murphy yn 'y mygwth i.'
'Fedar o ddim rhesymu, Madge, dim ond dilyn 'i reddf, fel anifail.'
'Be wyt ti'n drio'i ddeud, Dei? Am imi gael gwarad ag Os wyt ti?'
'Nace siŵr.'
'Be 'ta?'

'Fedrwn ni 'neud dim ohoni fel'ma.'

'Ni?'

'Chdi a fi. Mi wyt ti wedi rhoi blynyddoedd gora dy fywyd i Os. Siawns nad wyt ti'n haeddu rhywfaint o hapusrwydd bellach.'

''D oes gen i neb ond y fo, Dei.'

'Mi 'dw i gen ti.'

'Fyddi di byth gen i. Mi wnest hynny'n ddigon clir nos Lun.'

''D ydi hynna ddim yn deg. Faint o weithia ydw i wedi erfyn arnat ti adael imi ddeud wrth Gwen?'

'Fedrat ti ddim fod wedi deud wrthi hi. Fedri di byth. Mi fydd raid imi fynd at Os.'

'Na, gad o.'

'Mae arno fo f'angan i, Dei.'

Roedd hi'n mynd ac yn ei adael ar ei ben ei hun yn y gegin lle'r oedden nhw wedi rhannu cymaint. Nid oedd wedi bwriadu trafod Os heno er bod y syniad wedi croesi ei feddwl fwy nag unwaith yn ystod y dyddiau diwethaf. Ond roedd gweld ei ymateb yn y drws wedi codi ei wrychyn. I feddwl fod yr hogyn, wedi'r holl yr oedd o wedi'i gario yma ar hyd y blynyddoedd, yn gallu troi arno mor egar. Cofiodd fel y bu i Gwen ddweud nad oedd arni lai na'i ofn, pan alwodd yma. Efallai y dylai fod wedi rhoi ei droed i lawr o'r dechrau a mynnu fod Madge yn gollwng Os. Ond go brin y byddai wedi llwyddo. Roedd hi'n benderfynol o gadw'r plentyn, er gwaethaf pob cyngor. P'run bynnag, roedd Os yma, yn cryfhau o ddiwrnod i ddiwrnod ac yn faen tramgwydd rhwng Madge ac yntau. A'u hunig obaith am hapusrwydd oedd symud y maen hwnnw.

8

Roedd drysau a ffenestri Minafon wedi eu cau ers oriau a'r mwg o'r simneiau'n toddi i'r tywyllwch pan dynnodd tacsi i fyny y tu allan i rif pump. Daeth y gyrrwr allan ac agor y drws i'r wraig y daethai'n bur gyfeillgar â hi yn ystod y daith rhwng Llanelan a Threfeini. Ni chawsai sgwrs mor ddifyr ers tro byd ond, er ei siom, aethai honno'n hesb rai milltiroedd yn ôl. Bu'n anesmwyth ei feddwl am weddill y siwrnai, yn ofni mai ef oedd wedi tramgwyddo, ond wrth iddo sefyll yno, a'r mynyddoedd yn gwasgu arno o bob cyfeiriad, gwyddai fod yna amgenach rheswm tros ei mudandod a daeth rhyw ysfa trosto am gau'r drws arni a'i chario'n ôl i Lanelan.

'A hwn ydi Trefeini, ia?' holodd.

''D ydach chi ddim wedi bod yma o'r blaen?'

'Naddo, rioed. A fydda i ddim ar frys i ddŵad yma eto chwaith. Mi fydda'r lle 'ma'n 'y narfod i cyn pen wythnos.'

'Mae rhywun yn arfar.'

''D ydi o mo'r un byd â Llanelan, yn nac ydi?'

'Na . . . dim byd tebyg.'

Wedi iddo ddadlwytho'r bagiau a'u cario i'r tŷ fe'i cafodd ei hun yn loetran hyd y munud olaf rhag digwydd iddi newid ei meddwl. Oedodd yn y car nes bod y drws wedi ei gau a golau'r cyntedd wedi ei ddiffodd. Yna'n siomedig, gadawodd Finafon.

Ond yn rhif pump, roedd Katie Lloyd yn ôl i aros.

PENNOD 7

Dydd Sul, Medi'r 25ain

1

Roedd hi'n ganol dydd ar Richard yn deffro wedi nos Sadwrn go egar. Cyn agor ei lygaid, ymbalfalodd am ei baced sigarets ar y gadair wrth ochr y gwely, a'i gael yn wag. Y criw 'na yn y Queens neithiwr oedd wedi bod wrthi'n eu helpu eu hunain iddyn nhw. Ac nid i'w ffags o'n unig chwaith. Roedd ganddo frith gof o wefusau blysig yn glafoerio uwchben y cwrw, o ddwylo'n curo'i gefn a lleisiau'n slyrio canu, 'For he's a jolly good fellow'. Ac yntau'n y canol yn galw am ddiod i bawb o'i fêts. Mêts, wir! Cynffonwyr, llyfwyr tinau, rhagrithwyr, dyna oedden nhw, yn ei lambystio yn ei gefn ac yn ei bluo yn ei wendid. Be wnaeth iddo fo ddod yn ôl yma, mewn difri? Mewn un gair—rheidrwydd. Ni fyddai'r un o'i draed wedi ei gario yma petai ganddo ddewis. Ond gallai fod wedi para wythnosau'n hwy oni bai i'r Rosie 'na geisio rhoi bit rhwng ei ddannedd. Fe gostiodd hynny'n o ddrud iddi. Ond bychan o iawndal oedd o, ran'ny, am fentro'i fywyd.

Byddai'n rhaid iddo ddechrau ymorol am waith toc. Ni chawsai fawr o lwyddiant yn y parc, efo Dei yn gwadu pob cyfrifoldeb. Gallai'r cythral fod wedi dweud gair drosto, o leiaf. Ond be oedd i'w ddisgwyl gan ryw bry llyngyr fel'na?

Y bobol ddŵad, y rheini oedd ei fet orau. Siawns na châi groeso ganddyn nhw, os nad oedd pobol Trefeini wedi cael y blaen arno. Y diawliad diegwyddor. Pa hawl oedd ganddyn nhw i farnu, heb roi cyfle iddo achub ei gam? Ond pam y dylai wneud hynny? Nid oedd ganddo ddim i gywilyddio'n ei gylch. Pa ddyn arall a fyddai wedi goddef Lena am ugain mlynedd ac wedi gadael ei gynefin er ei mwyn hi, i ddod i Finafon, o bob man? Be wydden nhw am yr oerni a'r unigrwydd yr oedd o wedi eu dioddef yn dawel ar hyd y blynyddoedd? Ond 'd oedden nhw ddim am wybod. Roedden nhw eisoes wedi ei gael yn euog. 'Rydw i yn dy gredu di,' meddai Eunice, ar hyd ei thrwyn. Y bits fach gynllwyngar. Fe wnaethai'n siŵr, cyn cael ei thipyn sterics, fod y gwely o fewn cyrraedd. Ond fe gâi dalu am ei dichell. Ac fe gâi'r gweddill ohonyn nhw weld nad oedd Richard Powell yn un i gymryd ei daflu. Roedd hi'n hen bryd iddo wneud i'r diawliad grynu bellach.

2

Pan gyrhaeddodd cinio Leslie wedi oriau o aros nid oedd ganddo'r un gair da i'w ddweud amdano.

'Dyma'r gora fedri di 'i 'neud?' holodd.

'Be sydd o'i le arno fo?'

'Be sy'n iawn ynddo fo? Mae'r cig 'ma fel lledar. Be ydi o . . . cig ceffyl?'

''D oedd 'na ddim ond hwnna ar ôl yn y siop.'

'Isio iti gychwyn allan yn gynt sydd.'

'Methu dŵad i ben rydw i.'

'Wn i ddim be wyt ti'n 'i 'neud efo dy amsar. Mi fydd raid i ti gael gwell trefn, Pat.'

Gwthiodd Leslie ei blât hanner llawn o'r neilltu.

'Mi fydda'n werth iti weld y cinio Sul fyddan ni'n 'i gael adra,' meddai. 'Digon i dynnu dŵr o ddannadd rhywun. A phwdin reis wedyn, wedi croenio drosto. Fi fydda'n cael crafu'r ddesgil bwdin, bob Sul. Wn i ddim be fydda mam yn 'i ddeud 'tae hi'n gweld y sothach yma.'

Cododd Leslie ac aeth i eistedd wrth y llygedyn tân gan adael Pat yn pigo'i bwyd.

'Fydda ddim gwell iti fynd i edrych ydi Robert yn iawn?' holodd.

'Mae o'n siŵr o adael imi wybod os nad ydi o.'

''D ydi o ddim yn beth doeth gadael iddo fo gysgu'n ystod y dydd.'

'Wedi blino roedd o ar ôl cael 'i ddeffro nos Wenar.'

'Roedd o wrth 'i fodd efo'r trên.'

Disgleiriodd llygaid Leslie wrth iddo gofio cyffro'r bychan pan gychwynnodd y trên i'w siwrnai.

'Mi 'dw i'n meddwl y gwna i dwnnal iddo fo'r pnawn 'ma,' meddai. 'Cliria'r bwrdd 'na reit sydyn. Oes 'na focs cardbord yn rhwla?'

'Dan grisia, falla.'

Pan agorodd Leslie ddrws y cwpwrdd syrthiodd pentwr o geriach tros ei draed.

'Pat!' galwodd.

Daeth hithau, dan ei phwn o lestri budron.

'Be ydi peth fel hyn?'

'Llanast?'

'Mi wyt ti *yn* gwybod ystyr y gair, felly. Well iti roi trefn arno fo, rhag blaen. Fydd 'na ddim lle i sbwrial fel'ma yn y fflat.'

''D ydw i ddim isio symud odd'ma, Les.'

'Yli, mi 'dw i wedi gneud hynny'n ddigon clir. 'D ydw i ddim isio clywad gair am y peth eto . . . dallt? Be oedd y sŵn 'na?'

'Mae o . . . Robert wedi deffro.'

'Dos ato fo 'ta.'

Cipiodd Leslie focs cardbord o ganol yr annibendod. Gwthiodd weddill y pethau'n ôl i'r cwpwrdd a chau arnynt.

Wrthi'n mesur y bocs yn barod i'w dorri yr oedd pan ddaeth cnoc ar ddrws y cefn. Galwodd ar Pat ond ni ddaeth ateb a bu'n rhaid iddo roi ei waith o'r neilltu a mynd i'r drws. Safai Os yno a'i focs ceir o dan ei gesail. Cymylodd ei wyneb pan welodd Leslie.

'Be wyt ti isio?' arthiodd hwnnw.

'Chwara.'

'Be wyt ti'n 'i feddwl . . . chwara?'

'Efo babi.'

Agorodd Os gaead y bocs a'i ddal hyd braich.

'Car coch, yli. Lot fawr.'

'Tyd â'r bocs 'na i mi.'

'Na. Os pia.'

'Tyd â fo yma, medda fi.'

Cyn i Os allu camu'n ôl roedd llaw Leslie wedi cau am ei arddwrn. Rhoddodd dro sydyn iddo nes gorfodi Os i ollwng y bocs a'i gynnwys.

'Cliria dy lanast,' meddai, trwy'i ddannedd. 'A phaid byth â dŵad yn agos i'r tŷ yma eto. Dallt . . . twpsyn?'

Rhoddodd Leslie glep i'r drws a brasgamodd trwodd i'r cyntedd. Roedd Pat a Robert ar y grisiau. Cipiodd Leslie'r bychan oddi arni a'i wasgu ato.

'Ydi'r hogyn 'na wedi bod yma o'r blaen?' holodd.

'Pa hogyn?'

'Y twpsyn 'na o ben draw'r stryd.'

'Os?'

'Ia, hwnnw. Mi ddoth i'r drws rŵan . . . isio chwara efo'r babi medda fo.'

'Maen nhw'n ffrindia.'

''D wyt ti rioed yn deud wrtha i dy fod ti'n gadael i Robert chwara efo'r penbwl yna?'

'Mae o'n ffeind iawn wrtho fo.'

'Fedra i mo dy drystio di eiliad, yn na fedra? Mae'n hen bryd inni symud o'r lle 'ma, imi gael cadw golwg arnat ti.'

Dilynodd Pat ei gŵr a'i phlentyn i'r gegin. Trwy'r ffenestr, gallai weld Os ar ei liniau yn yr iard.

'Be wyt ti wedi'i 'neud iddo fo, Les?' holodd.

''I setlo fo. Ddaw o ddim yma ar frys eto.'

'Mi 'dw i'n mynd ato fo.'

'Meiddia di.'

Camodd Leslie'n fygythiol tuag ati ond yr eiliad honno daeth pwl sydyn o'r sterics arferol tros Robert. Gwingodd ym mreichiau ei dad gan sgrechian 'Isio Os', ei ddyrnau a'i draed yn pastynu'n ei erbyn. Manteisiodd Pat ar ei chyfle a rhuthrodd allan.

Eisteddai Os ar ganol yr iard a'r ceir bach ar chwâl o'i gwmpas. Yn un llaw fawr chwyslyd daliai gar glas di-olwyn.

'Car coch 'di torri,' meddai.

'Nac ydi, Os. Dim ond isio rhoi'r olwynion yn ôl sydd.'

Chwiliodd Pat o gwmpas yr iard nes dod o hyd i'r olwynion, a'u ffitio ar y car.

'Mae'r car coch wedi'i drwsio, yli. Tria di o rŵan.'

Gwthiodd Os y car ar hyd yr iard.

''Di drwsio,' meddai, â'i wyneb yn goleuo.

'Mi rhown ni nhw i gyd yn ôl rŵan, ia? Dal di'r bocs yn agorad imi.'

Gosododd Pat y ceir bach yn y bocs, yn union fel y gwelsai Os yn eu gosod. Yn y gegin, roedd Robert yn para i sgrechian er gwaethaf holl ymdrechion Les i'w dawelu.

'Babi isio Os.'

'Ydi. Mi 'dach chi'n ffrindia 'd ydach?'

'Babi isio chwara.'

'Ddim heddiw, Os.'

'Car coch 'di torri.'

'Na, mae o wedi'i drwsio rŵan.'

'Hwnnw ddaru.'

'Dos di adra rŵan, Os. Mi gei chwara faint fynni di efo'r babi fory. Mi 'dw i'n addo.'

Syllodd Os arni, ei wyneb mawr yn gwbwl ddifynegiant.

'Licio chdi,' meddai.

Sylweddolodd Pat, am y tro cyntaf y prynhawn hwnnw, fod llond yr iard o haul. Safodd yno am rai munudau, wedi i Os ei gadael, heb fod yn ymwybodol o ddim ond y gwres a oedd fel pe'n treiddio i bob cwr o'i chorff. Yna'n ddirybudd, aeth yr haul o dan gwmwl. Sleifiodd cysgodion i'r iard ac efo nhw daeth y lleisiau o'r gegin.

3

Pan welodd Gwen Magi Goch yn sefyll yn ei drws y nos Sul honno roedd rhwng dau feddwl pa un ai i'w gwahodd i mewn ai peidio. Gallai Dei gyrraedd unrhyw funud ac nid oedd am roi rhagor o le i achwyn iddo. Ond camodd Magi tros y trothwy heb aros am wahoddiad.

'Meddwl y baswn i'n arbad rhywfaint ar dy draed di, Gwen,' meddai. 'Roeddat ti am alw acw fel arfar heno, debyg?'

'Mi fuas i draw neithiwr.'

'Noson Bingo ydi nos Sadwrn. Mi ddylat wybod hynny. Mae dy anwybodaeth di'n rhemp. Ydw i am gael ista gen ti?'

Cyn iddi gael cyfle i ateb roedd Magi wedi tynnu cadair Dei yn nes at y tân ac yn ei gollwng ei hun iddi.

'Pwy ddyliat ti welis i'n mynd i'r capal rŵan?' holodd.

'Mati Huws, debyg. Mi fedar fentro mynd hefyd.'

'Na, nid honno.' Yna, wedi seibiant dramatig, 'Katie Lloyd. 'Ro'n i'n meddwl iti ddeud 'i bod hi wedi gadael Minafon 'ma.'

'Gobeithio'r o'n i,' yn dawel.

'Be mae hi wedi'i 'neud iti? Mae golwg ddigon diniwad arni hi.'

'Rheini ydi'r perycla. Dynas ddrwg ydi hi . . . sarff.'

'Be ydi hynny d'wad?'

'Neidar wenwynig. Deud celwydda amdana i, wrth Dei.'

'Chredodd o mo'ni hi siawns?'

''Dw i'n methu meddwl. Ond roedd y drwg wedi'i 'neud. Mi wyddost mor barod ydi pobol—'

'Mêl ar 'u bysadd nhw. Bobol annwyl . . . mi wyt ti'n byw mewn rhyw le ofnadwy. Ond mae'r dre i gyd wedi mynd yn rhemp, ran'ny. Glywist ti am y Bevan 'na?'

'Pwy ydi hwnnw?'

'Hed Ysgol Y Graig 'te.'

'Be mae hwnnw wedi'i 'neud?'

'Hi sydd wedi mynd a'i adael o. Mi aeth ar 'i hôl hi . . . gadael i'r ysgol 'na fynd â'i phen iddi. Ond chafodd o fawr o lwc. Fedra hwnna ddim denu cath at lefrith ran'ny.'

''Naba i mo'no fo.'

'Chest ti ddim collad. Mae o'n cerddad fel 'tasa ganddo fo ofn i'w gysgod mosod arno fo.'

Roedd Magi'n cuddio hynny o dân a oedd yna rhagddi. Beth petai Dei'n cyrraedd rŵan ac yn ei gweld hi yma, a'i choesau ar led, wedi meddiannu'i aelwyd?

'Mae'r byd 'ma'n mynd o ddrwg i waeth,' meddai Gwen. 'Ond chan' nhw mo'r gora arno Fo.'

'Pwy, felly?'

'Duw 'te. Mi foddodd y byd 'ma unwaith ac mi fedar 'neud peth tebyg eto . . . o medar.'

Cliriodd Magi ei llwnc.

'Oes gen ti lymad o ddŵr ga' i, Gwen?' holodd.

'Fasat ti'n licio te ynddo fo?' yn sbeitlyd.

Roedd yn dda gan Gwen gael ymneilltuo i'r gegin. Nid oedd am i Magi fod yn llygad-dyst o'r ysgytwad a roesai'r newydd am ddychweliad Katie Lloyd iddi. Teimlai ei bod eisoes wedi dweud gormod. Ond gallodd gadw'i phen, drwy drugaredd. Wrth iddi sefyll yno, yn disgwyl i'r tegell ferwi, a'i choesau'n gwegian tani, gallai deimlo llaw Dei yn disgyn ar ei hysgwydd a'i fysedd caled yn brathu i'w gwar. A chlywai ei lais, cyn glir-ied â phetai yn yr ystafell efo hi, yn dweud,

'Chi sydd wedi maeddu'ch hun. Mi 'dach chi'n ddynas ddrwg, Gwen.'

4

Penderfynodd Richard gadw draw o'r Queens y noson honno rhag digwydd i'r adar corff ddisgyn arno fel y gwnaethant nos Sadwrn. Torrodd bentwr o fara menyn y gallai unrhyw nafi ymfalchïo ynddynt a thalpiau o gaws i gyd-fynd, gwnaeth yn siŵr fod ganddo stoc dda o sigarets a photeli Guinness wrth law, ac eisteddodd i wylio'r teledu. Roedd ffilm gowbois ar ddechrau pan ganodd cloch y drws ffrynt.

'Pwy sydd 'na?' galwodd.

Daeth llais cyfarwydd trwy'r twll llythyrau.

'Fi.'

'Cer i chwibanu.' A brathodd Richard i gwlffyn o frechdan.

'Pŵal!'

'Be wyt ti isio?'

'Agor y drws imi.'

'O'r nefoedd, 'd oes 'na ddim llonydd i ddyn yn 'i dŷ 'i hun.'

Agorodd Richard gil y drws. Safai Hyw Twm yno a chwdyn plastig y Co-op yn hongian o un llaw.

''D ydw i ddim isio prynu dim byd heddiw. Hegla hi.'

'Tyd 'laen, Pŵal. Mae'r bag 'ma'n uffernol o drwm.'

Camodd Richard yn ôl a llusgodd Hyw Twm ei ffordd heibio iddo gan adael y drws yn llydan agored.

'Pryd buost ti'n Llundan ddwytha?'

'Y?'

'Y drws.'

'O. Sori, Pŵal.'

'Mi fedri fentro bod hefyd. 'Stedda, os medri di ffeindio lle.'

'Be wna i efo'r rhain?' holodd Hyw Twm, gan ddal pentwr o bapurau newydd i fyny.

'Stwffia nhw dan glustog. Mi wnan' bapur tŷ bach iawn.'

'Peth afiach ydi hynny, medda Magi.'

'Fasa gen i ddim gwrthwynebiad i gael tudalan tri o'r *Sun* ar 'y nhin.'

Eisteddodd Hyw Twm gan fagu'r bag yn ei freichiau.

'Wyt ti wedi'i gadael hi?' holodd Richard, trwy gegiad o fara a chaws.

'Pwy d'wad?'

'Faint o wragadd sydd gen ti?'

'O, honno. Gobaith mul mewn Grand National.'

'Meddwl dy fod ti wedi dŵad â dy eiddo bydol efo chdi yn y bag 'na. Be wyt ti'n da yma?'

'Dy weld di 'te.'

'Wedi dŵad yma i faeddu rhagor arna i wyt ti, ia?'

'Sori, Pŵal. 'D o'n i ddim mewn hwyl 'sti . . . wedi bod efo'r hen goed 'na am oria . . . brifo drosta.'

'Mêt ar y diawl wyt ti, Hyw Twm.'

''D ydi o ddim yn hawdd 'sti.'

'Be d'wad?'

'Byw 'te.'

'Dibynnu be wyt ti'n 'i 'neud ohono fo 'd ydi.'

'Be fedra i 'i 'neud? Mae meddwl am godi'n bora'n ddigon i 'narfod i am y diwrnod.'

''D oes gen ti ddim oliad am waith?'

'Ar dôl bydda i bellach ac o'r dôl i 'mhensiwn, os cyrhaedda i cyn bellad.'

'Amheus.'

'Mi 'dw i wedi dy golli di 'sti, Pŵal.'

'A bai pwy ydi hynny? Y? O, be 'di'r ots . . . helpa dy hun i botal.'

'Mae gen i rwbath gwell na hwnna.'

'Paid â malu.'

'Sbia ar hyn 'ta.'

Agorodd Hyw Twm y cwdyn plastig i ddangos hanner dwsin o boteli.

'Gwin cartra . . . riwbob.'

'Piso dryw.'

'Choelia i fawr. 'Di brynu o gen Len drws nesa . . . uffarn o stwff medda fo.'

'Gad inni 'i drio fo 'ta.'

Estynnodd Hyw Twm un o'r poteli i Richard a'i lygaid yn disgleirio.

'Mi wyt ti'n well na'r blwmin lot ohonyn nhw efo'i gilydd, Pŵal.'

'Deud rwbath newydd,' meddai Richard.

5

Cawsai Katie Lloyd haf wrth ei bodd yn Llanelan. Bu'n cerdded milltiroedd ar hyd hen lwybrau a hynny heb i neb holi ei hynt na'i rhwystro. Un diwrnod, mentrodd wrth ei phwysau i ben y Foel, nes cyrraedd y terfyn a ffens wifrau'r ffermwr a roesai'r fath fraw iddi y Sadwrn hwnnw o Fehefin. Roedd hi wedi ofni y byddai'r siwrnai'n boen, ond wrth iddi sefyll yno a'r glaw mân yn eli ar ei chnawd wedi straen y dringo, ni allai gofio dim ond llawenydd y diwrnod hwnnw. Bu'n oedi'n hir cyn mentro i Fryn Melyn ond ni chawsai unrhyw drafferth yno chwaith. Roedd y diwrnod yn berffaith ddiogel. Nid oedd â wnelo'r profiadau chwerwon a'i dilynodd ddim â Llanelan. Ac nid oedd i Harri le yno chwaith.

Aethai yno ar sgawt tua'r Pasg a galw am baned yn y caffi bach ar fin y lôn bost. Taro sgwrs yn y fan honno a chael gwybod fod gan y perchnogion, Saeson o'r Canoldir, dŷ yn y pentref a'u bod yn ei osod ar rent yn ystod yr haf.

Wedi iddi ddychwel i Finafon, bu mewn cyfyng gyngor am ddyddiau a Harri, yn ei ffrâm, fel petai'n dilyn pob gogwydd o'i meddyliau. Yna, un diwrnod, aethai i'r drws nesaf a chael Brian yn llawn brwdfrydedd, wrthi'n trefnu wythnos o wyliau i Eunice ac yntau yn Aberystwyth. A Brian a awgrymodd, gyda'i radlonrwydd arferol, ei bod hithau'n haeddu newid aer. Bu hynny'n ddigon o sbardun a threfnodd i gymryd y tŷ am yr haf. Gwyddai erbyn hyn iddi wneud y peth iawn er bod amheuon yn ei blingo ar y pryd.

Daethai pobol Llanelan i wybod yn fuan iawn, trwy'r hen wraig a welsai Richard a hithau, ei bod hi'n un ohonyn nhw ac er mai rhodio a wnâi lle byddai gynt yn rhedeg nid oedd yno neb i watwar ei harafwch. Ond roedd yr haf trosodd cyn pen dim a'i chydnabod yn ceisio ei pherswadio i aros ymlaen. Bu'n rhaid iddi addo ystyried, a ddoe ddiwethaf daeth llythyr oddi wrth Ann, ei chymdoges, yn dweud fod tŷ ar werth yn y pentref ac yn ei hannog i anfon am y manylion.

Daethai â digon o fwyd efo hi o Lanelan ac ni fu'n rhaid iddi fynd allan i'r siop. Ni fyddai wedi mynd i'r capel heno chwaith oni bai ei bod hi'n colli cwmnïaeth yr wythnosau diwethaf. Ni chawsai rithyn o fendith yno. Yr un wynebau, ond yn fwy rhychiog; yr un lleisiau, ond yn fwy crynedig; yr un gweinidog yn rhaffu'r un ystrydebau. A'r cyfan yn batrwm o'r hyn ydoedd pan eisteddai Harri yn y sêt fawr, yn nodio ac yn amenio. Ni allai fynd ar ei llw, ond teimlai'n bur sicr iddi glywed y bregeth o'r blaen, neu un ddigon tebyg iddi. Gan ei bod yn eistedd wrth y drws gallodd sleifio allan ar y blaen i bawb. Nid âi yno eto ar fyrder.

Ond roedd hi ar fai yn coleddu teimladau mor annheilwng, a hynny ar nos Sul. Be fyddai Harri'n ei feddwl ohoni? Crwydrodd ei llygaid, yn reddfol, at y llun ar y seidbord, gan ddisgwyl gweld y llygaid bach cyhuddgar yn gwanu trwyddi. Ond, er ei syndod, roedd yr wyneb yn y ffrâm yn gwbwl ddifynegiant.

6

Roedd pawb a phopeth 'dani ac Emma'n taflu ei chwynion at Madge heb sylwi nad oedd honno mor barod ag arfer i'w dal. Eisteddai Os ar yr aelwyd yn tynnu'r ceir o'r bocs ac yn eu hailosod wedyn, drosodd a throsodd.

'Wn i ddim be i 'neud fory, Madge.'

'Efo be, felly?'

'Y drws 'te. 'Ro'n i wedi bwriadu 'i ddatgloi o.'

'Ia, dyna fydda ora.'

''D ydw i ddim mor siŵr. Fedra i ddim gadael i'r Miss Humphries 'na fy sathru i.'

'Mae hi wedi cael gormod o flaen arnat ti, Emma.'

'Be wyt ti'n awgrymu imi 'i 'neud, felly?' yn bigog.

Ond cyn i Madge allu ei hateb roedd Os yn tynnu'n ei braich, gan fynnu sylw.

'Yli, mam. Car coch 'di torri.'

'Mae o'n edrych yn iawn i mi, Os.'

''Di trwsio. Honno ddaru.'

'Ddyla hi ddim fod wedi gneud be ddaru hi, Madge.'

'Mm?'

''Y nhrin i fel 'taswn i'n bwt o forwyn . . . o flaen y plant 'na. 'D o'n i ddim ond yn gneud fy ngwaith . . . 'i waith o ran'ny. Wn i ddim be ddaw o'r ysgol 'na. 'D ydi o byth yno, a phan mae o yno 'd ydi o'n gneud dim ond tynnu'n y biball 'na a syllu i wagla.'

'Yli, mam.'

'Hisht, Os, fi sy'n siarad rŵan. Deud o'n i, a mi 'dw i wedi dued rioed, na ddyla neb adael i broblema personol 'myrryd efo gwaith.'

'Mae hi'n ddigon anodd, debyg.'

'Mi wn i hynny gystal â neb. Ond fedar rhywun ddim rhoi 'i ora yn 'i waith os ydi 'i feddwl o ar rwbath arall.'

Roedd Os wedi codi ar ei draed ac yn gyrru'r car bach i fyny braich ac ysgwydd Madge.

'Yli, mam.'

'Mae dy fam a finna'n siarad, Os.'

'Cau geg.'

'Wel, wir. Pwy glywist ti'n deud peth hyll fel'na?'

''D oedd o'n meddwl dim drwg, Emma. Dos di i dy wely rŵan, Os. Mi ddo' i i fyny atat ti toc.'

Taflodd Os gilwg i gyfeiriad Emma cyn symud linc-di-lonc am y grisiau. Gollyngodd hithau ochenaid o ryddhad o'i weld yn diflannu. Roedd o'n fistar corn ar Madge. Fe ddylai fod wedi mynnu iddo ymddiheuro iddi hi rŵan yn hytrach na dal 'dano. Nid oedd dichon cael sgwrs gall efo hwnna o gwmpas. A hithau wedi edrych ymlaen am gael clust a chydymdeimlad. Deng munud arall, ar y gorau, a byddai Madge yn paratoi i'w gadael a hithau heb fod ddim elwach.

'Be wyt ti'n feddwl y dylwn i 'i 'neud?' holodd.

'Efo be?'

'Y Miss Humphries 'na.'

'Be wn i?'

'Mae gen ti farn siawns.'

''D ydw i ddim ar 'y ngora heno, Emma.'

'Be sydd, felly?'

'Blindar, am wn i.'

''D ydi o ddim yn syndod. 'D wyt ti ddim yn cael pum munud i ti dy hun a'r hogyn 'na'n swnian arnat ti rownd y rîl.'

Bu eiliad o dawelwch. Ofnai Emma iddi fentro'n rhy bell ond roedd gofyn i rywun ddarbwyllo Madge cyn iddi fynd yn slâf llwyr i'r hogyn.

'Paid â meddwl 'mod i'n 'myrryd, ond mi 'dan ni yn ffrindia ac mi 'dw i'n edrych ymlaen gymaint am gael dŵad yma atat ti.'

Ond nid oedd Madge fel petai'n ei chlywed. Roedd golwg bell yn ei llygaid. Rŵan yr oedd y straen yn dweud arni, efallai—y straen o orfod dwndran y creadur di-ddeall yna ddiwrnod ar ôl diwrnod, fis ar ôl mis. Ond nid gorfod, ran'ny. Ei dewis hi oedd ei gadw a'i dewis hi oedd ei chau ei hun yn y tŷ yma. Gwyddai Emma, o brofiad, pa mor benderfynol y gallai Madge fod, ac ni fyddai'n ddim ganddi daflu ei chynghorion yn ôl i'w hwyneb. Gadael rŵan fyddai orau iddi, cyn iddi ddweud dim y byddai'n difaru o'i herwydd. Ond cyn iddi allu symud clywodd lais Madge, fel o bellter, yn dweud,

'Mi 'dw i'n ama fod Dei am imi gael gwarad ag Os.'

Tynnodd Emma ei gwynt ati.

'Gwarad? Be wyt ti'n 'i feddwl?'

''I yrru o i gartra, am wn i.'

'Pa hawl sydd ganddo fo i ddeud wrthat ti be i 'neud efo Os?'

'Mae o *yn* dad iddo fo, Emma.'

'O, Madge, faint o gefn ydi o wedi bod iti? Mm? Mi ddylat fod wedi gadael iddo fo gymryd y cyfrifoldab, o'r dechra. Be oedd ar dy ben di'n bygwth dy ladd dy hun er mwyn 'i arbad o, a hynny pan oeddat ti fwya o angan help?'

Syllodd Madge arni a'i llygaid gleision wedi eu cleisio gan boen.

'Dei ddeudodd hynny wrthat ti?' holodd.

'Ia, yn y tŷ acw.'

Daeth sŵn curo o'r llofft uwchben.

'Mi fydd raid imi fynd at Os,' meddai Madge.

'Atab un peth imi gynta ... ddaru ti fygwth cymryd dy fywyd?'

'Ydi o ots rŵan?'

'Mi liciwn i gael gwybod. Wnest ti hynny?'

'Sut y medrwn i? 'Ro'n i 'i angan o, Emma.'

Aeth y curo'n drymach a thaerach.

'Mae'n ddrwg gen i d'adael di. Diolch iti am ddŵad.'

Tawodd y curo, ond dal i eistedd yno a wnâi Emma. Clywodd lais Madge yn grwnian yn y pellter. Madge Parry—yr hogan ddela a welsai Minafon erioed a'r ffrind gorau, yr unig ffrind, a gawsai hithau—wedi ei llygad-dynnu gan ddyn a fanteisiodd ar ei hunigrwydd a'i gwendid. I feddwl ei bod hi,

Emma, wedi ei gredu a hyd yn oed wedi teimlo peth tosturi tuag ato. Y cythral drwg iddo fo, nid yn unig yn gwadu'i gyfrifoldeb ond yn ceisio rhoi allan ei fod o cyn wynned â lliain cymun. A rŵan yn ceisio perswadio Madge i gael gwared ag Os. Be oedd ganddo fo i fyny'i lawes tybed? Rhywbeth er ei les ei hun reit siŵr.

O'r diwedd, magodd Emma ddigon o nerth i godi a gadael, ond erbyn iddi gyrraedd ei thŷ ei hun roedd y gwendid wedi ei llorio. Aeth ar ei hunion i'w gwely a'i melltith yn drwm ar y Dei Elis a oedd fel petai'n benderfynol o gipio'i thipyn cysur oddi arni ac o ddinistrio'r cyfeillgarwch y gwnaethai hi'r fath ymdrech i'w ailgynnau.

7

A hithau ar gael gafael yn ei chwsg, wedi oriau o droi a throsi, clywodd Pat sŵn traed Leslie ar y grisiau. Cerddai'n drwm ac afrosgo gan daro'n erbyn y canllaw a mwnglian dan ei anadl. Cofiodd iddi adael y glanhawr carpedi ar y landin a gwnaeth ymdrech dila i'w rybuddio. Ond roedd hi'n rhy hwyr. Dilynwyd trwst y gwrthdaro gan stribed o regfeydd. Agorwyd drws y llofft gyda'r fath rym nes ei fod yn jerian yn erbyn y pared.

'Pat!'

Closiodd Pat at yr erchwyn pellaf a gwasgodd ei llygaid yn dynn. Gorweddodd fel pe wedi ei pharlysu, yn ymwybodol o gryndod llawr y llofft wrth i Leslie ymbalfalu'i ffordd am y gwely. Teimlodd gysgod oer yn hofran uwch ei phen. Caeodd crafanc o law am ddyrnaid o'i gwallt.

'Deffra'r slwt.'

Agorodd Pat ei llygaid yn araf i'w weld yn crechwenu arni, gwyn ei lygaid yn gwaedu a glafoer yn diferu o'i wefus isaf.

'Tyn y goban 'na.'

'Na. Plîs, Les, mi 'dw i wedi blino.'

'Tyn hi. I be arall wyt ti'n da?'

Rhwygodd y goban oddi ar ei hysgwyddau. Cyn iddi allu codi'r dillad gwely i guddio'i noethni roedd ei ddwylo arni, yn cwpanu'i bronnau.

''D oes gen ti fawr i'w gynnig, yn nac oes? Ond mi fydd raid iddo fo 'neud y tro am rŵan.'

Teimlodd Pat ei stumog yn corddi a'r hylif chwerw yn llifo i'w llwnc wrth i Leslie ei orfodi ei hun arni.

'Mi 'dw i'n sâl, Les.'

Ond ni chymerodd Leslie unrhyw sylw o'i chri wrth iddo fanteisio hyd eithaf ei allu ar ei hawliau fel gŵr.

8

Dychwelodd Emyr i Finafon wedi ymlâdd yn llwyr. Bu'n treulio'r nos Wener yn ceisio darbwyllo'i dad i ymddiheuro, ond ni allai ei syflyd. A bore Sadwrn, ar ei godiad, yn ddiarwybod i'w dad, aeth i ymddiheuro trosto a chael addewid y byddai'r nyrs yn galw yn ystod y prynhawn. Mynnodd fod ei dad yn mynd am dro wedi cinio ac aeth yntau i'w gyfarfod er mwyn torri'r newydd cyn iddo gyrraedd y tŷ. Ond cyn gynted ag y crybwyllodd iddo ymddiheuro ar ei ran aethai ei dad yn gandryll o'i go'. Ceisiodd Emyr feddwl sut y byddai ei fam yn delio â'r sefyllfa ond ni chafodd yr ymresymu tawel ronyn o effaith ar ei dad. Collodd yntau ei limpin ac aeth yn ffrwgwd rhyngddyn nhw, yno ar y stryd.

'Defnyddiwch eich rheswm, ddyn,' gwaeddodd.

'Efo pwy wyt ti'n siarad, yr ewach bach?'

Saethodd dwrn ei dad allan a'i ddal ar ei gern nes ei fod yn gwegian.

'Mi ddangosa i iti pwy ydi'r mistar,' rhuodd. 'Cod dy ddyrna.'

Roedd y gweiddi wedi denu cynulleidfa a dechreuodd twr o blant gau o'u cwmpas, yn dân am weld ymladdfa.

'Calliwch, ddyn,' meddai yntau. ''D ydi dyrna rioed wedi setlo dim.'

'Ofn sydd gen ti 'te? Rhyw shani o rwbath fuost ti rioed, yn hongian wrth linyn ffedog dy fam.'

Oni bai iddo glywed crybwyll enw'i fam byddai Emyr wedi taflu pob gofal i'r gwynt. Ond yn hytrach na derbyn yr her, gwthiodd ei ffordd trwy'r twr plant gan adael ei dad yn dyrnu'r awyr fel dyn gorffwyll.

Treuliodd weddill y penwythnos yn eistedd efo'i fam, yn darllen iddi. Ni wyddai faint a ddeallai ond bob tro y cymerai hoe agorai ei llygaid, fel pe i'w hannog ymlaen. Gwnaeth ginio

Sul i'w dad ac yntau ond ni thorrwyd gair rhyngddynt trwy gydol y pryd a phan aeth i ffarwelio ag ef cyn cychwyn i'w siwrnai ni chawsai unrhyw ymateb.

Ceisiodd egluro'r sefyllfa i Mati, heb ddweud gormod. Ond unwaith y cafodd hi wybod fod y nyrs yn ôl nid oedd yn awyddus i wybod rhagor.

'Mae petha'n iawn rŵan, felly,' meddai.

'Ydyn, debyg.'

'Mi 'dach chi'n ôl. Dyna sy'n bwysig.'

Gwyddai fod Mati'n ysu am sgwrs ond nid oedd ganddo fymryn o awydd dal pen rheswm efo hi ac fe'i hesgusododd ei hun ar ôl swper.

''D ydach chi ddim yn mynd rŵan?' cwynodd Mati.

'Mi fedra i 'neud efo gwely cynnar. Che's i fawr o orffwys neithiwr nac echnos.'

'Chi ŵyr,' yn sychlyd.

'Mi gawn sgwrs nos fory, ia?'

Lwcus iddo fo gyrraedd, meddyliodd Mati. Be 'haru rhyw lefnyn fel'ma yn clwydo fel iâr? Roedd pobol ifanc wedi mynd yn ddi-ffrwt a'r peth lleia'n ddigon i'w taflu nhw.

Penderfynodd wneud paned arall iddi ei hun gan na allai feddwl am fynd i'w gwely. Ni wnâi ddim yn y fan honno ond hel meddyliau. Pan oedd wrthi'n sipian y te, er mwyn gwneud iddo bara, clywodd drwst yn yr iard gefn. Rhedodd ias o gryndod trwyddi. Roedd rhywun yn clywed cymaint y dyddiau yma am bobol yn cael eu cam-drin, a hyd yn oed eu lladd, yn eu tai eu hunain. Neithiwr ddwytha ar y teledu roedd llun o hen wraig a'i hwyneb yn llanast o friwiau . . . rhyw lafnau wedi torri i mewn a'i gadael yn hanner marw. Diolch, o leiaf, fod ganddi gwmni.

Cododd Mati a symud am y cyntedd, gan gadw cyn belled ag y gallai oddi wrth y drws cefn. Ond cyn iddi allu galw ar Emyr roedd o yn yr ystafell efo hi.

'Be oedd y sŵn 'na?' holodd.

'Wn i ar y ddaear.'

'Ydi'r drws ar glo?'

'Nac ydi. Fydda i byth yn 'i gloi o, dim ond yn y nos.'

Fel yr oedd Emyr yn croesi am y drws clywodd y ddau sŵn

rhywbeth caled yn taro'r wal, yn cael ei ddilyn gan lais yn galw enw Mati.

'Richard ydi o,' meddai hi. 'Mi ddeudis i wrtho fo am gadw draw odd'ma.'

Daeth y llais eto, yn uchel a bygythiol,

'Mi wn i eich bod chi yna. Agorwch y drws 'ma neu mi ro' i 'nhroed drwy'r diawl.'

'Ydach chi am i mi gael gair efo fo, Mati?'

'Na, mi a' i.'

Symudodd Mati am y drws ac Emyr wrth ei sodlau.

'Arhoswch lle rydach chi, Richard,' galwodd. 'Mi ddo' i atoch chi rŵan.'

Safai Richard â'i bwys ar y wal. Pan welodd Mati, camodd tuag ati, ond baglodd yn ei draed ei hun.

'Be ydi'ch negas chi yma, Richard?' holodd Mati, yn dawel.

'Isio deud rwbath wrthach chi.'

'Wel, deudwch o.'

'Isio deud ma' cachwr ydach chi.'

'O, ia? Wel, dyna chi wedi deud. Fydda ddim gwell i chi fynd adra rŵan?'

''D oes gen i ddim adra. Mi 'nath eich blydi merch chi'n siŵr o hynny.'

'Mi 'dw i'n meddwl fod yn well i chi adael'—oddi wrth Emyr.

Taflodd Richard olwg ddirmygus i gyfeiriad y gŵr a oedd yn llercian yn y cysgodion y tu ôl i Mati.

'Hy! Mae lojar bach la-di-da Mati Huws wedi ffeindio'i dafod. Faint o weithia wyt ti wedi bod ar 'i chefn hi bellach?'

'Dyna ddigon rŵan.'

'Dyna ddigon rŵan,' yn watwarus. 'Mae 'rhen Mati'n reit saff efo chdi, ran'ny. Un ohonyn nhw wyt ti 'te . . . pwff.'

A dechreuodd Richard chwerthin yn afreolus. Sylweddolodd Mati fod Emyr yn gryndod trosto a rhoddodd hynny nerth newydd ynddi.

'Oes ganddoch chi ddim cwilydd, Richard?' meddai.

'Gair diarth i mi, Mati.'

'Ydi, ran'ny. Be ydi'ch meddwl chi yn dŵad yma i 'neud helynt ar nos Sul, o bob noson, ac yn y cyflwr yma? Mi 'dach chi'n ddigon i droi ar stumog rhywun, y golwg sydd arnoch chi.'

'Argol, mi 'dach chi 'r un ffunud â'ch merch . . . 'y ngwraig i. Mi oedd gen i hogan hefyd nes i honno 'i gyrru hi i ffwrdd. 'S gen i neb rŵan . . . 'r un diawl, yn nunlla.'

''D oes ganddoch chi ond chi'ch hun i'w feio am hynny. Ylwch, Richard, mi 'dw i am fynd i'r tŷ. Mi ro' i bum munud i chi glirio odd'ma, ac os bydd 'na unrhyw helynt pellach mi fydda i'n galw plismon. Dowch, Emyr.'

Aeth y ddau i'r tŷ a bolltiodd Mati'r drws o'u hôl. Parodd i Emyr fynd yn ôl i'w wely.

'Ond fedra i mo'ch gadael chi fel'ma,' meddai.

'Mi fydda i'n iawn rŵan. 'D ydw i ddim yn credu y bydd 'na ragor o helynt heno.'

Eisteddodd Mati wrth y bwrdd yn sipian gweddillion y te oer. Ymhen hir a hwyr clywodd sŵn Richard yn baglu trwy'r iard. Â'i chorff yn dynn, dilynodd y sŵn traed nes iddo doddi i'r pellter. Yna, cododd ac aeth am ei gwely er na wyddai ar wyneb y ddaear i be.

PENNOD 8

Dydd Mawrth, Medi'r 27ain

1

Ni cheisiodd Doctor Puw gelu ei syndod o weld Dei Elis yn cerdded i mewn i'w ystafell y bore Mawrth hwnnw.

'Dyn diarth,' meddai.

Gwenodd Dei yn nerfus a rhuglo'i draed yn erbyn ei gilydd fel y gwnâi ers talwm yn bwt o hogyn yng ngŵydd y stiward gosod.

'Mi fyddwn i ar y dôl ers blynyddoedd 'tae pawb cyn iachad â chdi. 'Stedda.'

Eisteddodd Dei ar ymyl y gadair. Fe gymerodd ddyddiau iddo fagu digon o wroldeb i ddod yma ond nid oedd y gwewyr meddwl yr aethai trwyddo yn ystod y dyddiau hynny'n ddim o'i gymharu â'r hyn a deimlai'r eiliad hon.

'Wel, be fedra i 'i 'neud iti?'

'Galw ar ran Madge, Madge Parry, yr ydw i,' cagiodd Dei. 'Hynny ydi, ŵyr hi ddim 'y mod i yma . . . ac mi fydda o'i cho' 'tae hi'n gwybod.'

'Rhyngon ni'n dau mae hyn. Sut mae Madge?'

'Gystal ag y medar hi fod, dan yr amgylchiada.'

'Os ydi'r broblem, ia?'

'Mae o wedi mynd yn ormod iddi, Doctor.'

'Ac mae hi'n teimlo'r straen?'

'Wnaiff hi ddim cyfadda hynny. Mae hi'n gwrthod gweld dim drwg ynddo fo.'

'Be arall sydd 'na i'w ddisgwyl? On'd ydi hi wedi rhoi rhan ora'i bywyd iddo fo.'

Gwingodd Dei ar y gadair. Teimlodd y chwys yn rhedeg i lawr ei war.

'Dyna ydw inna'n 'i ddeud, Doctor. Ond mi ddyla gael cyfla i fyw 'i bywyd 'i hun bellach.'

'A dyna'i dymuniad hi, ia?'

'Sut y gall hi ystyried y peth a'r hogyn 'na fel maen melin am 'i gwddw hi? Ofn sydd gen i iddo fo 'neud niwad i rywun.'

'Mae o'n ddigon diniwad 'd ydi?'

'Cymryd cas at bobol mae o. Ydach chi'n cofio'r trwbwl 'na efo Mrs Murphy, Minafon 'cw . . . mis Mehefin y llynadd?'

'Ydw'n iawn. Codwm gas.'

'Nid syrthio ddaru hi. Os oedd yn gyfrifol. Fe ddaru ni . . . Katie Lloyd ac Emma Harris a finna . . . gytuno i gadw'n ddistaw, er mwyn Madge.'

'Oedd hynny'n beth doeth?'

''Ro'n i'n meddwl 'i fod o, ar y pryd.'

'Ac mi wyt ti'n ofni y gall peth tebyg ddigwydd eto?'

'Mi fuo reit egar efo fi.'

Teimlodd Dei y nerth yn llifo'n ôl i'w gorff. Roedd y gwaethaf trosodd. Mentrodd daflu cipolwg ar Doctor Puw. Roedd hi'n amlwg fod y newydd am Eunice Murphy wedi ei ysgwyd.

'Teimlo y dyla fo gael gofal arbennig wyt ti?'

'Wel, ia . . . er 'i fwyn 'i hun, a Madge. A finna ran'ny.'

'Fel cymydog iddyn nhw, ia?'

'Ia . . . na . . . go fflamio, waeth i chi gael gwybod ddim. Nid fel cymydog yn unig.'

'Rydw i *yn* gwybod.'

'Ond, sut?'

'Madge 'i hun ddeudodd wrtha i. Mi fyddwn i'n galw yno'n amal pan oedd Os yn fychan, gan fod yna gymaint o ofal efo fo.'

'Ond mi aeth Madge ar 'i llw nad oedd neb yn gwybod.'

'Oes gen ti ryw syniad be aeth yr enath 'na drwyddo fo'r adag honno? Yno'i hun efo Os a'i ofal o arni, ddydd a nos?'

'Rydach chitha'n 'y meio i.'

'Nid barnu pobol ydi 'ngwaith i, Dei.'

'Ond 'newch chi mo fy helpu i?'

'I be'n union?'

'Imi gael cyfla i 'neud iawn i Madge am ddinistrio'i bywyd hi. Mi fyddwn wedi mynd â hi odd'ma flynyddoedd yn ôl oni bai am . . . amdano fo. 'D oes gan Gwen a finna ddim byd yn weddill, Doctor.'

'Dy fusnas di ydi hynny, Dei. Ond os ydi'r hyn wyt ti'n 'i ddeud am Os yn wir mae gofyn ystyried yn fanwl. Fedra i 'neud dim heb weld Madge ac Os.'

Cododd Dei a chilio am y drws.

'Soniwch chi ddim 'y mod i wedi cael gair efo chi?' holodd, yn betrus.

Ni ddywedodd Doctor Puw air, ond parodd y cerydd yn ei lygaid i Dei ostwng ei ben. Wrth iddo adael yr ystafell clywodd Magi Goch yn ei gyfarch ond aeth heibio iddi heb ddim ond nòd bach cwta.

Cyfeiriodd ei gamau am y parc. Yno yr oedd ei unig ddinas noddfa bellach, er nad oedd iddo fawr o ddiddanwch ynddi. Ond gallai oddef hynny ond iddo gael y sicrwydd y câi Madge ac yntau, ryw ddiwrnod, gerdded trwy barc fel hwn, ymhell o Drefeini, yn llygad yr haul ac yng ngŵydd pawb.

2

Daeth Miss Humphries ar warthaf Emma yn y coridor cyn iddi gael cyfle i gyrraedd ei hystafell. Roedd am gael gair efo hi, meddai, a hynny'n ddiymdroi. Mynnodd Emma na allent drafod dim yno, mewn lle mor gyhoeddus, a pharodd i'r athrawes ei dilyn i'w hystafell. Cymerodd ei hamser i chwilio am yr allwedd ac i ddatgloi'r drws, ac yna i dynnu ei chôt, a'i chadw. Gallai glywed Miss Humphries yn chwythu trwy'i ffroenau ac ni fyddai'n syn ganddi ei gweld, unrhyw funud, yn pwyo'r llawr â'i throed.

'Fyddwch chi'n hir eto, Miss Harris?'

''D ydw i ddim yn credu y bydda i. 'Steddwch, Miss Humphries.'

''D oes gen i ddim amser i eistedd. Eisia gair efo chi ynglŷn â phnawn ddoe yr ydw i. Mi anfonais i eneth o'r pumed dosbarth —Anna Lewis—i weld y prifathro. Fe ddaeth yn ôl ata i a dweud eich bod chi wedi'i rhwystro hi.'

'Roedd y gloch wedi canu pan gyrhaeddodd hi yma.'

'Wel?'

'Pwrpas y gloch honno ydi dynodi diwedd diwrnod gwaith. Rydw i'n siŵr eich bod chi'n gwerthfawrogi hynny.'

'Ond roedd o'n hanfodol bwysig fod yr eneth yn gweld y prifathro ddoe.'

'Fe ddyla fod wedi cyrraedd yn gynt, felly.'

'Ydach chi'n ceisio dysgu 'ngwaith i mi, Miss Harris?'

'Ddim o gwbwl, Miss Humphries. Mi 'dw i'n siŵr eich bod chi mor gyfarwydd â finna â'r rheola.'

'Ga' i'ch atgoffa chi o'ch safle, Miss Harris. Dim ond ysgrifenyddes ydach chi, wedi'r cyfan, yn atebol i'r prifathro.'

'Ac i bwy'r ydach chi'n atebol, Miss Humphries?'

'Mi hoffwn i drafod hyn efo Mr Bevan. Rydw i'n credu y dylach chitha fod yno hefyd.'

'Ar bob cyfri.'

''D oes yna ddim amser fel y presennol.'

Gadawodd Emma iddi groesi at ddrws ystafell y prifathro, a churo, cyn dweud yn dawel,

''D ydi o ddim yna.'

Gwyliodd, gyda'r boddhad mwyaf, y siom yn cymylu wyneb yr athrawes.

''D ydi o byth yma,' meddai'n sarrug. 'Rydw i'n dysgu yn Ysgol Y Graig ers pum mlynedd ar hugain, Miss Harris . . .'

'Felly roeddach chi'n deud,' yn sur.

'Pum mlynedd ar hugain, a 'd ydw i erioed wedi gorfod diodda'r fath anhrefn.'

A hwyliodd Miss Humphries allan o'r ystafell gan dynnu'r drws yn dynn o'i hôl. Roedd hi wedi dysgu'r wers honno, o leiaf, meddyliodd Emma. Ac fe wnâi'n siŵr ei bod yn dysgu rhagor o wersi cyn ei bod hi fawr hŷn.

3

Bu'n rhaid i Katie Lloyd roi tro i'r siop y bore hwnnw gan fod y stoc a ddaethai i'w chanlyn o Lanelan yn prysur leihau. Ni chafodd ar ei siwrnai ond ambell air swta o gyfarchiad a theimlai golli cynhesrwydd Llanelan yn fwy nag erioed.

Aros ei thwrn yn Siop y Becws yr oedd hi a phawb o'i chwmpas geg yn geg pan ddaeth Gwen Elis i mewn. Yn ei rhyddhad o weld wyneb cyfarwydd cyfarchodd Katie hi fel petai'n ffrind mynwesol. Tybiodd am eiliad ei bod am ei hanwybyddu. Cyffyrddodd â'i braich, ac meddai,

''D ydach chi rioed wedi colli 'nabod arna i, Gwen Elis?'

'O, chi sydd 'na, Katie Lloyd,' yn oeraidd.

'Wedi cael syndod 'y ngweld i?'

'Na, mi glywis eich bod chi'n ôl.'

'Sut ha' gawsoch chi?'

'G'lyb.'

''D oedd o mo'r un gora. Er, 'd oes gen i ddim cwyn. Che's i ddim cystal ha' ers blynyddoedd.'

'Lle buoch chi felly . . . dros dŵr?'

'Naci tad, yn Llanelan . . . yr hen ardal. Rhentu tŷ dros yr ha' wnes i, ond mae arna i flys garw prynu tŷ yno.'

'Waeth i chi hynny ddim.'

'Ond mae hi'n anodd torri ar arferiad. Mi 'dw i ym Minafon ers deugian mlynadd.'

''D oes 'na ddim byd i'ch cadw chi yma rŵan, yn nac oes?'

'Nac oes, mae'n debyg.'

'A 'd ydach chi rioed wedi bod yn un ohonon ni, yn naddo?'

Dychwelodd Katie Lloyd i Finafon a'i bag yn trymhau efo pob cam. Yn Llanelan, ni fyddai'n rhaid iddi ond gadael y rhestr negesau yn y siop a byddai'r cyfan wrth ei drws cyn nos. Ac nid âi diwrnod heibio na fyddai un o blant y drws nesa'n galw i ofyn a oedd arni angen rhywbeth.

Wedi iddi gyrraedd y tŷ a rhoi ei thraed mewn slipars aeth ati i ddarllen llythyr Ann, am y degfed tro, a chael ynddo adlais o lawenydd yr haf. Roedd Gwen Elis yn llygad ei lle—ni allodd y deugain mlynedd a dreuliodd ym Minafon ei gwneud yn un ohonynt. Ond nid ei bai hi oedd hynny. Pan ddaethai yma gyntaf, yn eneth ugain oed, roedd Calfaria'n un bwrlwm o weithgaredd a hithau'n ysu am gael bwrw i mewn iddo. Gallai gofio un sosial yn arbennig a phawb yn cythru am y teisennau cri yr oedd hi wedi'u paratoi. Â'r clod yn fiwsig yn ei chlustiau, mentrodd i'r llwyfan a chanu *Ynys y Plant* nes tynnu'r lle i lawr. Helpu i olchi llestri yn y festri fach wedyn a'r merched yn haeru gymaint o gaffaeliad a fyddai hi i Galfaria. Criw ohonyn nhw'n dod i'w danfon at dro Minafon a hithau'n rhedeg weddill y ffordd am adref gan ddisgwyl gweld Harri'n ei chyfarfod wrth y drws yn gwenu'i wên anamal. Ond eistedd wrth y bwrdd yr oedd Harri â'i Feibl yn agored o'i flaen.

''Steddwch, Katie,' meddai, yn y llais gwastad hwnnw na fyddai byth yn bradychu teimlad. Eisteddodd hithau, yn ei chôt fel roedd hi, a llwyddiant y noson yn para'n wrid ar ei gruddiau ac yn gyffro yn ei chalon. Dechreuodd Harri ddarllen—

'Cloriannau anghywir sydd ffiaidd gan yr Arglwydd ond carreg uniawn sydd fodlon ganddo ef.

Pan ddêl balchder, fe ddaw gwarth: ond gyda'r gostyngedig y mae doethineb.

Balchder sydd yn mynd o flaen dinistr ac uchder ysbryd o flaen cwymp.'

Yna, gwthiodd y Beibl ar draws y bwrdd tuag ati ac meddai,

'Dysgwch nhw, Katie. Ysgrifennwch nhw ar lech eich calon. A gofalwch, ar boen eich enaid, na 'newch chi byth eto ymddwyn fel y gwnaethoch chi heno.'

Roedd gair Harri fel deddf y Mediaid a'r Persiaid ac ni feiddiai anufuddhau. Wedi'r cyfan, roedd maint ei dyled hi iddo yn llawer cryfach nag unrhyw berswâd o'r tu allan. Cofiodd fel y bu i Richard ddweud, yma ar yr aelwyd, fod y ddyled honno wedi ei thalu, a hithau'n mynnu na thalai mohoni byth. Ond tybed nad Richard oedd yn iawn, wedi'r cyfan? Gwnaethai lw i fod yn ffyddlon i Harri hyd angau, ac fe'i cadwodd. Nid oedd gan yr un dyn hawl i ofyn mwy na hynny. Roedd Harri wedi mynd i amgenach lle, os cafodd ei ddymuniad, a hithau'n dal yma, yn gymaint o garcharor ag erioed. Ac ni allai byth dorri'r cyffion, yma ym Minafon. Tŷ Harri oedd hwn. Ni fu erioed yn gartref iddi ac nid oedd bellach ddim i'w dal yma.

Erbyn diwedd y prynhawn roedd gan Katie Lloyd lythyr yn barod i'w bostio ond ni allai feddwl am wynebu siwrnai arall i'r dref. Aeth i ben drws i edrych a welai blant yn chwarae wrth yr afon, yn y gobaith y gallai berswadio un ohonynt, gyda chymorth cil-dwrn, i bicio i'r post. Ond ni allai weld neb ond Os, yn pwyso ar giât rhif dau.

Wedi'r noson y daethai o hyd i Eunice Murphy yn gorwedd yn ei gwaed yn y stryd gefn bu'n osgoi Os. Ni allai ddygymod â'r siom o wybod y gallai creadur mor ddiniwed, debygai hi, wneud peth mor ffiaidd. Ond roedd honno'n hen stori bellach a hithau wedi cytuno i'w chladdu am byth. Toc, byddai'n ddigon pell o gyrraedd Os a'r gweddill o bobol Minafon. A gorau po gyntaf, hefyd. Galwodd arno,

'Os. Os Parry! Dowch yma am funud.'

Daeth yntau, gan fesur ei gamau.

'Meddwl tybad fasach chi'n mynd i bostio'r llythyr 'ma imi,' cagiodd.

Rhythodd Os arni. Estynnodd Katie'r llythyr a darn deg iddo.

'Dyma i chi hwn am eich traffarth,' meddai.

Gwthiodd Os yr arian a'r llythyr i boced ei gôt.

''Newch chi ddim anghofio, yn na 'newch, Os? Mae o'n bwysig iawn.'

Ond yr oedd Os eisoes ar ei ffordd i lawr Minafon a'i gôt yn rhugno'r clawdd wrth iddo gerdded. Yn union fel ei dad, meddyliodd Katie.

4

Syllodd Emyr mewn anobaith ar y pentwr llyfrau ar ei ddesg. Er iddo lyncu'i ginio a rhuthro'n ôl i'w ystafell efo'r bwriad o fynd i'r afael â nhw nid oedd ddim elwach. Gwthiodd y llyfrau o'r neilltu a phwyso'i ben ar ei ddwylo. Nid oedd fymryn gwell o wadu'i gyfrifoldeb er mwyn glynu wrth swydd nad oedd iddo bellach unrhyw bleser ynddi. Sut y gallai ymdaflu i'w waith gan wybod fod unrhyw obaith gwella a oedd gan ei fam yn cael ei fygwth? Byddai'n rhaid iddo ddod i benderfyniad, rhag blaen.

Ac yntau'n ei boenydio ei hun felly clywodd lais yn galw arno a chododd ei ben i weld geneth o'r pumed yn sefyll wrth y ddesg. Llifodd gwrid i'w wyneb a chythrodd am un o'r llyfrau oddi ar y pentwr.

'O, Anna, mi roesoch chi fraw imi. Chlywais i mo'r gloch.'

'Na . . . isio gair efo chi 'ro'n i.'

'Ynglŷn â be, felly?'

'Y traethawd ar effeithia'r Diwygiad.'

'O, ia. 'Ro'n i'n disgwyl gwell. Braidd yn ddigynllun oedd o.'

'Dyna ydw i'n 'i gael yn anodd . . . gwybod sut i fynd ati.'

'Mae gofyn i chi 'neud braslun ymlaen llaw.'

'Tybad fedrwch chi ddangos imi, os nad ydach chi'n rhy brysur?'

Petrusodd Emyr am eiliad.

'Mi faswn i'n ddiolchgar iawn.'

Yr oedd apêl gynnes ei llais yn ei atgoffa o'i fam. Dyna a ddywedai hi, pan fyddai ef yn gyndyn o ymateb. Ei dad yn rhampio ac yn bygwth a hithau'n cymell, yn dawel.

'Dowch â'ch llyfr yma.'

Estynnodd Anna ei llyfr o'i bag a'i roi ar y ddesg.

'Rŵan, y peth cynta i'w 'neud ydi ystyried y testun yn ofalus . . . gweld yn union be mae o'n 'i ofyn.'

Yn ara bach, dechreuodd Emyr ymgolli yn ei orchwyl, heb fod yn ymwybodol o'r wên gyfrin a chwaraeai ar wefusau'r eneth na chyffyrddiad ei hysgwydd wrth iddi wyro trosto.

5

Cawsai Robert un o'i byliau sterics yn y Co-op a bu'n rhaid i Pat ei lusgo allan. Gollyngodd ef yn glewt i'w goits gadair a thynhau'r strapen am ei ganol. Yna, heb edrych i na de na chwith, gyrrodd fel Jehiw am Finafon. Pan oedd ar war y bont, gwelodd, trwy gil ei llygad, Richard Powell a dyn dieithr iddi hi yn eistedd ar y canllaw. Cythrodd ymlaen, dan fwmian 'helo' aneglur trwy'i dannedd.

'Lle mae'ch "L" chi, cariad?'

Arafodd Pat ei chamau, yn gyndyn.

'Mae hi'n dri deg yn fan'ma. Mi gewch eich bwcio am or-yrru. Be ydi'r brys?'

'Hwn sy'n cael sterics.'

'Ydi o'n 'u cael nhw'n amal?'

'Rhy amal.'

'Gora oll 'chi. 'I gael o allan o'i system. Mi fyddwn inna'n cael sterics gwyllt 'stalwm. Dyna pam 'dw i mor hawdd 'y nhrin heddiw. Sut fabi oeddat ti, Hyw Twm?'

'Fel angal, medda mam.'

''Na chdi, yli, profi 'mhwynt i. Pat ydi hon, o Finafon 'cw.'

Cyffyrddodd Hyw Twm â phig ei gap.

'Fedri di ddim gneud rwbath i gysuro'r boi bach 'ma, Hyw Twm?'

'Wn i ddim byd am fabis 'sti. Oes 'na ddim peryg iddo fo fygu, d'wad, wrth ddal 'i wynt fel'na?'

Neidiodd Richard i lawr o'r wal a chyrcydu uwchben y goits.

'Isio dy ryddid wyt ti 'te 'ngwas i? Mi wn i sut wyt ti'n teimlo. Mi awn ni â chdi i lawr at 'r afon i weld y pysgod, ia?'

Agorodd Richard y strapen a chodi'r bychan yn ei freichiau. Peidiodd y crio a'r strancio.

'Be ddeudis i? Mm? Mae Yncl Dic yn dy ddallt di, 'd ydi? Tyd 'laen, Hyw Twm.'
Pwysodd Pat ar ganllaw'r bont i wylio Richard yn brasgamu tros y cerrig a Hyw Twm yn bustachu ar ei ôl.
'Mi wyt ti fel hen nain, Hyw Twm,' galwodd Richard.
''Nhraed i sy'n dendar 'te. Diolcha di fod gen ti wadna eliffant.'
Gwingai'r bychan ym mreichiau Richard. Tynhaodd yntau ei afael arno.
'Lle wyt ti'n drio mynd 'rhen ddyn?' holodd. 'Bydd lonydd, neu mi fyddwn ni'n dau yn 'r afon. Be wyt ti'n 'i weld dw'ad?'
'Os. Isio Os.'
'Lle gweli di o?'
Anelodd y bychan un bys tew i gyfeiriad y bont. Yn y cysgodion oddi tani gallai Richard weld Os yn ei ddwbwl uwchben y dŵr.
'Mi wyt ti'n iawn hefyd. Hogyn clyfar wyt ti 'te. Mi roi di ddau dro am un i Hyw Twm.'
Roedd hwnnw wedi rhoi i fyny'r ysbryd ac wedi setlo ar garreg bellter oddi wrthynt.
'Isio Os. Isio Os.'
'Ia, olreit. Mi awn ni ato fo rŵan.'
Ond yr oedd Os wedi eu gweld ac yn tuthio i'w cyfarfod, yn rhyfeddol o sionc o un o'i faint.
'Yli, babi,' meddai, gan ddal ei law allan i ddangos cwch papur wedi ei blygu'n gywrain.
'Lle dysgist ti 'neud hynna, Os?' holodd Richard.
Tynnodd Os ragor o gychod papur o'i boced a'u gosod yn rhes ar garreg wastad. Rhoddodd Richard y bychan i lawr yn ofalus.
'Mi fyddwn i'n arfar bod yn giamstar ar 'neud rhain,' broliodd.
Agorodd un o'r cychod a llyfnhau'r papur â chledr ei law. Roedd ar fin ei blygu pan welodd enw Katie Lloyd wedi'i ysgrifennu'n fras ar waelod y dudalen.
'Llythyr ydi hwn,' meddai. 'Lle ce'st ti o, Os?'
Ond cyn iddo gael cyfle i ddarllen ymhellach roedd Os wedi cipio'r papur o'i law.
'Os pia,' meddai.

'Lle ce'st ti o?'

'Meindia fusnas.'

A rhoddodd hergwd i Richard efo'i ysgwydd nes bod hwnnw'n sgrialu tros y cerrig. Casglodd Os weddill y cychod a'u gwthio i'w boced. Yna cododd Robert o dan ei gesail.

'Tyd, babi,' meddai.

Dychwelodd Richard at Hyw Twm a'i gael yn wên o glust i glust.

'Be sy'n ddigri?' holodd, yn gwta.

'Mae 'na fistar ar Mistar Mostyn.'

''D ydi'r uffarn ddim hannar call.'

'Mae'r boi bach i weld reit hapus efo fo.'

'Tebyg at 'i debyg 'te.'

Roedd y bychan erbyn hyn ar gefn Os a hwnnw'n trotian tros war y bont i gyfeiriad Minafon. Cododd Pat ei llaw'n betrusgar ar Richard cyn mynd i'w ddilyn.

'Mae ar honna angan dôs o salts hefyd,' meddai Richard.

Eisteddodd wrth ochr Hyw Twm a'i feddwl ar y llythyr y cawsai gip arno gynnau.

'Wyddost ti rwbath o hanas Katie Lloyd?' holodd.

'Gwraig Harri Lloyd Drepar, ia?'

'Pan oedd o 'te. Lle'r aeth hi d'wad?'

'I chwilio am flewyn glasach, fel chditha. Ond yn ôl 'dach chi i gyd yn dŵad, fel defaid.'

'Yma mae hi felly?'

'Ia, yn ôl Magi.'

'Ac mae hitha wedi methu, ydi?'

'Y?' yn ddiddeall.

'Cadw draw 'te. Mi wyt ti'n iawn, Hyw Twm, 'd oes 'na ddim dianc i fod 'sti. Mae'r blydi lle 'ma'n gryfach na ni. Maen nhw wedi gneud yn siŵr o hynny.'

'Pwy d'wad?'

'Lena a Harri Lloyd a'r lleill.'

''D ydw i ddim yn dallt, Pŵal.'

'Pwy sydd, byth? Wyt ti wedi glynu wrth y garrag 'na?'

Crwydrodd y ddau'n ôl am y bont a Hyw Twm yn rhugno'i wadnau yn y ffordd.

'Cod dy draed, Hyw Twm.'

'Trwm ydyn nhw. Finna'n rhy wan i'w cario nhw. Pryd do' i draw?'

'Pan fedri di, dicin i.'

'Mae Magi'n mynd i'r Bingo nos Sadwrn.'

'Nos Sadwrn 'ta. Fedri di gael rhagor o'r poteli 'na?'

'Am bris 'te.'

'Wel, myn uffarn i.'

Gwthiodd Richard bapur pumpunt i law Hyw Twm a'i yrru i'w siwrnai. Cerddodd yntau am adref, ei ddwylo'n ei bocedi a'i ysgwyddau'n grwm. Roedd angen amynedd Job efo'r Hyw Twm 'na, yn cwyno iddo'i hun yn dragwyddol yn lle 'morol ati i wneud rhywbeth o werth. Ond gwneud be ran'ny? Be oedd yna i'w wneud yn y twll lle 'ma? Syllodd Richard tua'r mynyddoedd a gaeai'n wregys am y dref. Dim rhyfedd fod y bychan yna gynnau yn sgrechian am ei ryddid. Dyna a wnâi yntau, petai rywfaint elwach.

Wrth iddo nesu am Finafon gwelodd fwg yn codi o simnai rhif pump. Katie Lloyd yn ei chell, wedi ei gorfodi i bledio'n euog i bechod na wyddai beth ydoedd ei hun. Y rhyfeddod o ddynes y cawsai ef gip arni yn bodloni i'r drefn ac yn byw mewn arswyd un nad oedd bellach ond llun mewn ffrâm. Teimlodd Richard ias oer yn rhedeg i lawr ei feingefn. Yna, trodd ar ei sawdl a brasgamu'n ôl am y stryd fawr.

6

Yr un mwg a dynnodd sylw Brian yn ddiweddarach y prynhawn hwnnw. Ar ei ffordd adref yr oedd ac wedi cymryd hoe ar dro Minafon i gael ei wynt ato cyn wynebu Eunice. Gwyddai i sicrwydd bellach fod y gwaith, er ei ysgafned, yn ormod iddo. Ond sut oedd dweud hynny wrth Eunice a hithau'n llawn cynlluniau? Gorfod cyfaddef, unwaith eto, ei fod yn fethiant ac mai dyna a fyddai am byth, yn faich tragwyddol arni. Sut y gallai ei siomi eto a dryllio'r gobaith y bu ef yn gyfrifol am ei gynnau?

Fe'i gorfododd ei hun i symud ymlaen am y stryd gefn. Ni allai wynebu Eunice, yn ei wendid fel hyn. Roedd gofyn iddo dorri'r newydd yn raddol; dewis ei amser. Oedodd wrth ddrws cefn rhif pump. Hyd yn oed os nad oedd gan Katie Lloyd ateb i'w gynnig—a pha ateb oedd yna, mewn difri—gallai dynnu rhywfaint o nerth o'i doethineb tawel.

Wrth ei thân y prynhawn hwnnw teimlai Katie y gallai dorri i ganu dros y tŷ. A byddai wedi mentro arni oni bai i'r ofn cynhenid ei rhybuddio rhag rhyfygu gormod. Pan ddaeth cnoc ar y drws bu'n gyndyn o'i ateb rhag i un dim darfu ar ei llawenydd. Ond fel yr âi'r curo'n daerach cododd gwr y llenni a sbecian allan i'r iard.

'Mi 'dw i'n dŵad rŵan, Brian,' galwodd.

Brysiodd am y drws, a'i agor.

'Oes 'na rwbath wedi digwydd?'

Ysgydwodd yntau'i ben. Roedd ei anadlu'n llafurus ac ni welsai Katie'r fath wedd ar neb erioed. Arweiniodd ef i'r tŷ a pheri iddo eistedd.

'Peidiwch â thrio siarad rŵan,' rhybuddiodd.

Yn raddol, dechreuodd ei anadlu liniaru rhyw gymaint.

'Mae'n ddrwg gen i, Mrs Lloyd,' meddai. 'Gobeithio na wnes i mo'ch dychryn chi.'

'Rydw i'n fwy gwydyn na 'ngolwg.'

'Wyddwn i ddim eich bod chi'n ôl, ond mi welis i'r mwg a . . . fedrwn i ddim mynd gam ymhellach.'

'Wedi bod am dro rydach chi?'

'Na . . . gweithio.'

'Mi 'dach chi wedi ailddechra?'

'Ers wythnos. Fy syniad i oedd mynd yn ôl. 'D oedd Eunice ddim yn fodlon o gwbwl. Mae arna i ofn mai hi oedd yn iawn.'

'Mi 'dach chi wedi gneud ymdrach, o leia.'

'Ac wedi methu. Ond dyna hanas 'y mywyd i. Wn i ddim sut i ddeud wrth Eunice. Mae hi wedi bod mor dda wrtha i.'

'Mae hi'n wraig i chi, Brian. Dyna'i dyletswydd hi.'

'Ond fedar hi ddim wynebu rhagor o salwch.'

'Wrth gwrs y medar hi.'

'Mae hi ym mhen 'i thennyn, Mrs Lloyd.'

Rhoddodd Katie broc ffyrnig i'r tân. Ym mhen ei thennyn, wir. Beth a wyddai rhyw damaid o eneth fel'na am dreialon? Er iddi wneud tipyn efo Eunice wedi'r helynt ni allodd gymryd ati. Roedd gofyn ei thrin efo cyllell a fforc. Hanner gair, hollol anfwriadol, a byddai'n cilio am ddyddiau. Ni fyddai wedi trafferthu efo hi o gwbwl oni bai am Brian.

'Ers faint ydach chi'n briod, Brian?' holodd.

'Tynnu am chwe mlynadd.'

Chwe blynedd—dyna'r cyfan. Beth oedd hynny o'i gymharu â'r deugain mlynedd a dreuliodd hi yn y tŷ yma, yn swatio o dan fawd dyn nad oedd erioed wedi ystyried ei theimladau na'i deisyfiadau hi? Fe allai hithau fod wedi gwrthryfela, o gallai, yn y dyddiau cynnar hynny; fe allai hithau fod wedi ildio i'w chwantau, fel y gwnaethai Eunice Murphy. Ond, na, roedd hi wedi mygu'r rheini ac wedi glynu wrth ei dyletswydd, i'r pen.

'Mi fydd raid i Eunice 'morol ati,' meddai'n chwyrn.

'Ond rydw i'n gofyn gormod ganddi hi.'

'Dim mymryn mwy nag yr addawodd hi 'i roi.'

Gwyrodd Brian tuag ati ac meddai'n ymbilgar,

''Newch chi ddeud wrthi hi, drosta i, Mrs Lloyd?'

'Deud be, Brian?'

'Fod y gwaith yn drech na fi. Rydw i wedi'i thwyllo hi i gredu fod pob dim yn iawn.'

'Ond 'd ydi o ddim o 'musnas i.'

'Mi fuoch chi mor dda wrthon ni. Mae Eunice yn siŵr o wrando arnoch chi.'

'Wel . . . o'r gora 'ta.'

'Mae'n rhaid imi fynd, neu mi fydd Eunice yn poeni. Diolch i chi, Mrs Lloyd.'

Aeth Katie i'w ddanfon i'r drws. Cyn gadael, gafaelodd Brian yn ei llaw, a'i gwasgu.

'Mae'n dda gen i eich bod chi'n ôl,' meddai. 'Mi fyddwch yn gefn i Eunice.'

Dychwelodd Katie i'r gegin a'r llawenydd a fu'n fwrlwm ynddi wedi mynd yn hesb. Byddai arni angen ei holl nerth i ymladd ei brwydr ei hun ac nid oedd ganddi owns yn weddill i ymbil tros eraill. Ond sut y gallai siomi'r bachgen ac yntau'n dibynnu arni? Dylai fod wedi aros yn Llanelan. Peth peryglus oedd dychwelyd i Finafon, i'r tŷ lle roedd Harri'n para i reoli.

Cadwodd ei hwyneb ar dro oddi wrth y llun ar y seidbord ond gwyddai fod y llygaid arni a gallai dyngu iddi glywed llais yn sibrwd tros ei hysgwydd,

'Chewch chi mo'r gora arna i, Katie. Mi fydda i efo chi, am byth.'

7

Wedi mynd am dro i geisio clirio'i phen yr oedd Emma. Llwyddodd yr awyr iach i lacio rhywfaint ar y cur a fu'n gwasgu arni ers oriau a phenderfynodd alw yn y siop sglodion am 'sgodyn bach i godi ei stumog. Ni allai fforddio ei hesgeul-uso ei hun.

Pan ddychwelodd o'r ysgol y prynhawn hwnnw credai'n siŵr na allai wynebu diwrnod arall yno. Yr eiliad y cyrhaedd-odd Mr Bevan wedi cinio roedd Miss Humphries yn ei thywys hi i'w ŵydd, fel petai'n blentyn anystywallt. Ni roesai hwnnw gyfle iddi achub ei cham, dim ond amenio'r athrawes ar bob dim. Ac roedd ganddo'r digwilydd-dra i ddweud, wrth iddyn nhw adael, ei fod yn sicr y gallent setlo pethau rhyngddynt. Roedd hynny, i Miss Humphries, yn gyfystyr â rhoi'r awdur-dod yn ei dwylo hi.

'Mi ofala i na fydd 'na ragor o helynt, Mr Bevan,' meddai, gan ei hysio hi, Emma, allan o'r ystafell.

Wedi oriau o bensynnu a'r cur yn gwasgu fwy-fwy o hyd, yr un oedd teimladau Emma. Sut y gallai weithio i ddyn nad oedd yn fodlon codi bys bach i'w hamddiffyn; dyn a oedd yn barod i'w thaflu ar drugaredd dynes a fynnai ei thrin fel lwmp o faw? Sut y gallai oddef y diffyg urddas a'r difrawder? Ond fel yr âi'r min nos rhagddo a'r tawelwch yn pwyso arni'n fwy egar na'r cur pen hyd yn oed, cofiodd Emma am y dyddiau hunllefus a dreuliodd wedi iddi gerdded allan o swyddfa Jones Davies, y diflastod llethol a ddilynodd gyffro'r peintio a'r papuro, a'r boen o orfod byw efo hi ei hun. Ni roddai dim fwy o fwynhad i Miss Humphries na'i gweld hi wedi torri ei chrib. Cawsai Gladys Owen a Jones Davies ieuengaf y gorau arni. A oedd am ildio buddugoliaeth i hon, eto? Nac oedd, ddim. Fe ddaliai at ei hunan-barch i'r diwedd er gwaethaf pawb ac heb gymorth neb.

Roedd y siop sglodion yn llawn i'r drws. Pwysodd ei chefn ar y pared a chau ei llygaid yn dynn i geisio esmwytho'r cur a oedd yn para i fud ferwi.

Agorodd y drws yn ddirybudd a'i tharo'n ei hysgwydd.

'Pam na ofalwch chi . . .'
'O, chi sydd 'na, Emma. Mi 'dach chi'n sefyll mewn lle gwirion iawn.'
Gwthiodd Gwen Elis ei hun rhwng Emma a'r drws nes gorfodi pawb i symud ymlaen.
'Yma byddwn ni,' cwynodd. 'Mi ddylan gael rhagor o ddwylo. Mae golwg wedi blino arnoch chi, Emma.'
'Cur yn 'y mhen sydd gen i.'
'Gweithio'n rhy galad tua'r hen ysgol 'na.'
'Ia, mae'n siŵr.'
Closiodd Gwen ati, a sibrwd,
'Sut mae petha efo fo bellach?'
'Fo?'
'Yr hed 'te.'
'Rhwbath yn debyg, am wn i. Mae o'n boenus iawn.'
'Chafodd o fawr o lwc felly?'
'Lwc efo be 'dwch?'
'Wel, y wraig 'te . . . 'i chael hi'n ôl.'
'On'd ydi gofal 'i mam arni.'
'Waeth i chi heb, Emma . . . 'd oes 'na neb yn credu'r stori yna.'
'Wn i ddim am be 'dach chi'n sôn, Gwen Elis.'
'On'd ydi pawb yn gwybod 'i bod hi wedi'i adael o. Wn i ddim pa well ydach chi o ddal 'dano fo. 'D ydi pobol ddim mor hawdd 'u twyllo wyddoch chi.'
'Wn i ddim pwy sydd wedi bod wrthi'n taenu'r celwydda 'ma, Gwen Elis, ond mae'n gwilydd gwarth iddyn nhw, ac fe ddyla fod ganddyn nhw, a chitha, reitiach petha i'w gneud.'
Gadawodd Emma'r siop â'i hwyneb ar dân a chamodd Gwen ymlaen i gymryd ei lle'n y ciw. Hen fursan stumgar oedd yr Emma Harris 'na, meddyliodd, yn ei chyhuddo hi o ddweud celwyddau a hithau'n eu llunio nhw ei hun. Yn cymryd arni fod mor bropor a phawb yn gwybod iddi gael ei chardiau o le Jones Davies. Pam yr oedd hi mor daer i gadw ar y Bevan 'na, tybed? Ond fe ddeuai'r gwir i'r fei, yn hwyr neu'n hwyrach. Un dibris iawn oedd y diafol o'i weision, unwaith yr oedden nhw wedi ateb eu diben.

PENNOD 9

Dydd Sadwrn, Hydref y 1af

1

Daeth yr haul a ffarweliodd â'r Medi i groesawu'r Hydref a rhyfeddai'r rhai a sylwodd fod mis arall wedi ei eni at ddycnwch yr ha' bach. Cytunai pawb na allai ddal allan fawr hwy a'i bod yn bryd iddo ildio'n raslon bellach. 'Mi gawn ni ddiodda am hyn eto, gewch chi weld,' oedd y broffwydoliaeth a glywid fynychaf ar strydoedd Trefeini. Pa werth oedd yna i haul pan nad oedd gan ond y lleiafrif ryddid i'w fwynhau? Cwynai'r athrawon fod y plant yn fwy anniddig nag arfer ac anobeithiai'r mamau am gael eu hepil i'w gwlâu ar awr resymol. Chwiliai'r cyfarwydd yr awyr am arwyddion torri'n y tywydd; gwrandawai'r anghyfarwydd ar y rhagolygon ac aeth y rhai mwyaf ymarferol ati i grasu'r dillad gaeaf.

Roedd Minafon ar ei orau'r bore Sadwrn hwnnw. Ond wrth iddi agor cil y drws i gyrraedd am y botel lefrith, am Lanelan y meddyliai Katie Lloyd. Petai yno rŵan byddai wrthi'n llowcio'i brecwast yn ei hawydd am wisgo'i hesgidiau cerdded a chychwyn allan. Crwydro wysg ei thrwyn o lwybr i lwybr a'r ddaear yn rhoi o dan ei thraed; cael torri allan i ganu pan ddeuai'r ysfa trosti, heb deimlo nac ofn na chywilydd, a theimlo'r blynyddoedd yn disgyn oddi arni fel cen.

Tybed a oedd y post wedi cyrraedd Minafon? Roedd hi wedi meddwl yn siŵr y byddai Ann yn ateb efo'r troad. Wedi'r cyfan, Ann a roesai'r syniad yn ei phen a'i hannog i weithredu. Heb gael cyfle yr oedd hi mae'n siŵr; ei theulu bach yn hawlio'i hamser. Rhai tlysion oedden nhw hefyd, yn serchus heb fod yn bowld, ac wedi cymryd ati hi'n rhyfeddol. Pan âi i Lanelan câi gyfle i'w gwarchod er mwyn i Ann gael seibiant. 'D oedd y greadures fach ddim munud llonydd, ond byth yn rhy brysur i roi clust i eraill. Gallai eistedd yn ôl yn ei chwmni a bwrw trwyddi, heb orfod mesur ei geiriau, fel efo hon drws nesaf.

Er pan y gadawsai Brian hi brynhawn Mawrth bu meddwl Katie'n glymau i gyd wrth iddi geisio dyfeisio'r ffordd orau o dorri'r newydd i Eunice, ac nid oedd fawr nes i'r lan pan aeth i alw arni bore ddoe. Croeso digon llugoer a gawsai. Roedd Eunice ar ganol golchi, meddai hi.

'A' i ddim â'ch amsar chi,' atebodd hithau, braidd yn siort.

Dechreuodd roi ei rheswm tros alw, a hynny'n llawer plaenach nag yr oedd hi wedi'i fwriadu.

'Sut gwyddoch chi hyn?' holodd Eunice.

Eglurodd hithau fel y bu i Brian alw efo hi ar ei ffordd o'i waith a gwnaeth bwynt o ddisgrifio'r olwg legach a oedd arno.

'Soniodd o'r un gair wrtha i,' meddai Eunice, yn biwis. 'Rhy euog oedd o, mae'n debyg. Mynd tu ôl i 'nghefn i ddaru o . . . trefnu'r cwbwl heb drafod dim efo fi. Mi wyddwn mai fel'ma fydda petha.'

'O leia mi gafodd roi cynnig arni. Falla y bydd 'na well lwc tro nesa.'

'Fydd 'na ddim tro nesa. Aiff o ddim yn ôl i fan'na eto, reit siŵr.'

'Mi fydd arno fo angan cysur rŵan, yn fwy nag erioed. Mae o'n dibynnu arnoch chi, Eunice.'

''D ydi hynny ddim byd newydd,' yn sur.

'Mae o'n meddwl y byd ohonoch chi. Mi fedrwch fod yn ddiolchgar am hynny. Mae dynion fel Brian yn brin, wyddoch chi. Ac mi ddaw petha'n well, wedi iddo gael amsar i gryfhau.'

''Dach chi'n meddwl?'

Rhoesai oerni'r ''dach chi'n meddwl' daw ar Katie. Nid oedd wedi disgwyl cael diolch am ei thrafferth ond câi'r teimlad na allai Eunice aros i gael ei gwared ac na fyddai'n ddim ganddi ddweud wrthi, yn blwmp ac yn blaen, lle i fynd. Nid oedd wedi ei holi unwaith ynglŷn â'r gwyliau nac wedi gweld ei cholli, yn ôl pob golwg. Ond roedd hi wedi cadw ei haddewid i Brian a gallai ganolbwyntio bellach ar roi trefn ar ei thipyn pethau fel y câi godi ei phac ar y cyfle cyntaf.

A hithau ar gau'r drws, gwelodd y fan bost yn troi am Fin-afon. Oedodd yn y cyntedd, gan ddilyn sŵn traed a chwiban y postmon i ben draw'r stryd, ac yn ôl. Yna'n drwm o siom dychwelodd i'r gegin ac aeth ati i glirio'r droriau, gan ofalu cadw'i phellter oddi wrth y llygaid yn y ffrâm.

2

Ei addewid i Dei a aeth â Doctor Puw at ddrws cefn Madge Parry. Er ei fod yn ddigon cyfarwydd â drysau cefn ac er bod ei bryder am ei bobl wedi ei orfodi i sefyllfaoedd digon annymunol sawl tro ni chofiai iddo erioed deimlo mor anniddig na chwaith mor ansicr ohono'i hun. Efallai y dylai fod wedi ceisio setlo i lawr yn Llundain a bodloni ar fod yn un o'r dyrfa. Rhoi'r amser a oedd ganddo ar ei ddwylo i ddwndran ei wraig a'i wyrion, i geisio dod i adnabod ei ferch ac i falu awyr efo'i Sais o fab yng nghyfraith, yn hytrach na gadael i'r hiraeth gael y gorau arno a'i yrru'n ôl i Drefeini. Y dod yn ôl, dyna oedd y drwg. Gweld wynebau cyfarwydd rhai a ddaethai ar ei ofyn tros y blynyddoedd, yn llawn ffydd y gallai symud mynyddoedd petai raid, a theimlo cynhesrwydd y lleisiau cynefin wrth iddynt gydnabod ei golli, a'i groesawu'n ôl.

Syniad Edna oedd symud i Lundain er ei fod ef yn amau mai'r ferch a roesai hwb iddi. 'Ydach chi ddim yn meddwl 'i bod hi'n bryd i chi roi i fyny'n raslon?' holodd honno, pan fentrodd sôn wrthi am ei flys i ddychwelyd i Drefeini. ''D ydach chi ddim yn anhepgor, mwy na neb arall, wyddoch chi.' Un blaen ei thafod oedd ei ferch, heb ynddi ddim o addfwynder ei mam. Petai hi wedi cael ei ffordd byddai Edna wedi aros yn Llundain. Fe'i clywsai'n dweud wrthi am adael iddo ef fynd i'w grogi. 'Efo dy dad mae fy lle i,' meddai Edna.

Pan ddychwelodd i Drefeini, gwnaethai lw iddo'i hun y byddai'n gwneud iawn iddi am ei hesgeuluso ar hyd y blynyddoedd, ond aethai'r llw yn angof pan ddaeth cais iddo lenwi bwlch dros dro. Roedd sbel dros flwyddyn ers hynny, bellach, ac yntau'n dal yn y tresi. Er na fu i Edna edliw dim iddo, gwyddai iddo ei siomi. Fe'i gadawsai hi'r bore 'ma yn pacio parsel i'w anfon i'r ŵyr bach ar ei ben-blwydd. Gwyddai na roddai dim fwy o fwynhad iddi na chael bod yno i'w weld yn ei agor ac oni bai fod ei addewid i Dei Elis yn pwyso arno ers dyddiau byddai wedi awgrymu eu bod yn taflu'r cyfan i'r car ac yn ei gwneud hi am Lundain. A dyma fo rŵan, yn moedro'i ben efo helyntion pobol eraill yn hytrach na rhoi'r ychydig flynyddoedd a oedd ganddo'n weddill i brofi i Edna na fu ei theyrngarwch a'i ffyddlondeb yn ofer.

Ac yntau'n pendroni felly, agorwyd cil drws rhif saith a chafodd gip ar labwst mawr na allai fod yn neb ond Os.

'Ddim isio chdi,' meddai hwnnw.

Ond nid oedd sarugrwydd Os yn mennu dim ar Doctor Puw. Rhoddodd un troed tros y rhiniog ac meddai,

'Ond mi 'dw i isio gweld dy fam. Dos i ddeud wrthi fod y doctor yma.'

Diflannodd Os a manteisiodd Doctor Puw ar y cyfle i gamu i mewn i'r gegin. Clywodd lais Madge yn holi—'Pwy sydd 'na, Os?' a galwodd—'Fi, Madge . . . Doctor Puw.'

Nid oedd yn y ferch a ddaeth i'w gyfarfod fawr i'w atgoffa o'r fam ifanc a ymddiriedodd ei chyfrinach iddo. Er bod honno wedi ei llethu â gofalon roedd iddi rym ewyllys. Merch â'i hysbryd wedi ei dorri oedd hon.

''Steddwch, Doctor. Mae'n ddrwg gen i am Os. Mae o'n amheus o bawb diarth.'

'Mae gofyn bod y dyddia yma. Wyddost ti ddim pwy ydi neb. Faint 'neith Os rŵan?'

'Deunaw.'

'Wedi dŵad i'w oed, felly. Mi fydd Mrs yn 'i weld o reit amal yn y dre, medda hi.'

'Fo fydd yn gneud y siopa imi.'

'Fyddi di ddim yn mynd allan fawr?'

'Mi fydda i'n mynd am dro weithia . . . wedi imi roi Os yn 'i wely. Mae hi'n brafiach 'r adag honno.'

'Mi fedrat 'neud efo dipyn o awyr iach.'

'Well gen i lle rydw i.'

'Mae petha wedi bod yn galad, ydyn?'

''D o'n i ddim yn disgwyl iddyn nhw fod yn hawdd.'

Tybiodd Doctor Puw iddo glywed adlais o'r hen dinc herfeiddiol yn llais Madge. Byddai'n rhaid iddo gamu'n ofalus. Roedd un peth yn sicr, ni allai dwyllo'r eneth yma trwy ddweud, fel yr oedd wedi bwriadu, mai digwydd bod ym Minafon ar fusnes yr oedd o. Roedd hi'n llawer rhy ddoeth i lyncu celwydd felly.

'Yma ynglŷn ag Os yr ydw i, Madge.'

''Ro'n i'n casglu hynny.'

'Fydda i ddim yn gwrando ar sibrydion fel rheol.'

Syllodd Madge i fyw ei lygaid, ac meddai'n dawel,

'Dei sydd wedi'ch gyrru chi yma, ynte?'

'Mi ge's sgwrs efo fo, do.'

'Ac fe ddaru'ch rhoi chi ar waith i drio 'mherswadio i i gael gwarad ag Os?'

''D ydw i ddim yn atebol i'r un dyn, Madge. Tynnu fy nghasgliada fy hun y bydda i. Deud i mi . . . pryd ce'st ti noson o gwsg ddwytha?'

''D oes arna i ddim angan llawar.'

'Rwyt ti'n byw mewn ofn, 'd wyt, bob tro mae Os allan o d'olwg di, bob tro y clywi di gnoc ar y drws?'

'Na! wnâi Os ddim niwad i neb.'

'Hyd yn oed i Mrs Murphy?'

''D ydi hynna ddim yn deg. Roedd hi am gael Os a finna allan o'r tŷ 'ma . . . deud fod y tamprwydd yn mynd trwodd i'w thŷ hi ac yn effeithio ar iechyd 'i gŵr. Mi fuo 'na swyddog o'r Cyngor yma. Dyna ddaru gyffroi Os. 'D oedd o ddim yn deall.'

'Wyt ti wedi meddwl be fydda'n dŵad o Os 'tae dy iechyd di'n torri i lawr?'

'Mi 'dw i'n iawn.'

'Nac wyt, Madge. Mi wyt ti dan straen, 'mach i. Oes gen ti le y medrat ti fynd, am newid bach?'

'Nac oes. P'run bynnag, fedrwn i ddim gadael Os.'

'Mi fedrwn i drefnu rwbath . . . cael lle iddo fo, dros dro.'

'Na,' yn ffyrnig.

'Meddwl di dros y peth.'

'Ydach chi'n cofio be ddeudoch chi wrtha i pan wnes i benderfynu cadw Os, ar waetha pawb?'

'Ydw. Deud dy fod ti'n cymryd gofal oes ar dy sgwydda.'

'A dyna wnes i 'te. Efo fi mae'i le fo.'

'Mi wyt ti'n enath ddewr, Madge . . . wedi bod rioed. Ond mae hi'n bosib bod yn rhy ddewr weithia 'sti. Mi fydda i wedi gadael papur iti, efo Jones Drygist. Mi 'dw i am iti addo cymryd y tabledi.'

'Mi wna i.'

'Ac mi alwa i yma eto'r wythnos nesa, os ca' i.'

'Cewch, siŵr. Mi 'dach chi yn deall 'd ydach?'

'Ydw, 'mach i, mi 'dw i'n deall.'

Camodd Doctor Puw allan o dŷ Madge i wres yr ha' bach, ond cyn iddo adael Minafon bu'n rhaid iddo godi coler ei gôt yn gysgod rhyngddo a'r awel fain a grafai fel ellyn yn erbyn ei war. Roedd ei ferch yn llygad ei lle. Dylai fod wedi ildio'n raslon, cyn i'r henaint a oedd yn prysur gau amdano ei adael yn gwbwl aneffeithiol; cilio ar derfyn ei haf, yn hytrach na symud ymlaen i geisio torheulo yng ngwres yr ha' bach twyllodrus.

3

Roedd Katie Lloyd yn iawn—ni fyddai dim wedi plesio Eunice yn fwy na chael dweud wrthi am fynd i'r diawl. Pa hawl oedd ganddi i ymyrryd o gwbwl, heb sôn am ddod yma i frygywthan ac i ddweud wrthi hi beth i'w wneud, yr hen bits hunangyfiawn iddi hefyd. Nid dyma'r tro cyntaf iddi bwysleisio pa mor lwcus oedd hi o Brian. At be'r oedd hi'n ceisio cyrraedd, tybed? Efallai iddi ddigwydd gweld Richard yn galw yma pan aed â Brian i'r sanatorium. Ni fyddai ond yn rhy barod i feddwl drwg ohoni. Cenfigennus oedd hi, debyg, am ei bod hi, Eunice, yn ifanc ac yn ddel a hithau wedi chwythu'i phlwc.

Pan ddaeth Brian i lawr i'w frecwast nid oedd ganddo stumog i'r cig moch a'r wy yr oedd hi wedi'u paratoi iddo. Taflodd Eunice gynnwys y plât i'r bin sbwriel. Pan oedd hi â'i chefn ato, gofynnodd Brian, mor ddidaro ag y gallai,

'Ge'st ti sgwrs efo Mrs Lloyd, drws nesa?'

'Mi alwodd yma ddoe.'

'Rwyt ti wedi cael gwybod, felly.'

'Mi fydda'n well gen i fod wedi cael gwybod gen ti.'

'Wn i.'

'Mi gafodd ddigon o fodd i fyw 'sti.'

'Be ti'n feddwl?'

'Cael cyfla i 'nhynnu i lawr 'te . . . rhoi allan nad ydw i'n deilwng ohonat ti, 'i bod hi'n haws gen ti ymddiried mewn dynas ddiarth nag yn dy wraig dy hun.'

'O, Eunice, sut medri di feddwl y fath beth a hitha mor hoff ohonat ti?'

'Ohona i?'

'Mi fuo'n dda iawn wrthat ti . . . ar ôl y ddamwain.'

'Er 'i mwyn 'i hun 'te. I 'neud yn siŵr o'i thelyn aur.'

'Eunice.'

‘’D wyt ti ddim yn ’i ’nabod hi, Brei. Mae hi’n llawn rhagrith, fel y petha duwiol ’ma i gyd.’

Daeth i eistedd ato wrth y bwrdd. Gwyrodd Brian tuag ati ond ciliodd Eunice yn ôl i’w chadair.

‘Fedrwn i ddim deud wrthat ti, Eunice. Llwfrgi ydw i wedi bod rioed. ’Ro’n i isio profi iti y gallwn i sefyll ar fy nhraed fy hun, am unwaith. Ond ’d ydw i ddim digon o ddyn i allu cyfadda methiant hyd yn oed.’

Ddeudist ti rioed gymaint o wir, meddyliodd Eunice. Ond braidd yn hwyr ar y dydd ydi hi i hynny, ynte? Be oedd ar ei phen hi’n credu y gallai pethau fod yn wahanol, byth? Sut y bu hi mor dwp â’i thwyllo ei hun i feddwl fod ganddyn nhw unrhyw siawns? Geiriau cwbwl ddiystyr oedd gobaith a dyfodol i rai fel nhw.

‘Mi fydd arno fo angan cysur rŵan,’ meddai Hi, fel petai’n adrodd adnod. Ond roedd o wedi tynnu’n helaeth o’i stôr hi o gysur tros y blynyddoedd ac nid oedd honno’n ddihysbydd chwaith.

Cododd Eunicc ei golygon i weld Brian yn syllu arni, ei lygaid yn fawr a meddal fel rhai ci ffyddlon. Byddai un ystum o anwes, un gair o gysur, yn ddigon i beri iddo roi ei ffydd ynddi, fel y gwnaethai sawl tro o’r blaen. Ond ni wnaeth Eunice ond eistedd yn fud yn ei chadair a’i dwylo wedi eu plethu ar ei glin.

4

Byddai Gwen Elis wedi cytuno â Doctor Puw mai twyllwr oedd yr ha’ bach. Dyna, fwy neu lai, fyrdwn ei sgwrs wrth y bwrdd brecwast y bore Sadwrn hwnnw.

‘Be ’dach chi’n ’i feddwl, Dei?’ holodd.

Daeth ebychiad, cwbwl ddiystyr, o’r tu ôl i’r papur newydd.

‘Siarad efo fi fy hun yr ydw i eto, mi wela. Mi ’dw i’n meddwl weithia ’mod i’n mynd yn ddotus.’

‘Mi wyddoch yr atab i hynny.’

‘Be, felly?’

‘Cadw’n dawal ’te.’

‘Dyna ydach chi ’i isio, ia . . . imi fod yn fud am weddill fy oes?’

‘Mae ’na rwbath reit braf mewn tawelwch weithia.’

'Mi gawn ddigon o hwnnw 'r ochor draw. Mi 'dw i isio gofyn rwbath i chi, Dei.'

Plygodd Dei ei bapur newydd yn ofalus a'i wthio i boced ei gôt.

'Gofynnwch 'ta.'

'Awydd mynd am dro sydd gen i . . . ar y trên.'

'Ia, ewch chi.'

'Meddwl 'ro'n i y gallan ni'n dau fynd, 'i gweld hi mor braf.'

''Ro'n i'n meddwl i chi ddeud gynna mai llwynog ydi'r haul.'

'Do, mi wnes. Ond pobol sy'n wirion 'te, yn cael 'u twyllo ganddo fo. Mi 'dan ni'n gallach. 'D o'n i ddim wedi bwriadu loetran, dim ond picio rhwng dau drên . . . i Landudno falla.'

'Dda gen i ddim trena.'

'Be am fŷs 'ta, i lawr am Port neu Bwllheli? A chael te mewn caffi, efo lliain gwyn ar y bwrdd a hogan i weini arnon ni. Ddowch chi?'

'Mae gen i waith i 'neud.'

'Mi fedrwch gael un diwrnod i ffwrdd, siawns.'

'Mi fedrwn, taswn i isio.'

'A 'd ydi o ddim gwahaniaeth ganddoch chi . . . 'y mod i'n gofyn?'

'Mae arna i ofn nad ydi o ddim.'

'Be ydw i wedi'i 'neud i chi, Dei?'

'Ylwch . . . gadwch betha yn fan'na rŵan.'

'Ond mae'n iawn imi gael gwybod pam yr ydach chi'n fy nhrin i fel'ma.'

'Mi 'dw i wedi trio egluro, sawl tro.'

'Be 'dach chi'n disgwyl imi 'i 'neud? Deudwch hynny wrtha i.'

'Wn i ddim.'

'Na wyddoch, siŵr. Fedar neb 'neud mwy na'i ora, ac mi 'dach chi wedi cael fy ngora i, rioed. Wn i ddim be sydd arnoch chi, wir, mor anniolchgar, a chitha mor dda eich lle. Mi fedrwch fentro cyfri'ch bendithion.'

'Falla nad oedd gan yr un ohonon ni obaith, o'r dechra. Ond os buo 'na rwbath rhyngon ni rioed, mae o wedi hen chwythu'i blwc.'

'Ac mi 'dach chi'n 'y meio i am hynny, debyg?'

'Os ydi o rywfaint o gysur i chi, mi gymra i'r bai. Wnaiff o fawr o wahaniaeth bellach. Fedra i ddim diodda rhagor, Gwen.'

'Diodda be 'dwch?'

'Hyn.'

Roedd o'n mynd a'i gadael, fel arfer, ond efo'r bygythiad pellach y tro hwn y byddai, unrhyw ddiwrnod rŵan, yn ei gadael am byth. 'D oedd o rioed yn disgwyl iddi gredu hynny? Rhyw hen fyrraeth gwirion oedd hyn; gorchest i geisio profi iddi y gallai wneud hebddi. Hy! sut y gallai dyn a gawsai bopeth ar blât 'forol drosto'i hun? Ond myrraeth neu beidio, nid âi hi ar ei ofyn. Fe gâi fynd i ddilyn ei drwyn, os mai dyna ei ddewis. Ni fyddai fawr o dro cyn cripian yn ôl â'i gynffon rhwng ei goesau.

5

Wrthi'n chwilio am goed yn yr iard, a'u cael yn brin, yr oedd Richard pan glywodd lais Eunice yn ei gyfarch.

'Dew, be wyt ti'n 'i 'neud yn fan'ma?' holodd.

'Wedi bod yn y dre 'dw i.'

'Mi wyt ti wedi gneud rhyw rownd garw.'

'Mae Brei yn deud 'mod i angan mwy o awyr iach.'

'Mi wyt ti ryw lwydaidd iawn. Poeni, ia?'

'Am be, felly?'

'Yr hen Brei. Roeddat ti ar fai yn 'i yrru o'n ôl i'r gwaith 'na.'

'Fo oedd yn mynnu mynd,' yn bigog.

'Isio'i brofi 'i hun yn ddyn, ia? Wyt ti am ddŵad i mewn?'

'Nac ydw i, wir.'

'Plesia dy hun.'

Symudodd Richard am y gweithdy.

'Wela i di o gwmpas,' galwodd tros ei ysgwydd.

A fel'na mae'i dallt hi, ia, Mrs Murphy, meddai wrtho'i hun. Roedd o wedi chwarae'i gardiau'n daclus y tro yma. Ara deg piau hi rŵan. Ni allai fentro colli gafael ar law mor dda.

6

Gwthiodd Emma'r teipiadur oddi wrthi gydag ochenaid o ryddhad. Roedd blaenau'i bysedd yn merwino. A pha ryfedd, a hithau wedi bod yn pwnio'r peiriant yma hyd oriau'r nos neithiwr ac eto'r bore 'ma nes bod ei llygaid yn groesion? A'r cwbwl er mwyn arbed dyn nad oedd, i bob golwg, yn hidio dim be ddeuai o'r ysgol nac ohoni hithau. Ond go brin y byddai wedi cymryd y fath faich arni ei hun oni bai i Miss Humphries godi ei gwrychyn.

Daethai ati brynhawn ddoe, yn dalp o hunan-bwysigrwydd, i'w siarsio i gael y llythyrau'n barod erbyn bore Llun. Drwy drugaredd, gallodd guddio'i hanwybodaeth a sicrhau'r athrawes y câi'r llythyrau eu dosbarthu yn ystod y cofrestru. Wedi i Miss Humphries ei gadael, aeth ar ei thuth i ystafell Mr Bevan, a'i chael yn wag. Roedd nodyn ar y ddesg yn ei hysbysu iddo orfod gadael ar frys. Ochr yn ochr â'r nodyn roedd y llythyr y cyfeiriodd Miss Humphries ato, wedi ei sgriblan ar ddarn o bapur.

Aethai gweddill y prynhawn i gwblhau'r gwaith arferol ac nid oedd ganddi ddewis ond dod â'r llythyr adref efo hi a cheisio'i ddehongli orau y medrai. A rŵan, byddai'n rhaid iddi fynd i'r ysgol i ddyblygu copïau. Ond cyn hynny, roedd gofyn cael y dyn clwt yna i ddarllen trwyddo, a'i arwyddo. 'D oedd yna ddim synnwyr mewn gorfod rhuthro fel hyn, ar y munud olaf, a hynny ar y Sadwrn. Ac am a wyddai hi, gallai'r dyn fod filltiroedd i ffwrdd.

Ni welodd Emma ddim o ogoniant y bore wrth iddi fesur y pellter rhwng Minafon a'r ysgol ac ni wnaeth y chwarter awr o gerdded fawr o les i'w thymer. Nid oedd arwydd bywyd o gwmpas tŷ'r ysgol a byddai wedi troi ar ei sawdl yn y fan a'r lle oni bai iddi glywed symudiad o'r cefn. Â'i chalon yn ei chorn gwddw, sleifiodd heibio i'r talcen, i weld Mr Bevan wrthi'n taenu dillad ar y lein. Ar y munud, rhoesai Emma'r byd am allu anghofio pwrpas ei hymweliad a chael ei harbed rhag bod yn llygad-dyst o drueni'r dyn. Ond ni wnâi hynny rithyn o les iddi hi nac iddo yntau. Galwodd arno. Rhoddodd yntau ysgytwad, fel pe wedi ei daro, cyn troi i'w hwynebu. A'r eiliad honno, wrth i'w llygaid gyffwrdd, daeth y teimlad i Emma fod Gwen Elis, boeth y bo hi, wedi taro ar y gwir unwaith eto.

Cerddodd tuag ati fel un mewn breuddwyd.

'Mae'n ddrwg gen i'ch poeni chi, Mr Bevan, ond y llythyr 'ma . . . mae'n rhaid 'i anfon o allan ddydd Llun.'

'Pa lythyr ydi hwnnw, felly?'

'Ynglŷn â'r cyfarfod rhieni/athrawon. Roeddach chi wedi gadael copi ar y ddesg. Mi 'dw i wedi'i deipio fo, ora medra i.'

'Pryd mae'r cyfarfod i fod?'

'Nos Fercher, yn ôl Miss Humphries.'

'Ydi o wir? Mi 'dw i wedi colli pob syniad am amser. Rhyw effaith fel'na mae salwch yn 'i gael ar rywun, ynte?'

'Sut mae'ch mam yng nghyfraith?'

'Dim newid.'

Estynnodd Emma'r llythyr iddo.

'Os gnewch chi ddarllan drwyddo fo.'

'Mae o'n siŵr o fod yn iawn.'

'Ond mi fydda'n well gen i i chi gael golwg arno fo.'

Rhedodd ei lygaid yn frysiog tros gynnwys y llythyr ac arwyddo'i enw'n flêr a di-sut ar ei waelod cyn ei roi'n ôl iddi.

'Os ca' i allwedd yr ysgol ganddoch chi, mi fedra i baratoi copïau.'

'Oes raid gwneud hynny heddiw?'

''D oes gen i fawr o ddewis os ydi'r llythyrau i gael 'u dosbarthu ben bora Llun.'

Nid oedd wedi bwriadu bod mor chwyrn, ond, wedi'r cyfan, roedd ei hwythnos waith hi'n gorffen am hanner awr wedi tri brynhawn Gwener ac roedd hi eisoes wedi aberthu'r rhan orau o'i bore Sadwrn.

'Mi ddo' i efo chi.'

''D oes dim angan.'

'Mi fydda i'n falch o gael symud o olwg y tŷ yma. Byw ar eich pen eich hun yr ydach chitha, Miss Harris?'

'Ia, ers blynyddoedd bellach.'

'Rydach chi wedi hen arfar, felly.'

'Ydw, debyg.'

Gadawsant y tŷ a throi am yr ysgol. Llwyddodd tawelwch anghynefin yr adeilad i leddfu rhywfaint ar Emma a rhoddodd y sicrwydd na fyddai iddi daro ar Miss Humphries hyder newydd ynddi. Bwriodd i'r gwaith ar ei hunion. Safodd yntau'n ei gwylio a'i bibell yn hongian yn llipa rhwng ei ddannedd.

'Ydi ots ganddoch chi os tania i?' holodd.

'Ddim o gwbwl. Mi fydda 'nhad yn smocio fel trwpar.'

'Roedd eich tad a chitha'n glòs?'

'Fel un.'

‘Mae hynny’n beth braf ’dw i’n siŵr.’

‘O, ydi. Mi fydda’n gneud te bach inni’n dau erbyn imi ddŵad adra o’r swyddfa a dyna lle byddan ni am oria’n rhoi’r byd yn ’i le . . . byth air croes.’

‘Yn swyddfa Jones Davies yr oeddach chi?’

‘Ia . . . yr hen Jones Davies, ynte. Boneddwr o ddyn. Mi gododd y busnas o ddim, ac er mai fi sy’n deud, mi wnes inna fy siâr i’w helpu o.’

‘Mae’n siŵr ’i fod o’n gyndyn iawn o’ch colli chi.’

‘Roedd o wedi ymddeol. Mi gymrodd Jones Davies ieuenga’r busnas drosodd. ’D oedd o ddim wedi bod yno bum munud nad oedd o am newid y cwbwl . . . gwellianna, medda fo. Ond yn ôl yr hyn yr ydw i’n ’i glywad, wedi gwaethygu mae petha.’

‘Mae’n anodd curo’r hen drefn.’

‘Dyna ydw inna’n ’i ddeud. Mae’r gwerthoedd wedi diflannu. ’D oes ’na mo’r parch heddiw, dim gwerthfawrogiad . . . pawb yn cymryd rhywun yn ganiataol.’

Ni wnaeth Emma unrhyw ymdrech i fygu’r ochenaid o ryddhad wrth iddi gamu’n ôl oddi wrth y peiriant.

‘O, wel, dyna’r rheina wedi’u gneud. Fydd gan Miss Humphries ddim lle i gwyno rŵan.’

‘Mi ddylwn ddiolch i chi am f’arbad i.’

‘Mi ’dw i’n credu y dylach chi. Mi rhanna i nhw allan yn ôl rhifa dosbarth, er mwyn arbad amsar fore Llun.’

Syllodd Bevan arni, trwy gymylau o fwg.

‘Mae’n dda i mi wrthoch chi, Miss Harris,’ meddai. ‘’D ydi petha ddim wedi bod yn rhy esmwyth yn ddiweddar. ’D ydw i rioed wedi dygymod â bod ar fy mhen fy hun.’

‘Mi fydda inna’n cael digon ar fy nghwmni fy hun weithia.’

‘Fyddwch chi wir?’

‘Y penwythnos ydi’r gwaetha. Dydd Sul yn arbennig.’

Dechreuodd Emma gyfri’r llythyrau a’u rhannu’n bentyrrau. Eisteddodd Bevan ar ymyl y ddesg gan dynnu’n awchus yn ei bibell. Yna’n hollol ddirybudd meddai,

‘Be ’taen ni’n dau yn mynd allan am ginio fory? Mi fydda’r diwrnod yn mynd heibio ynghynt felly.’

‘Bydda, mae’n siŵr,’ yn betrus.

‘Ddylwn i ddim gofyn rhagor o ffafrau ganddoch chi, ond mae’r tŷ acw’n prysur fynd yn drech na fi.’

Sut y gallai wrthsefyll y demtasiwn o gael troi ei chefn ar

Finafon am awr neu ddwy? Cael ei chario mewn steil a symud wrth ei phwysau, yn hytrach na bod yn gaeth i drenau, a chael mwynhau bwyd yr oedd rhywun arall wedi ymlafnio i'w baratoi? Byddai'n ffŵl i wrthod y cynnig.

'Wel, ddowch chi?'

'Dof.'

'Diolch am hynny. Roedd gen i ofn 'mod i'n gofyn gormod.'

Cyfarfu llygaid y ddau uwchben y pentwr llythyrau, a chloi am eiliad. Ac er bod olion y trueni ar ei wyneb mor amlwg ag yr oedden nhw pan ddaeth ar ei warthaf yn yr ardd ni theimlai Emma bellach unrhyw ysfa i ddianc rhagddo.

7

'Faint rhagor sydd gen ti, Hyw Twm?'

Daliodd Hyw Twm y cwdyn plastig â'i wyneb i waered.

'Bygyr ôl, Pŵal.'

'Be wyt ti wedi'i 'neud efo nhw?'

'Wedi'u hyfad nhw 'dan ni 'te . . . y cwbwl lot. Gwerth pumpunt, i lawr lôn goch.'

'Paid â malu. Wedi'u cuddio nhw wyt ti 'te'r diawl clwyddog.'

Aeth Hyw Twm ar ei liniau ar yr aelwyd a dechreuodd gropian o gwmpas ar ei bedwar yn casglu'r poteli gweigion a oedd wedi eu gollwng yma ac acw ar draws yr ystafell.

'Be wyt ti'n 'i 'neud, Hyw Twm?' holodd Richard. 'Gweddïo i'r hen ddyn daflu stoc newydd i lawr? Waeth iti heb 'sti . . . 'd ydyn nhw ddim yn tyfu riwbob i fyny fan'cw . . . dim digon o dail.'

'Mi wyt ti wedi 'ngalw i'n glw . . . glwyddgi.'

'Dyna wyt ti hefyd . . . clwyddgi, cachgi, penci.'

Estynnodd Richard ei droed allan a rhoddodd gic egnïol ym mhen ôl Hyw Twm wrth iddo lusgo heibio.

'Be wyt ti, Hyw Twm?'

'Wn i be wyt ti . . . hwrgi.'

'Be ddeudist ti?'

Llamodd Richard o'i gadair a disgyn ar Hyw Twm nes bod hwnnw'n llyfu'r llawr.

'Wyt ti'n tynnu d'eiria'n ôl?'

'Symud, Pŵal . . . mi wyt ti'n dal ar 'y ngwynt i.'

'Ddim nes deudi di fod yn ddrwg gen ti.'

'Mi 'dw i'n sâl, Pŵal. Isio chw . . .'

Rholiodd Richard i'r naill ochor mewn pryd i'w arbed ei hun rhag y cyfog a ffrydiodd allan o geg Hyw Twm.

'Y mochyn cythral. Mae gen i flys rhwbio dy drwyn di ynddo fo.'

'Sori, Pŵal.'

'Nefoedd, 'd wyt ti ddim ffit i dy ollwng yn rhydd. Dim rhyfadd fod Magi'n dy gadw di ar dennyn.'

'Stumog wan sydd gen i 'te.'

'I gyd-fynd â dy ben di. Oes 'na ryw ddarn ohonat ti'n werth rwbath, d'wad? Cliria'r budreddi 'na inni gael mynd i chwilio am dalant.'

'Fiw imi fynd i'r Queens, Pŵal.'

'Pwy sydd isio mynd i fan'no? 'Redig tir diarth 'te. Tyd 'laen, dyma ti gyfla i ddangos faint o ddyn wyt ti.'

Oriau a pheintiau'n ddiweddarach, agorodd Richard ei lygaid i weld pâr o fronnau helaeth yn ymwthio am ei drwyn. Gwyliodd eu hymchwydd, fel un wedi ei gyfareddu.

'Fasa ddim gwell iti roi dy lygaid bol melyn yn ôl yn dy ben, pishin?'

Dilynodd rediad y bronnau hyd at ddwy ên aflonydd ac i fyny ymhellach at wyneb yr oedd ganddo frith gof o'i weld yn rhywle, rywdro.

'Lle gythral ydw i?'

'Efo fi 'te. Mi 'dan ni reit sâff 'sti. Fedar 'rhen ddyn ddim dengid o lle mae o rŵan.'

'Sut dois i i fan'ma?'

'Yn y drol 'na sydd gen ti . . . fi'n dreifio. Ge's i ddamwain fach wrth barcio . . . mi ddoth y wal i 'nghwarfod i. Ond be ydi tolc neu ddau rhwng ffrindia 'te?'

'Faint 'neith hi o'r gloch?'

'Amsar gwely i hogia bach.'

'Gofyn wnes i faint o'r gloch ydi hi,' yn fygythiol.

'Olreit, 'd oes dim isio gweiddi. Nid adra wyt ti rŵan. Tynnu am hannar.'

'Nefoedd fawr, mi o'n i 'di addo cael Hyw Twm adra erbyn un ar ddeg.'

'Y llipryn 'na oedd efo chdi yn y Leion ydi hwnnw, ia?'

'Lle aflwydd mae o?'

'Dal dy ddŵr am funud. Mae o ddigon sâff. Mi ddaru June drws nesa 'i lwytho fo i gefn y fan. 'D oedd o'n da i ddiawl o ddim iddi hi, medda hi. Mi gysgith tan bora. Tyd â sws fach i gnesu i fyny eto, ia?'

Gwyrodd tuag ato, ei cheg fawr yn agored fel pe'n barod i'w lyncu. Neidiodd Richard ar ei draed yn wyllt.

'Sori, cariad . . . rywdro eto.'

'Fedri di ddim mynd rŵan.'

'Medra, myn cythral i.'

Roedd o allan o'r tŷ cyn iddi gael cyfle i brotestio rhagor. Trwy lwc, roedd yr allwedd yn y fan a gallodd danio honno ar y cynnig cyntaf. Pwysodd ei droed ar y sbardun a gyrrodd fel cath i gythral ond heb wybod i b'le.

8

Wedi hanner awr go dda o geisio dirwyn ei ffordd trwy ddryswch o lonydd culion gan fynd i fwy o strach bob cynnig, llwyddodd Richard, trwy hap a damwain, i daro ar ffordd fawr gynefin. Tynnodd i mewn i'r arosfan gyntaf a welodd. Byddai sigaret yn fendith rŵan. Ond er iddo chwalu trwy'i bocedi ni allai ddod o hyd i'r un. Yr hen foilar 'na aeth â fo adra i'w chanlyn oedd wedi gweld ei gwyn arnyn nhw, debyg. Y nefoedd fawr, beth am ei waled? Crafangodd amdani. Roedd ei theimlad yn ddigon i gadarnhau ei ofnau.

Dringodd dros y sêt i gefn y fan. Yng ngolau'r lleuad gallai weld wyneb Hyw Twm, fel pe wedi ei ddihysbyddu o bob dafn o waed.

'Bride of Dracula, myn uffarn i.'

Rhoddodd bwniad egar iddo yn ei 'sennau.

'Ddim heno, Magi,' cwynodd yntau, a throi ar ei ochor dan rochian. Agorodd Richard gefn y fan. Llusgodd Hyw Twm allan gerfydd ei draed a'i ollwng ar y clwt gwair ar fin y ffordd.

'Deffra'r llo gwirion.'

Yn ara bach, agorodd llygaid Hyw Twm a serennu i fyny ar Richard.

'Helo, Pŵal. Noson braf.'

'Fydd hi ddim mor braf pan gaiff Magi afael arnat ti.'

'Gad ti Magi i mi. Setla i hi. Sa' draw, Pŵal.'

Wedi sawl ymdrech, hollol aneffeithiol, i godi ar ei draed gollyngodd Hyw Twm ei hun yn ôl i'r gwair.

'Rhy gynnar i godi,' meddai.

Collodd Richard ei limpin yn llwyr. Sodrodd ei ddwylo o dan geseiliau Hyw Twm, ei lusgo am y fan, a'i wthio orau y medrai i'r sêt. Ond erbyn iddo gyrraedd ei sêt ei hun roedd Hyw Twm yn swp ar lawr a'i lygaid yn dynn ynghau.

Roedd o'n nesu am Drefeini a'r fan yn mynd fel bom pan fflachiodd golau yn y drych, a'i ddallu.

'Dipia'r mwnci mul,' gwaeddodd.

Pwysodd ei droed yn drymach ar y sbardun nes bod y fan yn honcian o un ochor i'r llall. Clywodd gorn car yn hwtian wrth ei gwt. 'D oedd rhai pobol ddim ffit i fod ar y ffordd. Trol neu beidio, roedd yna ddigon o fywyd yn weddill yn yr hen fan fach ac ni châi'r un cythral y gorau arno. Neidiodd y nodwydd i'r chwedegau.

'Hogia ni, hogia ni, 'd oes 'r un diawl a fedar guro hogia ni . . .'

Â goleuadau Trefeini yn ymestyn o'i flaen, gwelodd Richard, trwy gil ei lygad, fflach o goch wrth i'r car brechdan jam lamu heibio iddo.

PENNOD 10

Dydd Sul, Hydref yr 2il

1

Daeth Richard ato'i hun y tu ôl i farrau yng ngorsaf heddlu Trefeini. Gorweddai Hyw Twm ar fatres yng nghornel bella'r gell, â'i geg yn agored, yn chwyrnu fel injian ddyrnu.

Croesodd Richard ato. Rhoddodd gic egar i'r 'styllen wely nes ei bod yn jerian.

'Deffra, Rip van Winkle.'

Cododd Hyw Twm ar ei eistedd yn wyllt.

'Arglwydd mawr, Pŵal . . . lle ydw i d'wad?'

'Yn jêl 'te.'

'Pa ddiwrnod ydi hi?'

'Dydd Sul.'

'Mi 'dan ni wedi bod yma drwy'r nos, felly?'

'Hynny o nos oedd 'na ar ôl.'

'Lle mae Magi?'

'Be wn i lle mae Magi. Mae gen i reitiach petha ar 'y meddwl.'

'Mi laddith hi fi.'

'Bosib iawn.'

'Fedri di ddim gneud rwbath, Pŵal?'

'Wn i be liciwn i 'i 'neud. Ac ar ôl imi ddarfod fydda 'na ddim i Magi 'i 'neud ond llyfu dy waed di.'

'Be ydw i wedi'i 'neud, felly?'

Cythrodd Richard am goler côt Hyw Twm a'i lusgo ar ei draed.

'Yli'r bastard mul, oni bai amdanat ti mi faswn i wedi cael lojin gen ryw flondan oedd yn ddigon mawr i dy fyta di i frecwast. Trio dy gael di adra o'n i, dallt? Dyna pam 'ro'n i'n gyrru 'te . . . poeni amdanat ti. Duw a ŵyr pam 'dylwn i.'

'Sori, Pŵal.'

Gollyngodd Richard ei afael ar Hyw Twm a'i wthio'n ôl ar y gwely.

'Mae hi'n rhy hwyr i hynny rŵan 'd ydi? Mi 'dw i mewn cythral o strach. Leisans lân am ugian mlynadd, a'r cwbwl i lawr draen o d'achos di.'

'Falla na cholli di mo'ni hi.'

'Falla y cei ditha fyw i weld diwrnod arall, os byddi di'n lwcus.'

Gorweddodd Hyw Twm a throi ei wyneb at y pared.

'Mae 'nhraed i'n oer, Pŵal. Lle mae'n sgidia i d'wad?'

'Mae'r glas wedi mynd â nhw, rhag ofn i ti dy grogi dy hun efo'r crïa. Dos yn ôl i gysgu, Hyw Twm. Mi wyt ti'n sâff yn fan'ma, o leia.'

Crwydrodd Richard o gwmpas y gell fel teigr mewn cawell a'i ysfa am sigaret yn cryfhau efo pob cam. Ar gerdded yr oedd pan glywodd sŵn traed yn nesu at y gell. Rhuthrodd am y barrau a daeth wyneb yn wyneb â Magi Goch. Rhythodd honno'n fuddugoliaethus arno.

'Ac mi 'dach chi'n y lle iawn o'r diwadd, Dic Pŵal,' meddai.

2

Roedd Mati wedi cael ei brecwast ac wedi clirio ar ei hôl cyn i neb arall ym Minafon ystwyrian. Penderfynodd gribinio'r tŷ am ddillad i'w golchi, er mwyn symud ei meddwl. Roedd ganddi lwyth go dda yn barod pan glywodd Emma Harris yn galw arni o'r iard gefn. Aeth allan ati a synnu ei chael â llond ei phen o gyrlars ar fore Sul.

'Lle 'dach chi am gael mynd, Emma?' holodd.

'Allan i ginio.'

'Neis iawn. Ydach chi am ddŵad i mewn?'

''D oes gen i fawr o amsar. Ond 'd oes dim isio i bawb wybod ein busnas ni, yn nac oes?'

Dilynodd Mati i'r tŷ a chau'r drws yn glòs o'i hôl.

'Fuo 'na rywun yma neithiwr, Mati?'

'Pryd, felly?'

'Roedd hi wedi un ar ddeg, siŵr o fod. Mi 'dw i'n arfar bod yn 'y ngwely sbel cyn hynny, ond 'ro'n i wedi bod yn golchi 'ngwallt . . . trio cael rhyw drefn arno fo erbyn heddiw. Beth bynnag, dyna gnoc ar y drws . . . dyrnu ran'ny.'

''R adag honno o'r nos? Mae'n siŵr eich bod chi wedi dychryn.'

'Do, wir. 'Ro'n i'n oer drosta. Mi es i i fyny i'r llofft a sbecian drwy'r ffenast ac mi fedrwn 'i gweld hi yng ngola'r lamp . . . y ddynas fawr goch 'na sy'n gweithio yn y syrjeri. Mi es i lawr ar f'union, ac agor iddi hi. Mi ddyliais i'n wir, Mati, 'i bod hi am fy nharo i. Roedd hi mewn tymar ofnadwy.'

'Be oedd?'

'Chwilio am 'i gŵr roedd hi, medda hi, ac isio gwybod 'wyddwn i rwbath o hanas Richard Powell.'

'Wela i.'

'Mi wnes i reit glir iddi nad oedd a wnelo fi ddim â'r dyn. Ond 'd oedd hi'n gwrando dim arna i, dim ond rhefru a chwythu bygythion. Roedd hi am imi fynd i'r drws nesa efo hi, 'mwyn tad. Mi gaeais i'r drws arni hi. Be arall fedrwn i 'i 'neud?'

'Mi wnaethoch yn iawn. Un go wyllt ydi hi.'

'Chlywsoch chi ddim byd, felly?'

'Naddo, dim smic.'

'Mae'n rhaid eich bod chi'n cysgu fel pren. Mae'n ddrwg gen i orfod deud hyn, Mati, ond mi fydda'n dda gen i 'tasa'ch mab yng nghyfraith wedi aros lle roedd o.'

'Mi fydda'n dda gen inna hefyd.'

'Mae'n rhaid i chi gael gair efo fo, Mati.'

'Ynglŷn â be'n union?'

''I ymddygiad o 'te. Mae o'n destun siarad y dre 'ma, yn feddw o fora tan nos. Mi gwelis i o fy hun, i lawr yn y parc, ac roedd yr ogla arno fo yn ddigon i daro rhywun i lawr.'

''D oes wnelo hynny ddim byd â fi.'

'Ond mi 'dach chi'n perthyn.'

'Roedd o'n digwydd bod yn ŵr i Lena, dyna'r cwbwl. Mae'n ddrwg gen i ichi gael eich dychryn, ond fedrwch chi mo 'nal i'n gyfrifol, mewn unrhyw ffordd.'

'Teulu ydi teulu, Mati. Arnoch chi mae pobol yn gweld bai.'

Wedi i Emma ei gadael, taflodd Mati'r dillad blith draphlith i'r sinc. Nid oedd ronyn gwell o geisio ei chlirio ei hun, unwaith yr oedd Emma wedi cymryd yn ei phen. Ac nid oedd honno ond yn adleisio barn pobol eraill, debyg. Gallai eu clywed yn tantro—'Mi fasach yn meddwl y bydda'r Mati Huws 'na yn 'i gymryd o mewn llaw . . . 'I chyfrifoldab hi ydi o 'te . . . Mae'n gywilydd o beth 'i bod hi'n gadael iddo fo 'neud mochyn ohono'i hun.'

Gwthiodd Mati ei dwylo i'r trochion sebon. Teimlodd y gwres yn cripian i fyny ei breichiau. Byddai Arthur wrth ei fodd yn ei gwylio hi'n golchi, ei llewys wedi eu torchi a'r cyrls bach tamp yn glynu wrth ei thalcen. Deuai o'r tu cefn iddi a lapio'i freichiau amdani, ei ddwylo'n crwydro'n araf am ei bronnau a'i wefusau'n mwytho'i gwar. Roedd hi wedi diolch llawer na chafodd Arthur fyw i weld y stomp a wnaethai Lena a Richard o'u priodas, dirmyg ei unig wyres o bopeth a ddaliai ef yn gysegredig, marw araf poenus ei ferch a methiant truenus ei fab. Ond y munud yma rhoesai'r byd am gael pwyso arno.

3

'Mi gewch fynd â fo adra rŵan, Mrs Griffiths.'

Sythodd y Rhingyll Davies i'w lawn hyd y tu ôl i'w gownter i gael fod Magi Goch, hyd yn oed wedyn, ben yn uwch.

'Faswn i'n meddwl wir. Mae'n gwilydd i chi fod wedi cadw dyn diniwad mewn rhyw ogof lladron fel'ma dros nos.'

'Isio mynd adra, Magi,' cwynodd Hyw Twm.

'Ia, dyna'r lle gora iddo fo, Mrs Griffiths.'

'Chei di mo 'ngwarad i mor hawdd â hyn 'na, Joni Nain.'

'Sarjant, os gwelwch chi'n dda.'

'Hy! On'd ydw i'n dy gofio di'n dŵad i aros i Benmeini. Un slei oeddat ti . . . dim rhyfadd iti fynd yn blismon. Prepian am yr hogia wrth dy nain a gyrru honno allan efo'i ffon ar 'u hola nhw a chditha'n cuddio yn twll dan grisia. 'D wyt ti wedi tyfu fawr. Wyddwn i ddim 'u bod nhw'n cymryd silidons fel chdi yn y polîs ffors.'

Cyffyrddodd Hyw Twm yn betrus â'i braich.

'Mi 'dw i'n oer, Magi.'

'Dim rhyfadd, a chditha wedi bod yn yr hen gawall drafftiog 'na. Ac yn nhraed dy sana, fel criminal.'

'Mae'n rhaid i mi'ch rhybuddio chi, Mrs Griffiths . . .'

'A be 'nei di imi felly'r dwy a dima? Mi riportia i di, i'r Constabiwlari. Gyrru plismon i 'nhŷ i, liw dydd gola, a chloi 'ngŵr i i mewn efo dihiryn. Lle mae'r Dic Pŵal 'na gen ti?'

'Mi gaiff ddŵad efo chi rŵan.'

''Dw i'n methu meddwl. 'D wyt ti rioed am 'i adael o'n rhydd? On'd ydi o wedi gneud bob dim ond lladd.'

'Anlwcus fuo fo Magi,' oddi wrth Hyw Twm.

'Cau di dy geg. Mi wyt ti wedi gneud digon o helynt. Mi ddeudis i wrthat ti am beidio mynd yn agos i'r Dic Pŵal 'na.'

'Siarad amdana i ydach chi, Magi Griffiths?'

Cerddodd Richard allan o un o'r ystafelloedd cefn mor dalog â phetai newydd dderbyn medal am wrhydri.

'Wyt ti'n iawn, Pŵal?'

''D wyt ti ddim i dorri gair efo fo.'

Camodd Magi draw oddi wrth Richard gan dynnu Hyw Twm i'w chanlyn.

'Sglyfath budur ydach chi, Dic Pŵal,' meddai. 'A 'tasa gen y tipyn sarjant 'ma rywfaint o asgwrn cefn mi fydda'n gneud yn siŵr eich bod chi'n cael eich haeddiant. Ond be sydd i'w ddisgwyl gen un fydda'n gyrru'i nain allan i gwffio drosto fo?'

A gyda hynny o berorasiwn, hwyliodd Magi Goch allan o Swyddfa'r Heddlu a Hyw Twm yn gwegian o'i blaen fel cwch bach mewn corwynt. Sychodd y Rhingyll Davies y chwys oddi ar ei dalcen.

'Oedd hi'n ormod i chi, Sarjant?' holodd Richard, yn gellweirus.

Anwybyddodd y Rhingyll y cwestiwn a phrysurodd i'r lle chwech i gael joch o'r botel frandi a gadwai wrth law ar gyfer argyfyngau. Aeth Richard, yntau, am Finafon, yn niffyg unlle arall i fynd iddo.

4

Ni chawsai Emma fawr o flas ar y cinio. Peth dieithr iddi oedd cael cwmni wrth fwrdd a theimlai'n ymwybodol o bob cegiad. Ofnai ei bod yn gwneud sŵn wrth gnoi. Roedd rhywun yn mynd yn esgeulus wrth fyw iddo'i hun. Ni allodd erioed fwyta a siarad yr un pryd ac aethai'r sgwrs yn hesb cyn pen dim. Nid fod hynny'n tarfu dim ar ei chydymaith, yn ôl pob golwg. Roedd o wedi clirio'i blât cyn ei bod hi hanner y ffordd drwodd, a hynny fel petai heb weld bwyd ers dyddiau. Byddai'n siŵr o gael camdreuliad wrth draflyncu fel'na.

''D oes 'na ddim byd tebyg i gael cwmni i fwyta, Miss Harris,' meddai. 'Diolch i chi am ddod.'

Llygadodd ei gwydryn gwin llawn.

''D ydi'r gwin ddim at eich dant chi?' holodd.

'Fydda i byth yn 'i gyffwrdd o.'

'Ydi o wahaniaeth ganddoch chi os cymra i ragor?'

'Mi cewch chi o i gyd o'm rhan i.'

Fe'i câi'n anodd llyncu'r bwyd heb ddiod. Paned o de—dyna fyddai'n dda rŵan. O diar, byddai'n ganmil gwell ganddi fod wrth ei bwrdd ei hun, yn llyfu'i briwiau, nag yn eistedd yma yn ceisio dal pen rheswm efo dyn na wyddai'r peth cyntaf amdano.

Dihangodd yr ochenaid cyn iddi allu ei hatal.

'R ydach chi'n boenus eich meddwl, Miss Harris?'

'Mm?'

'Yr ysgol, ia? Mae'n ddrwg gen i os ydw i wedi achosi trafferth i chi.'

'Na, nid yr ysgol. Cael 'y nychryn wnes i neithiwr, a deud y gwir.'

A dechreuodd adrodd yr hanes. Gwrandawai yntau'n astud, gan nodio'n dosturiol bob hyn a hyn.

'Mi ddylias i'n siŵr y bydda Mati Huws yn gwrando ar reswm,' cwynodd Emma. 'Ond fydda waeth imi fod wedi taro 'mhen yn erbyn wal ddim.'

'Mae hi'n glawio yn rhywle o hyd.'

'Ond 'd ydw i ddim isio unrhyw ran yn yr helynt. I bawb 'i fyw 'i hun, dyna fydda i'n 'i ddeud. 'D ydw i rioed wedi gorfodi 'mhoena ar neb.'

Gadawsant y gwesty'n fuan wedyn. Roedd golwg ddiflas arno, fel petai wedi cael llond bol ar ei chwmni, a syndod i Emma oedd ei weld yn troi trwyn y car am y glannau'n hytrach nag yn ôl am Drefeini. Ni ddywedodd yr un o'r ddau air yn ystod y siwrnai a'r un oedd y mudandod wedi iddynt gyrraedd traeth Y Morfa a pharcio ar y tywod. Ef oedd y cyntaf i dorri ar y tawelwch a oedd yn llethol erbyn hynny.

''D oedd o ddim yn syniad mor dda wedi'r cyfan, yn nac oedd?' meddai.

'Be, felly?' yn oeraidd.

'Torri ar unigrwydd y diwrnod. Cwmni go wael ydw i, mae arna i ofn.'

''D ydw inna mo'r un ora.'

'Mi ddylwn fod wedi mynd â chi adref ar eich union. Bod yn hunanol yr o'n i. Mae meddwl am fynd yn ôl i'r tŷ yna yn hunllef arna i. Wnes i ddim gofyn, hyd yn oed, i b'le'r hoffech chi fynd.'

'Waeth gen i yn fan'ma ddim.'

'Ydach chi wedi bod yma o'r blaen?'

'Unwaith. Fe ddaeth mam a 'nhad a finna i lawr ar y býs o Drefeini un Gŵyl Banc. 'Ro'n i wedi bod yn edrych ymlaen ers dyddia. 'D o'n i rioed wedi gweld y môr. Ond wnes i ddim byd ond crio drwy'r dydd.'

''I ofn o, ia?'

'Roedd o mor fawr a bygythiol. A phan welis i'r llanw'n dŵad i mewn mi ddylias yn siŵr 'i fod o am ein llyncu ni i gyd.'

'Ydach chi'n dal i'w ofni o?'

'Ddim o belltar fel hyn.'

'Ddowch chi i fyny ato fo, efo fi?'

'Mi fydda'n well gen i beidio.'

Pwysodd Emma'n ôl yn ei sêt a chau ei llygaid. Clywai rŵn y môr ymhell, fel yn y gragen y daethai â hi adref efo hi y diwrnod hwnnw. Ei thad a oedd wedi ei pherswadio i'w dal wrth ei chlust. ''D oes 'na ddim byd i'w ofni 'sti,' meddai. Dyna braf fyddai ei gael yma efo hi rŵan, ei ysgwydd gadarn yn dal pwysau'i phen blinedig. Tybiodd iddi glywed ei lais, o bellter, yn cymell, 'Cysga di, 'mach i. 'D oes 'na ddim byd i'w ofni.' Caeodd y syrthni amdani a llithrodd Emma i gwsg braf.

5

Ar ei ffordd adref yr oedd Dei pan welodd Os yn tuthio i'w gyfarfod.

'Lle wyt ti'n cychwyn 'rhen ddyn? Am dro, ia?' holodd, yn glên.

Cerddodd Os heibio iddo fel petai'n ddieithryn.

'Aros funud. Mae gen i rwbath iti. Tyd yma.'

'Ddim isio.'

''D wyt ti rioed yn gwrthod presant.'

Arhosodd Os. Symudodd gam neu ddau ar yn ôl ac estyn ei law i gyfeiriad Dei. Rhoddodd yntau gar bach newydd danlli i orwedd ar y gledr agored.

'Wel, be wyt ti'n 'i ddeud?'

Caeodd y bysedd barus yn grafanc am y car.

'Deud diolch, yr ewach bach,' ysgyrnygodd Dei.

Yr eiliad nesaf, saethodd cegiad o boer i wyneb Dei. Cyn i hwnnw allu sychu'r poer o'i lygad roedd Os wedi mesur y pellter rhyngddynt.

Aeth Dei ar ei union i dŷ Madge a'i chael yn eistedd wrth y tân yn gwau siwmper i Os.

'Rho hwnna i lawr am funud,' meddai. 'Mi 'dw i isio siarad efo chdi.'

'Mi fedra i weu a gwrando, Dei. Be sydd rŵan?'

'Mae'n rhaid inni setlo petha, Madge.'

'Rhaid.'

'Mi wyt ti'n cytuno, o'r diwadd. Diolch i Dduw am hynny. Mi fedrwn 'neud rwbath ohoni rŵan. Tyd i eistedd ata i.'

'Mae'n rhaid imi orffan hon, Dei. Mi fydd Os 'i hangan hi.'

'Fedri di ddim anghofio Os, am funud?'

'Mae o'n fab imi.'

'Ac yn fab i minna. Fo ydi'r unig blentyn sydd gen i.'

Daeth at Madge a phenlinio wrth ei hochr.

'Mi 'dw i wedi bod yn meddwl, Madge, unwaith y cawn ni symud o'r lle 'ma . . . falla nad ydi hi ddim rhy hwyr . . . inni gael plentyn arall.'

'Yn lle Os?'

'Nace siŵr. Ar ôl inni setlo, mi fedrwn gael Os aton ni. Mi fydd hi'n haws pan fydd ganddon ni'n cartra ein hunan.'

'Mae gen i 'nghartra, Dei.'

''D oes gen i'r un . . . ddim rhagor.'

'Be wyt ti wedi'i 'neud?'

'Deud wrth Gwen 'mod i'n bwriadu gadael. Soniais i ddim amdanat ti.'

'Wela i,' yn dawel.

'Na, 'd wyt ti ddim yn gweld. 'Ro'n i am ddeud, ond fedrwn i ddim rhoi dyrnod arall iddi hi. Mae hi wedi bod yn driw iawn imi, yn 'i ffordd ryfadd 'i hun.'

'Ydi. Efo hi mae dy le di, Dei.'

'Be ddeudist ti?'

Syllodd Dei i'r ddau lygad golau a fu'n echel ei fywyd ers ugain mlynedd.

''D oedd dim angan iti anfon Doctor Puw yma 'sti.'

'Mi ddaru'r cythral addo na sonia fo ddim.'

''D oedd dim angan llawar o ddychymyg i wybod mai dy syniad di oedd o. Ond fedri di na neb arall wahanu Os a fi.'

'Damio unwaith, enath, mi dw i d'isio di. Mi wyt ti'n rhan ohona i . . . finna ohonat ti.'

'Mae pob dim drosodd rhyngon ni, Dei.'

'Be gythral . . .'

Cythrodd Dei am ei braich.

'Rho'r gora i'r blydi clecian 'na, yn enw'r nefoedd,' gwaeddodd.

Gafaelodd yn y gwau a'i daflu ar draws yr ystafell.

''D oedd dim angan hynna, Dei.'

'Dim angan? Arglwydd mawr, wyt ti'n sylweddoli be wyt ti newydd 'i 'neud? Lladd pob gobaith oedd gen i . . . chwalu 'nghynllunia i i gyd.'

''Stedda'n dawal, am funud.'

'Na. Gwranda di arna i, Madge. Wyddost ti be ddaru Os rŵan? Pocri i fy wynab i, a finna newydd roi car bach yn bresant iddo fo.'

''D ydi o mo'no fo'i hun ers dyddia.'

'Mae'n bryd iti roi'r gora i ddal 'dano fo. 'D oedd gen i ddim gobaith yn 'i erbyn o, o'r cychwyn cynta, yn nac oedd?'

'Yn erbyn dy fab dy hun? Dos adra rŵan, Dei.'

'Adra? Wyt ti am ysgwyd llaw efo fi a deud—''Roedd hi'n neis eich nabod chi''?'

'Paid, plîs,' yn erfyniol.

'Ond chei di mo fy ngwarad i. Mi a' i adra, fel wyt ti'n 'i alw fo, ond mi fydda i'n ôl . . . o, bydda.'

Pan ddychwelodd Os o'i grwydriadau eisteddai Madge yn yr un gadair a'i gwau'n segur ar ei glin. Daeth Os o'r tu cefn iddi a phwyso'i ben ar ei hysgwydd. Rhedodd hithau ei bysedd yn ysgafn i lawr ei dalcen a'i drwyn. Na, ni fyddai'r un babi arall. Dim ond hwn, plentyn eu cariad, wedi ei dynghedu i fod yn blentyn am byth.

Dechreuodd Os gwynfan, fel y gwnâi pan fyddai rhywbeth yn ei flino.

'Be sydd, Os?'

Ond gwyddai nad oedd unrhyw bwrpas gofyn. Ni allai Os byth roi geiriau i'w boen. Tynnodd ef ati. Byddai wedi rhoi'r byd am gael cwynfan efo fo, fel dau anifail wedi eu clwyfo. Ond hyd yn oed pe gallai ymollwng nid oedd neb i ateb y gri na neb i gynnig cysur.

6

Deffrôdd Emma o'i chwsg braf ar draeth Y Morfa y prynhawn Sul hwnnw â'i phen yn gorffwyso ar ysgwydd Tom Bevan.

'Mae'n ddrwg gen i,' meddai'n ffwndrus.

'Peidiwch ag ymddiheuro. Rydw i wedi cael awr wrth 'y modd.'

'Ydw i'n cysgu ers awr? Mae'n gwilydd imi.'

'Mae'n rhaid fod arnoch chi 'i angan o.'

'Che's i ddim cwsg brafiach ers talwm.'

'Mae'n dda gen i. 'D ydi'r pnawn ddim wedi bod yn hollol ofer, felly.'

Roedd ei ysgwydd yn gadarn a chyfforddus a brethyn llyfn ei gôt cyn esmwythed â gobennydd. Trwy gil ei llygad, gwelai Emma ei gernlun yn erbyn yr awyr. Roedd yr un cadernid yn rhediad y talcen a'r trwyn er bod y gwefusau'n luniaidd a meddal, fel rhai merch. Mor wahanol oedd hwn i'r un a welsai hi ddoe'n stelcian yn yr ardd. Dyma'r dyn a gofiai pan aeth i'r ysgol am gyfweliad, flwyddyn yn ôl, yn feistr ar ei swydd a'i urddas tawel yn cymell cydweithrediad athrawon a phlant.

'Oes ganddoch chi awydd dod am dro?'

'Ia, iawn.'

Teimlodd Emma ei choesau'n gwegian 'tani wrth iddi gamu i'r traeth. Wedi eistedd yn rhy hir yr oedd hi, debyg. Roedd ei phen ar dân. Pwysodd yn erbyn y car i'w sadio ei hun.

'Be sy'n bod, Miss Harris? Ydach chi'n sâl?'

'Penstandod, am wn i.'

'Gafaelwch yn 'y mraich i.'

Symudodd y ddau, fraich ym mraich, tros y tywod. Fe'i câi Emma ei hun yn cryfhau efo pob cam. Chwaraeai awel ysgafn trwy'i gwallt gan lacio'r gwres yn ei phen. Trodd y ddau, fel un, a dilyn llwybr union am y môr. Pefriai'r haul ar y dŵr. Ni theimlai Emma unrhyw arswyd, dim ond ysfa am gael symud yn nes ac yn nes at y rhyfeddod y bu iddi ei wrthod gyhyd.

Mentrodd y ddau cyn belled ag y meiddient. Gadawodd Emma i don chwalu tros flaen ei hesgid. Teimlai'n llawn gorchest.

''D oes 'na ddim byd i'w ofni ynddo fo,' meddai.

Ni ddywedodd Tom Bevan air, dim ond tynhau ei afael ar ei braich. Â'i chlustiau'n llawn o sŵn y môr, cofiodd Emma am yr eneth fach honno a fu'n crio'i gofid ar y traeth. Nid oedd y gofid hwnnw ond blaenffrwyth mil o ofidiau, a phob un yn gwasgu arni, a'i sigo. Ond y munud hwnnw, gallai Emma dyngu fod y gofidiau hynny i gyd wedi eu taflu oddi ar ei hysgwyddau a'u bwrw i'r lli. Ac wrth iddynt gerdded yn ôl am y car, yr haul ar eu gwarrau a'r awel yn eu gwalltiau, teimlai y gallai, petai galw, orchfygu'r byd.

7

Gwnaethai Mati ymdrech deg i ddal ei thafod. Roedd yr ansicrwydd yn chwarae hafoc efo'i nerfau a theimlai fel gafael yn y bachgen a eisteddai gyferbyn â hi a rhoi ysgytwad iawn iddo. Wedi'r cyfan, nid oedd ond yn deg iddi gael gwybod b'le'r oedd hi'n sefyll.

'Sut oedd petha adra tro yma, Emyr?' holodd, mor ddidaro ag oedd bosibl.

''R un fath.'

Go drapia'r hogyn—pa elwach oedd hi ar ateb fel'na? Nid oedd dim amdani ond plymio i'r dwfn.

'Ydach chi wedi dŵad i ryw benderfyniad?'

'Naddo. Ond mi fydd raid imi . . . rhag blaen.'

'Wel, bydd.'

'Mi ge's i dipyn o draffarth . . . 'nhad wedi ffraeo efo'r nyrs sy'n gofalu am mam ac wedi'i throi hi allan o'r tŷ. Mi fuo'n rhaid i mi ymddiheuro ar 'i ran o. A phan ddalltodd o be o'n i wedi'i 'neud mi aeth yn wallgo. Mae'r nyrs yn ôl rŵan, dros dro o leia, ond mae'r anghydfod yn deud ar mam.'

'Roedd o ar fai yn gneud helynt.'

'Un byrbwyll ydi o. Mam fydda'n cadw cow arno fo. 'D ydi o a finna rioed wedi dallt ein gilydd.'

'Fedrodd Lena a finna rioed weld llygad yn llygad ar ddim chwaith. Roedd hi'n mynnu 'y mod i'n trio mynd rhyngddi hi a Gwyneth.'

'Tynnu ar 'i hôl hi mae Gwyneth, ia?'

'Pam 'dach chi'n gofyn?'

'Wel . . . 'd oedd 'na ddim dichon 'i darbwyllo hitha, unwaith roedd hi wedi cymryd yn 'i phen.'

'Pa mor dda oeddach chi'n 'i 'nabod hi, Emyr?'

'Roeddan ni'n perthyn i'r un criw yn y coleg, ond 'y mod i ar 'y mlwyddyn ola a hitha ar 'i blwyddyn gynta.'

'Y criw ddaru 'neud yr helynt, ia?'

'Ia. Ond chymris i ddim rhan yn y llosgi. Roedd gen i gyfrifoldab i mam . . . fedrwn i mo'i siomi hi.'

'Gwrthod ymddiheuro ddaru Gwyneth.'

'Ia, wn i. Mi fuo'n ddewr iawn, Mati.'

'Do, debyg. 'Ro'n i'n arfar meddwl mai tynnu ar ôl Richard roedd hi, ond falla'ch bod chi'n iawn, Emyr. Mi fuo Lena'n ddewr iawn hefyd, yn 'i ffordd 'i hun.'

'Pryd gwelsoch chi Gwyneth ddwytha?'

'Mi ddaeth i'r angladd, a gadael yr un diwrnod. Alla i mo'i beio hi . . . 'd oedd 'na fawr o gysur iddi adra. Ond cofiwch, mi oedd Richard, ryfeddad ag ydi o, yn meddwl y byd ohoni.'

'Roedd hi'n sôn llawar am yr hwyl fyddan nhw'n 'i gael.'

'Mi fasach yn meddwl 'u bod nhw'r un oed. Ond hogyn mawr wedi gordyfu ydi Richard wedi bod rioed, ran'ny, a dyna fydd o am byth. Finna'n madda pob dim iddo fo ond iddo fo 'neud pen cam a throi'r ddau lygad glas 'na arna i. Ond byth eto.'

Cododd Emyr a dechreuodd glirio'r bwrdd. Ni wnaeth Mati unrhyw ymdrech i'w helpu. Ar y munud, ni fyddai waeth ganddi petai'r llestri heb eu golchi byth. Dylai fod wedi symud o Finafon ar ôl colli Arthur, cyn iddyn nhw gael gafael arni. Gelod, dyna oedden nhw, yn sugno'i gwaed ac yn ei thaflu o'r neilltu wedyn. 'Teulu ydi teulu, Mati,' meddai Emma Harris. Digon hawdd iddi hi siarad a hithau heb neb i'w ddwndran ond hi ei hun. Mynd a wnâi'r Emyr yma hefyd, ac ni chlywai ragor oddi wrtho ar wahân, efallai, i gerdyn Nadolig i leddfu'i gydwybod. Pawb yn mynd, heb feddwl ddwywaith, a hithau'n aros, mor ddiymadferth â phry bach, wedi'i dal mewn gwe o hiraeth.

PENNOD 11

Dydd Mercher, Hydref y 5ed

1

Cymryd stoc o gynnwys ei weithdy a'i gael cyn brinned â'r coed yn yr iard yr oedd Richard pan ddaeth Hyw Twm ar ei warthaf, fel ci lladd defaid.

'Psst.'

Trodd Richard yn sydyn a tharo asgwrn ei benelin yn y fainc. Saethodd poen i fyny ei fraich nes tynnu dŵr i'w lygaid.

'Be gythral wyt ti'n drio'i 'neud?' arthiodd.

'Cadw dy lais i lawr, Pŵal. Ŵyr Magi ddim 'y mod i yma.'

'Be sydd ganddi hi . . . clustia milgi?'

'Sbeis.'

'Y?'

'Hyd y lle ym mhob man, yn sbecian arna i ac yn cario i Magi. Ga' i ddŵad i mewn gen ti?'

'Cei, ond iti beidio aros yn rhy hir.'

'Wyt ti wedi cael joban?'

'Sais o'r topia . . . dyn dŵad. Mi faswn i 'di llwgu'n disgwyl wrth bobol Trefeini 'ma, y diawliad pwdwr.'

''D wyt ti ddim gwaeth?'

'Ddim gwell chwaith, diolch i ti. Ugian punt, dyna faint gostiodd y trip 'na imi, ar ben pres cwrw.'

'Sut, felly?'

'Yr hen foilar 'na ddaru wagio fy walad i 'te. A 'd oes wybod be neith y gestapo imi. Mi ddoist ti allan yn iawn, yn do? Magi'n ffysian o dy gwmpas di fel iâr un cyw a finna wedi mentro 'mywyd i dy gael di adra . . . ofn y bydda hi'n dy ddarn-ladd di.'

'Biti drosta i oedd ganddi hi 'sti. 'D ydi hi ddim yn licio 'ngweld i'n cael cam.'

'A pha gam ge'st ti? Y?'

Taflodd Richard ei arfau blith-draphlith i'w fag. Job prentis oedd hon, hefyd, ond unwaith y câi ei fys ar byls y Sais siawns na allai ei berswadio i ymadael â rhagor o'i arian.

'Mi 'dw i wedi bod yn meddwl, Pŵal . . . mi 'dw i am droi dalan newydd.'

'A gneud be, felly?'

'Diawl, 'd wn i ddim eto. Siawns fod 'na rwbath fedra i 'i 'neud.'

'Pam na ddechreui di drwy beidio gneud?'

'Fel be d'wad?'

'Rhoi'r gora i'r ffags a'r cwrw a llygadu coesa merchad.'

'Dew, mi wyt ti wedi'i tharo hi rŵan. Mi fydda hynny'n plesio Magi.'

Estynnodd Richard baced sigarets o'i boced.

'Waeth imi heb â chynnig un i ti, felly,' meddai.

'Neith un bach ddim drwg.'

'Y petha bach sy'n cyfri, Hyw Twm.'

Aeth Richard at y drws a'i agor led y pen. Llifodd haul i mewn i'r gweithdy.

'Mae gen i awydd mynd am dro yn y fan pnawn 'ma,' meddai. 'Mi faswn i'n gofyn iti ddŵad efo fi, ond thala hi ddim i ddyn sydd newydd gael tröedigaeth gael 'i weld efo publicanod a phechaduriaid.'

'Waeth imi fynd, felly, ddim,' yn benisel.

''D ydi hi ddim rhy fuan iti droi'r ddalan 'na.'

Rhoddodd ei law i orffwys ar ysgwydd Hyw Twm wrth i hwnnw lusgo heibio, ac meddai'n dadol,

''D oes gen i ond dymuno pob bendith i chi, 'machgan i.'

Wedi i Hyw Twm ei adael eisteddodd Richard ar garreg drws y gweithdy, yn llygad yr haul. Nid oedd dim fel ychydig oriau y tu ôl i farrau i roi ofn tân uffern yng nghalon rhywun, meddyliodd. Clywsai yntau'r fflamau'n hisian unwaith neu ddwy. Ond roedd tridiau ers hynny, a'r ofn wedi hen ddiflannu. P'run bynnag, onid iddo ef yr oedd y diolch fod Hyw Twm wedi ei achub? Roedd hi'n ddigon fod y noson afradlon wedi dod ag un ddafad golledig yn ôl i'r gorlan. Siawns na châi'r llall lonydd i grwydro b'le y mynnai, am ryw hyd eto.

2

Pan agorodd Katie Lloyd ei drws cefn ganol dydd gwyddai y dylai adnabod y ferch a safai'n swil o'i blaen.

'Alla i gael gair efo chi, Mrs Lloyd?'

'Gallwch, siŵr. Mi wn i y dylwn i'ch 'nabod chi, ond fedra i'n 'y myw . . .'

'Madge . . . Madge Parry.'

'Wel, ia. Be oedd ar 'y mhen i, deudwch? Dowch drwodd. Fedra i ddim deud wrthach chi mor falch ydw i o'ch gweld chi allan.'

'Dim ond picio i roi'r rhain i chi wnes i.'

Rhoddodd Madge bentwr o bapurau ar y bwrdd.

''U cael nhw ym mhocad Os wnes i, a digwydd gweld eich enw chi ar un ohonyn nhw. Mae gen i ofn 'u bod nhw wedi'u darnio'n o ddrwg.'

Craffodd Katie ar y darnau papur.

'Fy llythyr i ydi o. Mi rhois i o i Os i'w bostio, wythnos i ddoe. Mi 'dw i wedi bod yn disgwyl atab bob dydd . . . methu deall be oedd wedi digwydd. 'Ro'n i wedi 'i rybuddio fo i fynd i'r post, ar 'i union.'

'Mynd i chwara ddaru o, debyg, ac anghofio pob dim.'

'Mae golwg mawr arnyn nhw, Madge, a'r inc wedi rhedag, ylwch. Be fuo fo yn 'i 'neud efo nhw, deudwch?'

'Cychod bach mae'n siŵr. Dei . . . Mr Elis . . . ddaru'i ddysgu o. Fiw imi adael papur o gwmpas y lle. Mae'n wirioneddol ddrwg gen i. Chymrwn i mo'r byd . . .'

''D oes 'na ddim bai arnoch chi. Ac o leia mi 'dw i'n gwybod rŵan. 'Ro'n i am fynd ar y ffôn y pnawn 'ma, efo fy ffrind . . . iddi hi roedd y llythyr . . . ac am 'i deud hi'n hallt wrthi hi, hefyd, am fy anwybyddu i. Mi ddylwn fod wedi meddwl na wnâi hi byth mo hynny. Ond fedrwch chi ddim bod yn siŵr o neb y dyddia yma.'

'Na fedrwch . . . neb. Mi a' i 'ta.'

'Na, peidiwch â mynd rŵan. Mi fydd raid i chi gymryd panad efo fi a ninna heb weld ein gilydd ers cymaint o amsar.'

Brysiodd Katie trwodd i'r gegin. Pwy fyddai'n meddwl y gwelai hi Madge Parry, o bawb, yn eistedd ar ei haelwyd? Cofiai fel petai'n ddoe y noson y daethai Emma'n ôl o fod wedi gweld Madge, a golwg angau arni, ac fel y bu iddi hi, Katie, dderbyn y newydd am Dei Elis heb droi blewyn. Ni allai fod wedi egluro'r teimlad. Rhywbeth yn osgo a symudiad Os a roesai fod iddo, efallai, ac nid oedd wedi meddwl fawr rhagor am y peth er ei bod hi'n ddiolchgar fod Gwen Elis wedi rhoi'r gorau i alw yma ac na fyddai'n rhaid iddi ei hwynebu.

Ni chofiai gynnal sgwrs â Madge erioed, dim ond cyfnewid ambell sylw dibwys wrth fynd heibio. Rhusio a wnâi Madge, bob amser. Byddai ei gweld yn ei hatgoffa ohoni ei hun yn eneth yn Llanelan, pan nad oedd digon o oriau mewn diwrnod a hithau mor gyndyn o'u rhoi i'w cadw.

'Ar 'i phen i ddistryw yr aiff hi, gewch chi weld,' meddai Harri, ac ni allai hithau ond cytuno pan wireddwyd ei broffwydoliaeth. Ond bu colli gweld Madge yn ergyd drom iddi. Bu unwaith mor feiddgar â chefnogi'r eneth yng nghlyw Harri trwy amau eu hawl i'w chondemnio, a'i atgoffa o dosturi Crist tuag at y wraig a ddaliwyd mewn godineb. Gallai deimlo dau bigyn dur ei lygaid arni a chlywai eto'r llais undonog hwnnw'n adrodd,

'Oherwydd y sawl sydd â'u bodolaeth ar wastad y cnawd, ar bethau'r cnawd y mae eu bryd; ond y sawl sydd ar wastad yr Ysbryd, ar bethau'r Ysbryd y mae eu bryd. Yn wir, y mae bod â'n bryd ar y cnawd yn farwolaeth, ond y mae bod â'n bryd ar yr Ysbryd yn fywyd a heddwch. Ni all y sawl sy'n byw ym myd y cnawd foddhau Duw.'

Pan ddaeth â'r te trwodd, meddai,

'Meddwl 'ro'n i rŵan, Madge, amdanoch chi ac Emma . . . bob amsar ar frys gwyllt, fel 'tasa 'na ddim digon o oria mewn diwrnod.'

''D oedd 'na ddim. Ond dwy anghyfrifol iawn oeddan ni mae arna i ofn.'

'Mae angan hynny weithia. Buan iawn mae rhywun yn sobri.'

'Mae Emma'n galw i 'ngweld i reit amal rŵan.'

'Ydi hi, wir?'

'Efo chi roedd hi 'te, y noson honno y llynadd, pan ddaeth hi draw acw?'

'Noson y ddamwain, ia?'

'Nid damwain oedd hi.'

'Mi galwn ni hi yn hynny.'

'Fedra i ddim diolch digon i chi. Wn i ddim be fyddwn i wedi'i 'neud 'taen nhw wedi mynd ag Os oddi arna i.'

'I Emma mae'r diolch mwya. Roedd hi'n driw iawn i chi, Madge. Mae'n dda gen i fod petha fel roeddan nhw rhyngoch chi.'

'Fyddan nhw byth fel roeddan nhw.'

'Ond mi wyddoch be maen nhw'n 'i ddeud am gynna tân ar hen aelwyd. Mae o'n ddigon gwir. Mi brofais i hynny'r ha' 'ma. Mi fydd Emma'n gefn i chi, a falla y gallwch chi symud allan unwaith eto.'

'Na . . . mae hi'n rhy hwyr i hynny.'

Byddai Harri'n gwaredu pe gwyddai iddi wahodd Madge Parry i'r tŷ a'i chymell i aros am baned. Ond pa wahaniaeth bellach? Byddai'n rhaid iddi ffonio Ann cyn gynted ag y medrai. Dim ond gobeithio nad oedd y tŷ wedi ei werthu. Ond cyn hynny, roedd am wneud yn siŵr fod Madge yn cael ei siâr o groeso, petai ond i ddiolch iddi am ei helpu i allu datod y cyffion a dianc o'i charchar am awr neu ddwy.

3

Gyrru'n hamddenol trwy Drefeini'r oedd Richard pan welodd Eunice yn dod allan o'r Co-op, yn llwythog o barseli a bagiau. Tynnodd i fyny wrth y palmant ac agor drws y fan.

'Tacsi, madam?'

'Mi 'dw i'n iawn, diolch.'

'Paid â malu. Nid mul bach wyt ti. Tyd â'r pacia 'na yma.'

''D oes dim angan. Mi 'dw i wedi hen arfar.'

Gafaelodd Richard yn y paciau a'u rhoi yng nghefn y fan.

'Neidia i mewn reit sydyn. Mi wyt ti'n tynnu sylw pawb.'

Eisteddodd Eunice yn gefnsyth yn ei sêt, mor agos ag y gallai i'r drws.

'Wna i mo dy frathu di 'sti.'

Symudodd y fan ymlaen i gyfeiriad Minafon.

'Roedd Katie Lloyd yn y Co-op. Mae hi'n siŵr o fod wedi'n gweld ni.'

'Hwyl iddi hi.'

'Mae hi wedi bod yn annifyr iawn efo fi. Mi 'dw i'n siŵr 'i bod hi'n ama.'

'Be sydd 'na i'w ama 'te? Sut mae Brian?'

'Mae o wedi mynd i weld yr arbenigwr, i Fangor.'

''D ydi o ddim cystal, felly?'

'Mae o wedi gorfod rhoi'r gora i'w waith.'

''Ro'n i'n ama mai felly bydda hi. Cychwyn am reid o'n i. Tyd efo fi, am newid bach.'

'Mae gen i waith i 'neud.'

'A phob dydd i'w 'neud o. Mi 'neith les iti. Lle liciat ti fynd?'

'Dim gwahaniaeth gen i.'

'Cyn belled â dy fod ti efo fi, ia?' yn herllyd. 'Hei, tyd 'laen, Eunice, mi gei'r haul o dan gwmwl wrth wgu fel'na. 'Neith gwên fach mo dy ladd di.'

''D ydw i ddim yn teimlo fel gwenu.'

'Poena'r byd?'

'Rwbath felly.'

'Gawn ni weld be fedrwn ni 'i neud, ia? Ffwrdd â ni 'ta . . . i b'le bynnag.'

Wedi iddynt fynd rai milltiroedd, gadawodd Richard y ffordd fawr a dilyn lonydd croesion nes cyrraedd y gwesty lle'r arferai gyfarfod â Lis yn nyddiau cynnar eu caru. Roedd o'n ddigon di-arffordd fel na fyddai perygl taro ar neb o Drefeini ond y rhai a ddigwyddai fod yno ar yr un perwyl eu hunain. Ac yn well fyth, roedd digonedd o gorneli caru slei yn y wlad o gwmpas. Yn uwch i fyny am y mynydd roedd rhaeadr lle bu Lis ac yntau'n ymdrochi'n noethlymun yng ngolau'r lleuad. Chwarae a charu ar yn ail, y chwarae'n garu a'r caru'n chwarae. Roedden nhw'n ddyddiau dedwydd, tra par'on nhw.

Syllodd ar yr eneth wrth ei ochr. Roedd un peth yn siŵr—byddai angen mwy na'r peint neu ddau a yrrai waed Lis ar garlam i gynhesu Eunice Murphy.

'Dipyn o eli i'r galon, ia?' holodd.

'Panad o de oedd hynny, yn ôl mam.'

'Nid yr un eli sy'n gneud i bawb.'

Roedd hi fel y ddoli degan honno a fu gan Gwyneth unwaith, meddyliodd Richard. Doli-siarad oedd hi, ond aethai'r peiriant llais ar streic yn fuan wedi iddynt ei phrynu. Cofiai fel y byddai hynny'n cythruddo Gwyneth. Byddai'n dal y ddol â'i hwyneb i waered ac yn ei 'sgrytian nes bod y darnau rhydd yn rhuglo o'i mewn. Teimlai yntau fel gafael yn Eunice a'i hysgwyd, nerth braich. Ond go brin y deuai ebwch ohoni, mwy nag o'r ddoli degan. I b'le'r aeth y storman ddel honno a'i rhoddodd yn daclus yn ei le pan aeth i'r drws i holi ynglŷn â Brian, a'r gath fach ystrywgar a'i denodd ati i'r llofft? Wedi'i llwgu yr oedd hi, debyg. A pha ryfedd, ran'ny? Pa obaith oedd gan rhyw lipryn fel Brian Murphy o fodloni unrhyw ferch?

Roedd hi eisoes yn eistedd â'i llygaid wedi eu hoelio ar y bwrdd o'i blaen. 'Mi wna i iti edrych arna i,' meddai Richard, wrtho'i hun. 'Nid dy Brei bach da-i-ddim di sydd yma rŵan 'sti ond dyn go iawn fedar godi awydd hyd yn oed ar ddoli degan. Aros di'r ast fach, mi wna i iti fynd ar dy linia i erfyn arna i gymryd trugaradd arnat ti.'

Teimlodd Richard flas chwerw yn codi i'w lwnc a brysiodd i geisio'r chwerw arall i'w liniaru, tros dro.

4

Dim ond newydd gyrraedd adref o'i gwaith a heb gael cyfle i dynnu ei hoferôl wen yr oedd Magi pan alwodd Gwen.

'Mynd 'ta dŵad wyt ti?' holodd.

'Dŵad, diolch i'r drefn. Mae 'mhegla i'n fy lladd i. Choelia i byth nad ydi'r Trefeini 'ma'n fwy afiach na'r cyffredin. Ond crydd, nid doctor, mae'r rhan fwya ohonyn nhw 'i angan, ran'ny, yr holl maen nhw'n 'i gerddad i'r lle 'cw.'

'Fyddi di'n gweld rhywun o Finafon weithia?'

'Na, mae hi wedi tawelu'n arw. Wyt ti'n cofio cyn yr ha' llynadd, mi oedd Doctor Puw yn byw ac yn bod acw. 'D ydw i wedi gweld neb o'cw ers hydoedd, ond Dei chdi.'

'Dei? Be oedd o'n 'i 'neud acw?' yn gynhyrfus.

'Gweld doctor 'te, fel pawb arall.'

'Be ydi'r matar arno fo?'

'Be wn i? Fydda i ddim yn gwrando wrth twll clo 'sti. Mae golwg wedi 'styrbio arnat ti, Gwen. Faswn i ddim yn poeni gormod 'taswn i chdi. Dipyn o fabis ydi'r dynion 'ma. 'Na ti Hyw Twm, wedi cael pob clefyd bosib, 'tasat ti'n gwrando arno fo . . . o glwy penna i gowt. Ta waeth amdanyn nhw, mae gen i stori iti.'

Ceisiodd Gwen ei sadio ei hun. Nid oedd fiw iddi fradychu gormod i Magi. Ni fyddai honno fawr o dro'n rhoi dau a dau at ei gilydd a chael pump, fel pawb dwl. Be oedd yn bod ar Dei, tybed?

Mae'n rhaid ei fod o'n rhywbeth go ddifrifol i'w yrru at y doctor ac yntau wedi tyngu erioed nad âi ar ofyn yr un ohonynt nes ei bod yn ben set.

'Wel, wyt ti'n barod?'

'I be?'

'I gael y stori 'te.'

'Ydw, am wn i.'

'Paid â swnio mor awyddus. Wyt ti isio gwybod?'

'Oes, siŵr.'

'Pryd gwelist ti Dic Pŵal ddwytha?'

'Ddim ers dyddia.'

'Cuddio mae o, debyg.'

Ar y munud, nid oedd gan Gwen rithyn o ddiddordeb yn anturiaethau diweddaraf Richard Powell. Ond fel y cynhesai Magi i'w stori aeth yr hen ysfa'n drech na hi. Toc, roedd hi'n porthi Magi wrth i honno roi ei fersiwn hi o saga'r Sadwrn a'r Sul.

'Mi fasa dy galon di'n gwaedu 'tasat ti wedi'i weld o, Gwen,' meddai. 'Yn swp bach yn y gornal fel ci wedi'i chwipio a'r sglyfath Dic Pŵal 'na'n dangos 'i ddannadd arna i drwy'r baria. Mi welis i amgenach petha yn sŵ Caer.'

'Dyna'r lle gora iddo fo.'

'Dyna ddeudis inna. Mae'i well o wedi cael 'u crogi. Mi oedd dannadd Hyw Twm yn clecian dros y lle a'i draed tlawd o fel lympia o rew . . . yr hen uffernols 'na wedi dwyn 'i sgidia fo. Ond mi rois i Joni Nain ar 'i din.'

Pletiodd Gwen ei cheg. Nid oedd angen bod mor fras. Ond roedd Magi wedi ymgolli gormod yn ei stori i sylwi.

'Mi ge's draffarth i gael Hyw Twm i gyfadda'r gwir. Trio cadw ar Dic Pŵal a hwnnw wedi'i orfodi o i fynd i jolihoetio efo fo yn yr hen fan gomon 'na sydd ganddo fo, ac wedi'i feddwi o'n chwil gaib.'

'Cena drwg ydi o.'

'Y tu hwnt i achubiaeth. Mi 'dw i'n deud wrthat ti, Gwen, mi 'dw i wedi byw mewn ofn o'r eiliad y dalltas i 'i fod o'n ôl. Mi fedrat 'neud efo panad, dicin i?'

'Na, mi fydd raid imi fynd.'

'Be 'di'r brys? Fydd Dei ddim adra am sbel.'

Na fyddai, ran'ny. A pha well fyddai hi o eistedd yn y tŷ yn ei aros a'r tawelwch yn chwyddo'i hofnau? Dei druan, roedd hi'n chwith meddwl amdano fo'n dioddef yn ddistaw yn y parc 'na ac yn cael ei orfodi i ofalu am yfory rhyw dipyn blodau a'i yfory ei hun mor ansicr. Ond fe gâi bob gofal ganddi hi, o câi, ac fe fynnai iddo gael barn rhywun o awdurdod; nid cwac fel Doctor Puw. Ni ddeuai yma eto ar fyrder. Efo Dei yr oedd ei lle hi ac fe wnâi'n siŵr na fyddai gofyn iddo byth eto guddio'i boenau rhagddi.

5

Cawsai Richard gryn drafferth i berswadio Eunice ei bod yn llawer rhy gynnar i ddychwelyd i Finafon. Bu ond y dim iddo roi'r ffidil yn y to a mynd â hi adref, ond nid oedd y peintiau chwerw a gawsai wedi llwyddo i ladd y surni. Yn y gwesty, bu Eunice yn sipian ei sudd oren fel petai'n wenwyn.

'Ydach chi ddim yn meddwl eich bod chi wedi cael digon?' holodd, yn fursennaidd, pan gododd ef i nôl ei drydydd peint.

'Dim ond dechra ydw i eto,' atebodd yntau.

Roeddynt erbyn hyn ar y lôn fynydd a'r fan yn crafu'r cloddiau ar bob troad.

'Fedrwch chi ddim 'rafu mymryn?' holodd Eunice.

Ni wnaeth hynny ond peri iddo roi ei droed i lawr yn galetach. Ni châi tamaid o eneth reoli na'i yfed na'i yrru, reit siŵr.

'Mae gen i rwbath i'w ddangos iti,' meddai.

'Mi fydda'n well gen i gael mynd adra.'

'Anniolchgar ar y naw 'd wyt?'

'Ofynnis i ddim am gael dŵad.'

Roedd y ddoli degan yn dangos dipyn o gythral o'r diwedd, oedd hi? Gorau oll.

Darfu'r lôn yn sydyn a chodai ehangder o dir mynydd o'u blaenau. Diffoddodd Richard y peiriant.

'Allan â chdi,' meddai.

'Fedra i ddim dringo mynyddoedd yn y sgidia yma.'

'Tyn nhw 'ta.'

'Mi faedda i'n sana.'

'Tyn rheini hefyd. Tyn y cwbwl lot tra wyt ti wrthi. 'D oes 'na neb i dy weld ti ond fi ac mi 'dw i wedi cael y fraint honno'n barod.'

''D ydw i ddim isio siarad am y peth.'

'Finna chwaith. Gneud, nid deud, fydda i. Dim ond rhyw ganllath a hannar sydd 'na i fynd. Dros y gamfa ac i fyny am y llwyn coed.'

Roedd hi wedi cyrraedd y gamfa o'i flaen ac yn sefyll arni, un goes o boptu a'i sgert dynn wedi dringo i fyny tros ei chluniau.

'Mae fy hosan i wedi cydio'n y weiran bigog,' galwodd.

'Dyna sydd i'w gael o fod mor annibynnol.'

Daeth i fyny ati a sefyll â'i ddwylo ar ei ochrau, ei lygaid yn dilyn rhediad llyfn ei choes.

'Mi 'dw i'n sownd.'

'Rwyt ti ar fy nhrugaradd i felly 'd wyt?'

'Fedrwch chi fy helpu i?'

'Falla y galla i, os gofynni di'n glên.'

'Plîs, Richard.'

'Dyna welliant.'

Tynnodd Richard edau'r hosan yn rhydd o'r wifren a'i gosbi ei hun rhag cyffwrdd â'r llyfnder. Dringodd y ddau am y llwyn coed nes cyrraedd y llwybr a arweiniai at y rhaeadr. Roedd hwnnw wedi cau efo tyfiant. Gwthiodd Richard ei ffordd trwodd gan beri i Eunicc ci ddilyn.

'Ydi o'n bell eto?'

'Tafliad carrag.'

Daethant allan o'r drysni i'r llain agored lle bu Lis ac yntau'n gorwedd, a'r diferion dŵr ar gnawd yn sïo yng ngwres eu caru. Lis, yn lapio'i choesau amdano, a'r ddau yn rholio trwy'r gwair a'u cyrff ynghlwm.

'Wel?'

'Wel be?'

'Lle mae'r . . . rhyfeddod 'ma?'

'Dacw fo.'

Lle bu rhaeadr ewynnog y nos loergan honno nid oedd heddiw ond diferion pitw yn poeri tros ymyl craig.

'Mi 'dach chi wedi fy llusgo i'r holl ffordd i weld hwnna?'

'Roedd 'na gythral o nerth ynddo fo'r tro dwytha yr o'n i yma.'

'Hy! Mae o wedi chwythu'i blwc 'd ydi?'

'Ond 'd ydw i ddim. Wyddost ti be fuas i'n 'i 'neud yma? Caru'n noethlymun ar y gwair yn fan'na. Roedd 'na wres ynddi hi, hefyd, bron gymaint ag oedd 'na ynat ti pan ge'st ti dy ffit sterics. Mi wyt ti'n siŵr o fod yn cofio?'

'Ddim yn arbennig.'

'Mi fydd raid imi d'atgoffa di 'ta. Mi wnes i addo iti y bydda fo'n well yr eildro, yn do?'

'Mi 'dw i isio mynd adra, Richard.'

'Adra? Pa well fyddi di yn fan'no? Be mae'r tipyn gŵr 'na sydd gen ti yn 'i 'neud yn y gwely . . . canu lwli-lw iti fynd i gysgu?'

'Mae Brei yn werth deg ohonoch chi.'

'Ydi o wir?'

Gallai Richard deimlo'r gwaed yn pwyo yn ei ben. Fe gâi'r ast gythral dalu am hynna. Symudodd yn fygythiol tuag ati.

'Peidiwch â chyffwrdd yna i.'

Camodd Eunice yn ôl am y llwyn coed. Yna, pan oedd Richard ymron â'i chyrraedd, dechreuodd wthio'i ffordd trwy'r drysni. Cydiai'r drain wrth ei chnawd a'i dillad a rhygnodd miaren ar draws ei boch ond brwydrodd ymlaen yn ddi-hid gan wybod ei fod yn ennill tir arni. Wedi iddi adael y coed, chwiliodd yn wyllt am loches. Gwelodd greigiau i'r chwith iddi ac anelodd am y rheini er nad oedd ganddi fawr o obaith eu cyrraedd.

Pan ddaeth Richard allan i'r golau o wyll y coed, teimlai ei stumog yn corddi ac ni allai yn ei fyw reoli ei goesau. Wrth iddo gychwyn rhedeg yn llafurus i ddilyn Eunice cydiodd ei droed mewn twll a syrthiodd yn lleden i'r gwair. Gorweddodd yno am rai eiliadau gan deimlo'r ddaear yn codi ac yn gostwng oddi tano. Pan fentrodd godi ei ben, gwelai bopeth fel trwy darth.

'Eunice!'

Daeth ei lais yn ôl ato ar adlam.

Swatiodd Eunice yng nghysgod craig. Roedd y crafiad ar ei boch yn llosgi fel tân ond ni feiddiai symud na llaw na throed.

Cododd Richard ar ei bedwar a cherdded yn ei gwman am y gamfa. Bustachodd trosti a'i ollwng ei hun i'r lôn. Teimlodd ei ffordd am y fan ac wedi peth ymdrech llwyddodd i agor y drws cefn a chael gafael ar botelaid o ddŵr a gadwai yno rhag ofn i'r injian boethi gormod. Yfodd yn helaeth o'r botel a thywallt y gweddill tros ei ben. Cliriodd y niwl yn raddol a theimlai'r nerth yn llifo'n ôl i'w gyhyrau. Fel'na'r oedd ei dallt hi, ia? Nid oedd yr un ferch wedi dianc rhagddo o'r blaen. B'le roedd hi'n llechu, tybed? Ta waeth, ran'ny; fe gâi aros yno. O, gallai, fe allai yntau chwarae'r gêm, i'w phen.

O'i chuddfan, gwyliodd Eunice Richard yn dringo i'r fan. Wedi sawl cam gwag, llwyddodd i'w throi. Rhuodd honno, gan ollwng cymylau o fwg i'r awyr, cyn diflannu i lawr y lôn.

6

Dal ei dwylo'r oedd Mati pan alwodd Gwen Elis i ofyn benthyg tatws. Roedd hi wedi cerdded yr holl ffordd i'r dref, meddai hi, heb gofio ei bod hi'n hanner diwrnod. Gwahoddodd Mati hi i mewn, ar hyd ei thrwyn, gan obeithio y byddai ar ormod o frys i loetran.

'Mi edrycha i be sydd 'na,' meddai. 'Fydda i ddim yn 'morol am lawar i mi fy hun.'

'Beth am y lojar?'

''Chydig iawn fydd o'n 'i fwyta.'

'Hogyn ifanc fel'na. Be 'haru o 'dwch?'

'Mae o wedi bod o dan dipyn o straen.'

'On'd ydan ni i gyd. Pryd gwelsoch chi Dei ddwytha?'

'Ryw ben ddoe.'

'Sut oeddach chi'n 'i weld o'n edrych?'

''R un fath ag arfar. Roedd o'n dawedog iawn, ond un tawal ydi o ar y gora 'te.'

'Mae arna i ofn fod 'na rwbath go fawr arno fo, Mati.'

Gollyngodd Mati'r cwdyn tatws o'i dwylo a throi i wynebu Gwen.

'Bobol annwyl! Wyddwn i ddim.'

'Wyddwn inna ddim chwaith, er 'y mod i wedi ama. Clywad wnes i heddiw iddo fo fod efo Doctor Puw.'

'Ac mi 'dach chi'n credu 'i fod o'n celu rwbath rhagoch chi?'

'I f'arbad i 'te,' yn siarp.

'Ond 'd ydach chi ddim gwell o fynd i gyfarfod gofidia.'

''D oes gen i neb ond Dei. Roedd y plant ganddoch chi.'

''Chydig iawn o gysur oedd y rheini.'

'Fuo 'na rioed neb arall i mi, nac i Dei chwaith. Byw i'n gilydd, heb 'neud drwg i neb. Rhyw hen rapsgaliwns anfoesol yn cael pob moetha a Dei a finna'n gorfod diodda fel'ma. Sut ydach chi'n egluro hynny?'

'Wn i ar y ddaear.'

'Mi 'dach chi'n mynd i'r capal 'd ydach?'

'Wel . . . ydw.'

'Siawns nad oes ganddyn nhw ryw eglurhad.'

'O, oes. Ond 'd ydw i fawr elwach arno fo.'

'Be wna i, Mati?'

Teimlai Mati'n gwbl ddiymadferth. Cofiai ofyn yr un cwestiwn iddi ei hun pan sylweddolodd nad oedd gwella i Arthur. Bu'n ei ofyn ganwaith wedyn, yn ystod ei salwch ac ar ôl ei golli. Profodd amser iddi mai'r unig ateb oedd pydru ymlaen a dal gafael orau y medrai. Ond pa gysur a roddai hynny i Gwen Elis nad oedd eto ond prin wedi cychwyn ar siwrnai y byddai arni angen ei holl nerth i'w hwynebu? Nid oedd ganddi ddim amgenach i'w gynnig iddi na hanner dwsin o datws digon tila.

'Mae'n ddrwg gen i, Gwen Elis, dyma'r cwbwl sydd gen i. Ewch â nhw yn y bag fel maen nhw.'

''D ydw i ddim isio'ch tlodi chi,' yn sychlyd.

'Fydd arna i mo'u hangan nhw.'

Ysai am gael ei gwared. Roedd hi'n amlwg wedi disgwyl llawer mwy ganddi na'r cwdyn tatws a ddaliai yn ei dwylo. Ond pa hawl oedd gan Gwen Elis i ddod ar ei gofyn hi? Ni chawsai'r un iot o ddim oddi ar ei dwylo hi erioed. Yn wir, gwnaethai ati i'w hatgoffa o'i chefndir a hi, yn anad neb, oedd uchaf ei chondemniad ohoni pan fu Arthur farw. 'Dangos dy hun yn well na hi,' meddai Arthur, pan ysai hi ers talwm am roi clewtan am glewtan i Gwen Elis. Ond ni allodd erioed wneud hynny. Ac roedd hi'n rhy hwyr bellach, yn llawer rhy hwyr. Byddai'n rhaid i Gwen Elis wynebu'r siwrnai a phydru ymlaen orau y medrai, fel y gwnaethai hi, heb na dyn na Duw i gynnal ei beichiau.

Roedd Gwen wedi hen fynd a Mati'n dal yn ei hunfan pan gyrhaeddodd Emyr o'r ysgol.

'Ydach chi'n sâl, Mati?' holodd.

Daeth y pryder yn ei lais â dagrau i'w llygaid.

'Nac ydw, am wn i. Ond mi fydda i os eistedda i yn fan'ma lawar hwy.'

'Hel meddylia eto, ia?'

'Llond trol ohonyn nhw. Mi fuo Gwen Elis yma gynna.'

''D ydi honno ddim lles i chi.'

'Roedd hi wedi cael newydd drwg am 'i gŵr . . . 'i iechyd o . . . ac yn disgwyl cysur, dicin i. Ond mae'r ddynas 'na wedi bod yn ddraenan yn f'ystlys i erioed, Emyr. Fedra i ddim madda iddi, mwya'r cwilydd imi.'

Aeth Emyr ati i lenwi'r tegell a'i roi i ferwi.

'Ddylach chi ddim fod yn gneud hynna,' meddai Mati.

''D ydach chi ddim mor hen ffasiwn â hynny, siawns. P'run bynnag, mi gewch symud digon ar ôl i mi fynd.'

'Mynd i b'le?'

'Adra.'

Teimlodd Mati gryndod oer yn rhedeg trwyddi. Roedd o wedi gwneud ei ddewis, felly. A hithau wedi ceisio ei thwyllo ei hun, wrth i amser fynd rhagddo, ei bod hi'n ddiogel.

Daeth Emyr i eistedd ati ond cadwodd Mati ei phen ar dro oddi wrtho.

'Mae petha wedi mynd i'r pen, Mati. Mi ge's alwad ffôn yn yr ysgol, y doctor sydd wedi bod yn gofalu am mam. Cwyno'n arw roedd o . . . 'nhad yn achwyn am y nyrs a honno'n bygwth gadael eto.'

Gwnaeth Mati ymdrech i'w rheoli ei hun. Wedi'r cyfan, nid oedd ganddi fwy o hawl ar y bachgen yma nag oedd gan Gwen Elis arni hi ac ni allodd, yn ystod yr wythnosau diwethaf, gynnig owns o gysur iddo yntau chwaith.

'Mae'r doctor yn awgrymu symud mam i gartra, y tu allan i'r dre acw. Mae 'na ganmol mawr ar y lle, ond fedra i ddim diodda meddwl amdani yng nghanol dieithriaid. Mi wnes i gynnig rhoi 'ngwaith i fyny i ofalu amdani ond roedd y doctor yn bendant yn erbyn hynny.'

'Fo ŵyr 'i betha, debyg,' mewn llais bach.

'Ia, falla. P'run bynnag, rydw i wedi cael caniatâd y prifathro i gymryd fory i ffwrdd i fynd â hi i'r cartra a gneud rhywfaint o drefn ar betha.'

'Ac mi fyddwch chi'n ôl, felly?'

'Nos fory, gyda lwc. Fydd 'na ddim byd i 'nghadw i yno wedyn. Feddyliais i rioed y bydda petha'n dŵad i hyn, Mati. Mi fydd ar fy nghydwybod i, am byth.'

'Rydan ni i gyd yn gorfod byw efo hwnnw.'

Er bod yr oerni'n llacio'n ara bach, arhosodd Mati ar ei heistedd yn gwylio Emyr yn paratoi'r te. Byddai'n rhaid iddi gadw ei rhyddhad o dan gaead nes cael ei gefn. Peth creulon fyddai iddi ddangos ei llawenydd ac yntau'n cael ei dynnu'n gareiau gan euogrwydd nad oedd modd dianc rhagddo. Ond efallai, ryw ddiwrnod, y gallai ddweud wrtho gymaint yr oedd ei gael yma efo hi yn ei olygu iddi ac mor wag a fyddai'r tŷ hebddo.

7

Teimlai Katie iddi wneud diwrnod da o waith. Aethai allan yn fuan wedi cinio i ffonio Ann a chael honno'n llawn pryder yn ei chylch. Eglurodd hithau hynt a helynt y llythyr. Cyn belled ag y gwyddai Ann, roedd y tŷ'n dal ar werth a mynnodd ei bod yn ffonio'r swyddfa ar ei hunion ac yn ei galw hithau wedyn. Erbyn iddi adael y bwth roedd popeth wedi ei drefnu. Câi olwg ar y tŷ, a chyfle wedyn i drafod a chynllunio efo Ann a'r teulu.

Wedi iddi ddychwelyd i Finafon bu wrthi am oriau'n chwynnu cynnwys y droriau. Roedd un ohonynt yn bochio o hen adroddiadau Calfaria, detholiadau a phentyrrau o nodiadau pregethau yn llawysgrifen ddestlus Harri. Bu'n oedi'n hir uwch eu pennau. Yna, â'i beiddgarwch yn ei dychryn, fe'u taflodd fesul twmpath i'r tân.

Erbyn hyn, roedd hwnnw bron â diffodd. Gorweddai ffrwyth llafur Harri yn bentyrrau duon ar y llygedyn a oedd yn weddill. Un gwth bach efo'r procer, a byddai'r cyfan yn chwalu. Ond nid oedd ganddi'r egni'n weddill i ymestyn amdano hyd yn oed. Chwythai awel oer trwy'r ystafell gan dreiddio trwy'i dillad a'i chnawd. Ni fyddai waeth iddi fynd i'w gwely ddim. Penderfynodd fynd â diod boeth i fyny efo hi.

Yn y gegin yr oedd hi pan dorrodd cnoc ar y tawelwch, fel ergyd o wn. Fe'i dilynwyd gan un arall, ac un arall. Brysiodd Katie am y drws a'r sŵn yn adleisio yn ei phen, fel gordd. Roedd pobol ar fai yn curo mor egar.

'Eunice! Oes 'na rwbath yn bod?'

Gwthiodd yr eneth heibio iddi nes ymron ei thaflu a rhuthro trwodd i'r ystafell eistedd. Dilynodd Katie hi â'i choesau'n gwegian tani. Gobeithio'r annwyl nad oedd y bachgen yna wedi cael pwl arall.

Pan ddaeth i'r ystafell safai Eunice â'i chefn ati. Roedd hi'n igian crio a'i chorff yn crynu'n ddilywodraeth.

'Be sydd wedi digwydd, Eunice?'

Ceisiodd yr eneth fwngial rhywbeth trwy'i dagrau.

''D ydw i ddim yn eich deall chi. Wedi cynhyrfu efo Brian yr ydach chi?'

'Na.'

Diolch am hynny, o leiaf. Sylwodd Katie, am y tro cyntaf, fod golwg mawr ar ddillad Eunice a bod ei sanau'n rhidens.

''Steddwch, da chi. Mi wna i ddiod boeth i chi rŵan.'

Bu Katie'n ffrwcsio o gwmpas y gegin am sbel, yn methu'n lân â dod o hyd i'r pethau'r oedd hi mor gyfarwydd â nhw. Go drapia, roedd hi mewn gormod o oed i gael ei chynhyrfu fel hyn. 'D oedd yna ddim heddwch i'w gael yn y Minafon 'ma.

Pan ddaeth â'r ddiod trwodd roedd Eunice yn eistedd a'r igian crio wedi troi'n ochneidio sych. Cododd ei phen i dderbyn y gwpan a gwelodd Katie, heibio i'r dryswch gwallt, olion gwaed ar ei hwyneb. 'D oedd yr Os 'na rioed wedi ceisio mynd i'r afael â hi eto.

'Ydach chi'n meddwl y medrwch chi siarad rŵan, Eunice?'

'Ga' i molchi ganddoch chi?'

'Wel, cewch. Ond mi 'dw i *yn* meddwl y dylwn i gael gwybod be sydd wedi digwydd, gynta.'

'Richard Powell.'

'Richard? Be amdano fo?'

'Fo ddaru hyn imi.'

Tywalltodd Eunice y cyfan allan yn dalpiau blêr, digyswllt a phrin y gallai Katie wneud unrhyw synnwyr ohono. Beth bynnag oedd gwendidau Richard, roedd hi'n anodd derbyn y darlun ffiaidd yma ohono. Ceisio ei chyfiawnhau ei hun yr oedd yr eneth, mae'n debyg, ac yn defnyddio Richard fel esgus gan wybod mor barod oedd pawb i gredu'r gwaethaf amdano.

'I be oedd isio i chi fynd efo fo, o gwbwl?'

'Che's i ddim dewis. Fo oedd yn mynnu y bydda newid bach yn gneud lles imi.'

Roedd hi wedi gweithio'r cyfan allan yn daclus, beth bynnag. Gwyddai Katie, o brofiad, mor ystrywgar y gallai Eunice Murphy fod a pha mor hawdd ei tharfu oedd hi. Mae'n debyg nad oedd y cwbwl yn ddim mwy na chwarae gwirion.

'Well i chi fynd i 'neud ryw drefn arnoch eich hun, Eunice,' meddai'n oeraidd. 'Mi fydd raid i chi 'morol ora medrwch chi yn y gegin, mae arna i ofn.'

Be oedd yn bod ar bobol ifanc heddiw na fedren nhw setlo'u problemau eu hunain, neu o leiaf eu dioddef yn dawel, fel y gwnaethai hi. Nid oedd ganddi hi unman y gallai redeg iddo i ddweud ei chŵyn, a phetai ganddi rywle ni chymerai mo'r byd â llethu pobol eraill efo'i phoenau. Roedd yr eneth yma ar fai yn ei gorfodi i rannu cyfrinach, a'i chadw.

Aeth ati i'r gegin.

'Sut ydw i'n edrych rŵan, Mrs Lloyd?' holodd Eunice.

'Mi 'newch y tro. Ond wn i ddim sut yr ydach chi'n mynd i egluro'r crafiad 'na ar eich boch.'

'Mi feddylia i am rwbath.'

Gwnewch 'dw i'n siŵr, meddyliodd Katie, a fydd o mo'r tro cyntaf chwaith. Prin iawn oedd diolch Eunice wrth iddi adael. Caeodd Katie y drws ar ei sodlau. Roedd ei diod siocled hi fel dŵr pwll a bu'n rhaid iddi ailferwi'r tegell. Wrth iddi sefyll yno'n ei aros, efo Richard yr oedd meddwl Katie; y Richard hwnnw a roesai iddi'r fath drysor o ddiwrnod, rŵan fel adyn ar ei ben ei hun yn yr hen dŷ oer yna, wedi'i wrthod gan bobol a oedd yn tybio eu bod yn ddi-fai. Ond, erbyn meddwl, onid oedd hithau wedi troi ei chefn arno? A hynny oherwydd iddi un noson, yn unigrwydd llethol ei hystafell, glywed ei lais o'r drws nesaf a rhuthro i'w farnu heb wybod y ffeithiau.

Cofiodd fel y bu iddi chwalu trwy'r lludw trannoeth a beichio crio, yno ar yr aelwyd ddigysur, wrth iddi ddod o hyd i bytiau o'r gadwen a roesai Richard iddi, wedi eu handwyo am byth. Na, nid oedd hithau fymryn gwell na'r rhelyw ohonynt. Fe wnaethai Harri ei waith yn drylwyr. Pa ryfedd iddo ddweud, yn ystod y dyddiau olaf, ei fod yn falch ohoni? Hithau, yn ei dallineb, yn derbyn hynny fel clod. Ond yr oedd ei llygaid wedi eu hagor o'r diwedd. Dim ond gobeithio nad oedd hi'n rhy hwyr.

8

Ni wyddai Gwen i b'le i droi nesaf. Roedd swper Dei wedi ei ail a'i drydydd dwymo a bellach wedi sychu'n grimp. Wrth iddi wylio bysedd y cloc yn cripian am saith o'r gloch teimlai'n sicr ei fod wedi ei gadael. Rhuthrodd i fyny i'r llofft a chwalu trwy'r wardrob a'r ddrôr lle y cadwai Dei ei ddillad isaf a'i sanau. Hyd y gwelai hi, nid oedd dim ar goll. Ond fe allai fod wedi gadael fel roedd o, heb weld unrhyw ddiben mynd â dim i'w ganlyn.

Bu'n eistedd yn hir ar y grisiau yn cnoi ei hewinedd, hen arferiad yr oedd wedi'i roi heibio ers blynyddoedd bellach. Daeth i'w meddwl yn sydyn y gallai fod wedi gadael nodyn iddi. Ond er iddi chwilio a chwalu ym mhob llecyn posibl ni ddaeth o hyd i'r un. Y gegin, efallai, dyna'r lle mwyaf tebygol. Brysiodd yno a'r arswyd yn dal ar ei hanadl.

Wrthi'n craffu yma ac acw yr oedd hi pan glywodd beswch sych o'r cefn. Brysiodd am y ffenestr, i weld Dei'n sefyll yn yr iard ac yn syllu, hyd y gwelai hi, i gyfeiriad y Domen Ddu. Roedd hi allan wrth ei ochr mewn fflach.

'Mi 'dach chi'n ôl, felly.'

Roedd golwg bell yn ei lygaid. Gwelsai Gwen yr un pellter di-obaith yn llygaid ei thad yn ystod ei salwch olaf.

'Lle buoch chi mor hir?'

'Wrth 'y ngwaith, fel arfar. 'Drychwch arni, mewn difri, Gwen. 'Tasa'r hen Doman 'na'n gallu siarad mi fydda'n tystio i lafur cenedlaetha o ddynion . . . crefftwyr oedd yn ymfalchïo yn 'u gwaith.'

'A pha elwch oeddan nhw? Wn i ddim sut yr ydach chi'n medru diodda edrych arni hi.'

'Mi faswn i'n colli gweld honna'n fwy na dim.'

''D oes dim isio meddwl am hynny rŵan, yn nac oes? Dowch i'r tŷ, mae hi'n dechra oeri.'

'Na, ewch chi.'

Ond ni allai Gwen syflyd. Dilynodd rediad ei lygaid i weld y Domen Ddu yn gwargrymu'n erbyn yr awyr a golwg herfeiddiol arni. Teimlai fel petai ar fygu. Ni allai oddef rhagor, ac meddai, ar ruthr,

'Pam na fasach chi'n deud wrtha i, Dei?'

'Deud be, Gwen?'

'Eich bod chi'n sâl. 'D oedd dim angan i chi drio f'arbad i. Mae baich yn ysgafnach o'i rannu.'

'A lle cawsoch chi'r wybodaeth yna?'

'Sawl tro ydach chi wedi deud nad aech chi byth ar ofyn yr un doctor nes 'i bod hi'n ben set?'

'O, wela i. Eich . . . ffrind chi . . . Magi Griffiths sydd wedi bod yn cario, ia?'

'Mi wnaeth gymwynas â fi. Mae'n well gen i gael gwybod, Dei.'

''D oes 'na ddim byd i'w wybod.'

'Be oeddach chi'n da efo'r Doctor Puw 'na 'ta?'

''Y musnas i ydi hynny.'

'A 'musnas inna, fel gwraig i chi. Ylwch Dei, waeth i chi heb â boddran efo'r Puw 'na. Mynd i lygad y ffynnon sydd isio.'

''D oes 'na affliw o ddim byd yn bod arna i, Gwen. Dim y medar unrhyw ddoctor 'i wella, reit siŵr.'

Cerddodd i ffwrdd oddi wrthi yn grwm ei ysgwyddau, fel petai pwysau'r byd arno. Roedd o wedi torri'n ddiweddar, meddyliodd Gwen. Ni chofiai mohono'n cwyno erioed a byddai'n gas ganddo golli diwrnod o waith. Dim rhyfedd ei fod o'n ei chael hi mor anodd derbyn y salwch yma. Byddai arno angen ei chefnogaeth, rŵan yn fwy nag erioed. Taflodd Gwen gipolwg sarrug i gyfeiriad y Domen Ddu, cyn brysio i'r tŷ. Efallai y gallai'r ddau, efo'i gilydd, ymladd y salwch, a'i goncro. Roedd cariad a gofal yn gallu cyflawni gwyrthiau.

9

Y Brian Murphy a gofiai Richard a agorodd ddrws rhif chwech iddo'r noson honno a'r sbonc a ddaeth iddo tros dro wedi ei adael yn llwyr. Er nad oedd ond ychydig gamau i'r gegin bu'n rhaid iddo eistedd i gael ei wynt ato cyn y gallai dorri gair.

'Eunice oedd wedi gadael y pacia 'ma yn y fan,' eglurodd Richard. 'Mi rois i reid adra iddi o'r dre.'

Rhoddodd ei galon dro ynddo pan ddywedodd Brian, yn dawel,

'Mae Eunice wedi cynhyrfu'n arw, mae arna i ofn.'

Be oedd yr eneth wirion wedi bod yn ei ddweud, tybed? 'D oedd wybod pa gelwyddau'r oedd hi wedi'u llunio er mwyn ei harbed ei hun. Roedd merched yn gallu bod mor 'stumgar. Ond ni châi'r bits fach mo'r gorau arno. Â'i feddwl yn prysur gynllwynio'i stori, gofynnodd Richard,

'Be sydd, felly?'

'Wedi cael newydd drwg. Mae'n rhaid imi fynd yn ôl i'r sanatorium . . . ddechra'r wythnos.'

Heb fradychu dim o'i ryddhad, meddai Richard,

'Wedi gor'neud petha?'

'Ia. 'D oes gen i neb i'w feio ond fi fy hun.'

'Oes 'na rwbath fedra i 'i 'neud?'

'Mi fyddwn i'n ddiolchgar 'taech chi'n cadw llygad ar Eunice. Mae hi mor fyrbwyll. Roedd hi wedi bod am dro heno . . . i lawr yn y Cwm, ac wedi syrthio . . . brifo'i hwynab.'

A dyna'i stori hi, ia? O, wel, roedd yr hen Brian wedi'i llyncu hi, o leia.

''D ydi hi ddim gwaeth, gobeithio?'

'Mae pob dim yn waeth ar adag fel hyn. Mi fyddwn i'n dawelach fy meddwl o wybod fod ganddi hi gefn.'

'Mi fedrwch ddibynnu arna i.'

A gyda hynny o addewid y ffarweliodd Richard â Brian Murphy.

PENNOD 12

Dydd Sul, Hydref y 9fed

1

Yn ei gwman yn sbrogian am glapiau glo'r oedd Richard pan glywodd sŵn traed yn yr iard. Cerddodd perchennog y traed heibio i'r cwt heb ei weld.

'Mi fydda i yna rŵan,' gwaeddodd.

Nid oedd yr ychydig glapiau y daeth o hyd iddynt yn werth eu cario i'r tŷ ac fe'u taflodd yn ôl i'r cafn. Camodd allan o dywyllwch y cwt i bwll o haul.

'Cit!'

'Sut ydach chi, Richard?'

'Uffernol. Neu mi 'ro'n i, cyn eich gweld chi. Wnes i'ch dychryn chi wrth weiddi fel'na?'

'Do, braidd.'

'Ond 'd oedd ganddoch chi 'r un botal lefrith i'w gollwng y tro yma.'

'Diolch am hynny.'

'Ddim o gwbwl. Oni bai am y botal 'na mi fyddwn i wedi colli un o ddyddia gora 'mywyd. Mi 'dach chi'n edrych yn dda, Cit.'

'Heneiddio, bob dydd.'

'Nac ydach, wir. Mi 'dach chi'n edrych yn iau, os rwbath. Lle buoch chi drwy'r ha'?'

'Yn Llanelan.'

'Dim rhyfadd, felly. 'D ydach chi ddim ar frys, gobeithio?'

'Nac ydw.'

Arweiniodd Richard hi i'r gegin a chlirio cadair iddi yn llwybr yr haul.

'Caewch eich llygaid ar y llanast, os medrwch chi.'

'Mi dria i 'ngora. Be ydach chi wedi bod yn 'i 'neud, Richard?'

'Trio byw . . . a methu.'

'Fel'na mae hi, ia?'

'A gwaeth. Cypyrdda gweigion, pocedi gweigion, hyd yn oed

gwt glo gwag. Wna i ddim ohoni, Cit. 'D ydw i'n da i ddim ar fy mhen fy hun.'

''R ydw i'n eich cofio chi'n deud hynna o'r blaen.'

'Y noson y gofynnais i chi ddŵad i'r Waunfach efo fi. Be wnaeth i chi fynd yn ôl i Lanelan, Cit?' .

'Methu diodda'r lle yma ddim rhagor.'

'Cwestiwn gwirion. Ylwch, 'd ydw i'n werth dim am ymddiheuro, ond mi ddylwn i fod wedi galw i ddeud ta-ta wrthoch chi, cyn gadael.'

'A finna wedi'ch troi chi allan?'

'Fydda hynny ddim wedi fy rhwystro i. Ond 'ro'n i mewn coblyn o stad. Ydach chi isio eglurhad?'

'Nac oes. Ond mi hoffwn i ofyn un cwestiwn i chi.'

'Mi dria i 'i atab o, ora medra i.'

'Dim ond y gwir ydw i 'i isio, Richard. Be sydd rhyngoch chi ac Eunice Murphy?'

Heb droi blewyn, meddai Richard,

'Affliw o ddim. Mi ddaeth ar 'y ngofyn i pan oedd Brian yn wael. Mi ge's i dipyn o draffarth efo hi. Un beryg ydi hi, Cit.'

''Ro'n i'n ama. Mi ddaeth acw nos Ferchar â golwg mawr arni. Wedi bod efo chi roedd hi.'

'Mi es i â hi am dro yn y fan, fel 'ro'n i wiriona. Biti drosti oedd gen i. Be 'newch chi 'te . . . calon feddal.'

'Roeddach chi wedi bygwth ymosod arni, medda hi.'

'Ymosod? Ddaru chi rioed gredu hynny?'

'Naddo, ddim am funud. Mi wn i'n rhy dda am 'i stumia hi.'

''I syniad hi oedd mynd am dro. Mi wydda am ryw lwybyr i fyny yn y mynydd, meddai hi. Pan wrthodis i 'neud dim â hi, mi gafodd bwl o sterics. Mi drias i ymresymu efo hi, ond fedrwn i 'neud dim ohoni ac mi es yn ôl i'r fan a gadael iddi sobri. A dyna'r dwytha welis i arni hi.'

'Stori go wahanol oedd ganddi hi.'

'Ia, mae'n siŵr.'

'Ond rois i ddim clust iddi hi. Cadwch yn glir â hi, Richard.'

'Mi wna i, mi fedrwch fod yn siŵr o hynny. 'D ydi hi ddim yn talu bod yn gymwynasgar, yn nac ydi?'

Diolch i'r drefn iddi fagu digon o blwc i alw yma, meddyliodd Katie. Bu ond y dim iddi ag ildio i ormes y blynyddoedd a chadw'i phellter. Hyd yn oed wrth iddi adael y tŷ gynnau gallai daeru iddi deimlo'r ddau bigyn dur yn brathu i'w gwar. Fel petai'n gallu darllen ei meddwl, meddai Richard,

'Be fydda Harri Lloyd yn 'i ddeud am hyn?'

'Mi fydda'n credu fy mod i wedi gwerthu fy enaid i'r diafol ac yn baglu ar fy mhen i uffern.'

'Mi 'dach chi wedi'i gneud hi, felly.'

'Ddaru'r nefoedd fydda Harri'n sôn amdani rioed apelio ata i. Waeth gen i'r lle arall ddim.'

'Mae un peth yn siŵr . . . mi fydda i yno i gadw cwmni i chi.'

'A fydd yno ddim prindar tanwydd.'

Chwarddodd y ddau ond sobrodd Richard, yn sydyn. Syllodd arni, ei lygaid gleision yn llawn edmygedd.

'Mi 'dach chi'n rhyfeddod o ddynas, Cit,' meddai.

2

Safai Emma mewn cyfyng-gyngor o flaen drych y wardrob. Bu wrthi am awr a rhagor yn chwalu trwy'i chynnwys, yn gwisgo'r naill ddilledyn ar ôl y llall ac yn eu taflu o'r neilltu wedyn. Er bod graen da arnynt—roedd hi wedi dewis yn ofalus rhag gorfod prynu eilwaith—roedden nhw wedi dyddio bellach. Roedd hi'n hen bryd iddi ymorol am rywbeth newydd, lliwgar yn hytrach na'r lliwiau mwll a wnâi iddi edrych o leiaf ddeng mlynedd yn hŷn na'i hoed. Ond cas beth ganddi oedd bustachu mewn cwt colomen o fwth newid mewn siop ddillad a'i rhoi ei hun ar sioe wedyn i wrando gweniaith wirion a hithau, o syllu i'r drych na fyddai byth yn dweud celwydd, yn gwybod yn amgenach.

Roedd hwn, eto, mor eirwir ag arfer. Crwydrodd ei llygaid, yn reddfol, at y coesau a fu'n fwrn ei bywyd. Pa ddiben oedd yna mewn gwastraffu arian arni ei hun? Y peth callaf iddi ei wneud rŵan fyddai meddwl am esgus a swniai fel rheswm a phicio i'r bwth ffonio ar gornel Stryd Capal Wesla i ganslo trefniadau'r prynhawn. Ond roedd hi'n tynnu am hanner dydd ac efallai ei fod eisoes wedi gadael y tŷ. Ni fyddai'n debygol o aros yno eiliad yn hwy nag oedd raid.

Daethai i'r casgliad erbyn bore Gwener, gan na fu iddo grybwyll y Sul ar y traeth, fod ei fudandod yn siarad yn huotlach na geiriau a phenderfynodd geisio rhoi'r cyfan allan o'i meddwl. Roedd hi wedi casglu ei phethau at ei gilydd ymhell cyn i gloch diwedd y prynhawn ganu er mwyn gallu dianc ar y cyfle cyntaf. Ond fel yr oedd hi'n estyn am ei chôt, daethai Tom Bevan i'w hystafell.

'Popeth yn iawn at y Sul?' holodd.

''D ydw i ddim yn siŵr.'

''D ydach chi ddim wedi ailfeddwl?'

'Naddo . . . meddwl 'ro'n i eich bod chi . . .'

'Dyna'r argraff rois i? Mae'n ddrwg gen i. Mae'r Sul diwetha wedi bod yn sbardun imi, Miss Harris. Mae arna i ofn fy mod i wedi gadael i betha lithro, braidd. 'Ro'n i'n gobeithio y byddech chi wedi sylwi ar y newid.'

'Mae petha wedi bod yn llawar haws arna i. Diolch i chi.'

'I chi mae'r diolch. Ond mi ddylwn i fod wedi dweud cyn hyn. Dim ond gobeithio nad ydw i wedi'ch digio chi.'

'Ddim o gwbwl.'

'Ac mae'r Sul yn ddiogel?'

'Ydi.'

'Diolch am hynny. Mi alwa i amdanoch chi tua canol dydd, ia?'

'Na, mi gerdda i i'ch cyfarfod chi.'

'Fel mynnwch chi.'

Ni allai feddwl am ei gael yma, i Finafon, a pheryglu eu perthynas cyn iddi gael ei thraed tani. Ond pa berthynas, mewn difri? On'd oedd gan y dyn wraig, a'i unigrwydd oedd ei unig gymhelliad tros ofyn iddi dreulio'r diwrnod yn ei gwmni. Pe digwyddai i honno ddychwelyd ni fyddai hi'n ddim ond y Miss Harris blaen, heb iddi amgenach pwrpas na bod yn forwyn fach at alwad pawb. Pa obaith oedd ganddi o gystadlu efo'r wraig y byddai bechgyn y chweched yn chwibanu ar ei hôl?

Gadawodd Emma'r llofft. Fe wnâi'r tro fel roedd hi. Nid oedd Tom Bevan yn debygol o sylwi ar ei gwisg, na'i choesau chwaith. Nid oedd waeth iddi gyfaddef nad oedd hi'n ddim ond rhywbeth i lanw bwlch dros dro a'i defnyddioldeb yn dibynnu ar fympwy gwraig a allai adael ei gŵr heb golli dim o'i deyrngarwch na'i gariad.

3

Wedi cinio a oedd, os rhywbeth, yn anos ei dreulio nag arfer aeth Leslie a Robert at yr afon gan adael Pat yn tindroi yn ei llanastr arferol.

'Mi ro i awr iti gael rhywfaint o drefn ar y lle 'ma,' meddai, cyn gadael.

Roedd o wedi gobeithio y byddai'r cyfnod yn yr ysbyty wedi dod â hi at ei choed. Roedden nhw wedi addo'n dda; pob un ohonyn nhw'n llawn gorchest, yn meddwl fod yr haul yn codi ac yn machlud efo nhw.

'Gadewch hi i ni,' medden nhw. 'Fydd hi ddim 'r un un, gewch chi weld.'

Ond yr un oedd hi, mor ddidoreth ag erioed. A'r diawliaid diegwyddor, yn ormod o gachgwn i gydnabod methiant, â'r hyfdra i'w siarsio fo i fod yn amyneddgar efo hi. Y fo, y byddai Job ei hun wedi diarhebu at ei amynedd. Yr holl oriau'r oedd wedi'u treulio'n ceisio pwnio mymryn o synnwyr i'w phen ac yn ei dwndran pan oedd ganddo amgenach pethau i fynd â'i fryd! Ac heb fod uwch bawd sawdl. Ond roedd un peth yn sicr, unwaith y bydden nhw yn Aberystwyth byddai'n rhaid iddo roi ei droed i lawr o'r munud cyntaf. Ac fe wnâi'n siŵr y tro nesaf nad oedd yna yr un Mati Huws o fewn cyrraedd. Oni bai amdani hi byddai wedi gallu setlo Pat, unwaith ac am byth.

'Lawr. Lawr.'

Gwingai'r bychan yn ei freichiau.

'Na, fedri di ddim. Dŵr mawr, yli . . . peryg.'

'Isio. Isio.'

Dechreuodd y plentyn ei gicio'n ei stumog. Dyna oedd i'w gael o'i adael yng ngofal Pat. Sut oedd disgwyl i un na allai ei rheoli ei hun gael unrhyw ddylanwad ar blentyn?

'Stopia rŵan, 'na hogyn da.'

'Lawr. Isio lawr.'

'Dim ond am funud 'ta.'

Yr eiliad y cafodd Robert ei hun ar y cerrig dechreuodd drotian nerth ei draed i gyfeiriad y bont. Cythrodd Leslie ar ei ôl a llwyddo i'w ddal gerfydd tin ei drowsus cyn iddo ddiflannu i'r cysgodion.

'M'isio. M'isio.'

'Waeth gen i be wyt ti'i isio. Nid efo dy fam wyt ti rŵan 'sti.'

Cododd y bychan yn ei freichiau. Yr eiliad nesaf, teimlodd ddannedd miniog yn suddo i labed ei glust.

'Y cythral bach!'

Sodrodd Leslie ei hun ar y garreg agosaf a Robert wyneb i waered ar ei lin.

'Rŵan ydi'r amsar i dy setlo di 'ngwas i.'

Fel yr oedd llaw Leslie ar ddisgyn ar y pen ôl bach crwn caeodd dwy fraich gyhyrog amdano o'r tu ôl. Llithrodd y bychan o'i afael a tharo'i ben ar garreg.

Llusgo'i draed am Finafon yr oedd Dei Elis pan glywodd y sgrechfeydd. Brysiodd at ganllaw'r bont i weld Leslie'n brwydro i'w gael ei hun yn rhydd o afael Os. Llwyddodd i godi, ond cyn iddo allu ffeindio'i draed rhoddodd Os hergwd iddo a'i gyrrodd wysg ei gefn am yr afon. Ac yntau'n dechrau sadio, rhuthrodd Os amdano â'i ben i lawr. Wrth i'r pen mawr ei fwrw yn ei frest collodd Leslie ei gydbwysedd yn llwyr a syrthiodd ar wastad ei gefn i'r dŵr. Aeth Os at y bychan a rhwbio'i ben yn dyner â'i law. Gallai Dei dyngu fod cysgod gwên yn y llygaid llonydd. Gwyliodd Leslie'n ymbalfalu am y lan dan weiddi,

'Aros di nes y ca' i afael arnat ti'r hannar pan. O dan glo y dylat ti fod . . . efo dy debyg.'

Ac yr oedd cysgod gwên ar wyneb Dei Elis, yntau, wrth iddo sibrwd,

'Mi wyt ti wedi'i gneud hi'r tro yma, Os.'

4

Bu Mati'n oedi cyn dechrau ar ei chinio yn y gobaith y byddai Emyr yn cyrraedd, ac ni fyddai waeth iddi fod wedi gwneud hebddo ddim ar hynny o flas a gafodd arno. Ni châi eiliad o dawelwch meddwl nes y deuai Emyr yn ei ôl a'i sicrhau fod popeth wedi ei setlo. Yn llawn os a phetai aeth ati i olchi'r mymryn llestri. Sefyll yno, wrth y sinc, yr oedd hi pan welodd Pat yn mynd heibio i'r ffenestr. Aeth i agor iddi a'i chyfarch, yn siriol. Er nad oedd hi mo'r cwmni gorau byddai ei chael yma o leiaf yn ei harbed rhag hel rhagor o feddyliau. Ond roedd yr eneth, os rhywbeth, yn fwy di-sgwrs nag arfer ac ni chafodd ymdrechion Mati ond atebion unsillafog. Yna cofiodd i Gwen Elis sôn fod posibilrwydd y byddai'r drws nesaf ar werth toc.

''Ro'n i'n dallt eich bod chi am ein gadael ni, Pat,' meddai. 'Symud i Aberystwyth, ia?'

Rhythodd yr eneth arni, ac meddai, yn bwdlyd,

''D ydw i ddim isio mynd.'

''R ydan ni i gyd yn gorfod gneud petha'n groes i'r graen weithia, wyddoch chi.'

'Mi 'dw i wedi setlo ym Minafon. Hwn ydi 'nghartra i. A 'd ydi Robert ddim isio mynd chwaith.'

'Mae o'n rhy ifanc i ddeall. Ac mae plant yn dŵad i arfar mewn dim.'

'Ond mi fydd ar goll heb Os.'

'Ia . . . wel . . . wn i ddim ydi o'n beth doeth i chi adael i'r bychan 'neud cymaint efo Os.'

'Mae o'n dda iawn wrtho fo . . . edrych ar 'i ôl o imi. Fedra i ddim dŵad i ben efo pob dim.'

'Na fedrwch, siŵr. Ond falla y bydd newid lle o les i chi i gyd . . . cael dechra o'r newydd.'

''D ydw i ddim am fynd,' yn herfeiddiol.

'Wela i ddim fod ganddoch chi ddewis.'

Be oedd ar yr eneth yn troi tu min arni fel'na? Nid oedd a wnelo hi ddim â nhw ac nid oedd am gael ei thynnu i mewn i unrhyw gweryl chwaith. Ond yr oedd Pat wedi tawelu ac yn eistedd yn ei chwman, a'i gwallt yn disgyn yn gudynnau tros ei hwyneb.

'Maen nhw'n deud i mi fod yr Aberystwyth 'na'n lle braf, Pat. Ac mi fedrwch fynd â Robert i'r traeth yn yr ha'.'

Trodd yr eneth ati. Heibio i'r cudynnau blêr gallai Mati weld ei llygaid, yn fawr a chlwyfus, fel rhai ci wedi cael cweir.

'Gaiff Robert a fi ddŵad atoch chi, Mrs Huws?'

Ni allai Mati gredu ei chlustiau. Mae'n rhaid fod yna goll ar yr eneth i ofyn y fath beth.

'Dim ond nes y ca' i gyfla i chwilio am le arall.'

'Na, wir, Pat, fedra i ddim ystyried y peth . . . ddim ar ôl yr hyn ddigwyddodd tro dwytha.'

'Ond 'd oes gen i nunlla arall i fynd.'

'Efo'ch gŵr mae'ch lle chi.'

Cofiodd fel y bu i Pat ddod yma i ofyn benthyg siwgwr, sbel tros flwyddyn yn ôl, ac fel y bu ond y dim iddi hithau wrthod, rhag rhoi lle i'r eneth fynd yn hy arni. A mynd yn hy ddaru hi, wrth gwrs. Gadael y babi efo hi, am oriau, a rhuthro yma yn y bore bach, yn waed i gyd, a'i dychryn allan o'i chroen. Ei gorfodi i ymyrryd rhyngddi hi a'i gŵr ac i ffraeo efo Doctor Puw, a hynny yng ngŵydd y Sister yna, o bawb. Ond roedd hi wedi callio yn hynny, o leiaf, a siawns nad oedd ganddi hawl bellach i odro'r gorau allan o hynny o ddyfodol a oedd yn weddill iddi.

'Mi 'dw i'n meddwl y bydda'n well i chi fynd adra rŵan, Pat,' meddai'n dawel.

5

'Ond be ddaru o, Dei?'

'Mi 'dw i wedi deud wrthat ti be ddaru o.'

'Fydda fo ddim wedi taflu'r dyn i'r afon heb reswm.'

''D ydi Os ddim yn gallu rhesymu.'

'Ac mi wyt ti'n 'i gael o'n euog, heb wybod pam?'

'Mi gwelis i o, Madge. 'D oedd gan yr Owens 'na ddim gobaith yn 'i erbyn o. A beth am y plentyn? Fedrat ti fyw yn dy groen petai o'n gneud niwad i hwnnw?'

'Mae Os yn meddwl y byd o'r babi.'

''D ydi o ddim i'w drystio, Madge. Yn enw'r nefoedd, gad iddo fo fynd.'

'Na . . . byth.'

''D oes dim angan iti deimlo'n euog. Rwyt ti wedi rhoi cymaint iddo fo.'

'Ac mi ddalia i i roi, tra bydda i.'

'O, Madge.'

Camodd Dei tuag ati. Roedd arno'i heisiau, yn fwy nag erioed. Ni wnaethai dieithrwch ac oerni'r dyddiau diwethaf ond pwysleisio mor wag a fyddai ei fywyd hebddi.

'Paid â chyffwrdd yna i, Dei. Plîs.'

'Fedrwn ni ddim byw ar wahân i'n gilydd, Madge.'

''D oes 'na ddim dewis. Mae ar Os fwy o f'angan i.'

Teimlodd Dei y gwaed yn pwyo'n ei ben. Os oedd hi'n meddwl ei fod o am ildio'i le i un nad oedd o'n ffit i gael ei ollwng ymysg pobol roedd hi'n gwneud camgymeriad ei bywyd.

'Lle mae Os?'

'Yn 'i lofft.'

'Mi setla i o, un waith ac am byth.'

'Na, Dei.'

Symudodd rhyngddo a drws y cyntedd.

'Gad imi basio, Madge.'

'Na, chei di ddim.'

Gwasgodd ei fysedd am fôn ei braich wrth iddo geisio gwthio'i ffordd heibio iddi. Er bod y boen yn chwalu trosti brwydrodd â'i holl nerth, ond gwyddai na allai ddal allan lawer hwy. Teimlodd ei choesau'n ei gollwng a chaeodd y düwch o'i chwmpas wrth iddi lithro i'r llawr.

Baglodd Dei trosti, ond cyn iddo allu cyrraedd dwrn y drws agorodd hwnnw. Safai Os yno, yn llond y ffrâm. Rhoddodd un waedd annaearol, a barodd i waed Dei fferru, cyn rhuthro at ei fam. Cyrcydodd wrth ei hochr a'i thynnu i'w gesail. Safodd Dei yn ei unfan, mor ddiymadferth â chwningen wedi'i dal mewn golau. Ni allai dynnu ei lygaid oddi ar yr olygfa o'i flaen. Siglai Os ar ei sodlau gan gwyno'n isel yn ei wddw. Tynnai ei law tros ben Madge, yn ôl a blaen, ymlaen ac yn ôl. Yna'n ddirybudd, peidiodd y cwyno. Trodd at Dei ac meddai, â'i law'n para i anwesu pen Madge,

'Cer o'ma. Ddim isio chdi.'

Yna, gwyrodd tros Madge a mwytho'i gwallt â'i wefusau. Ail ddechreuodd y siglo a'r cwyno.

Oriau'n ddiweddarach fe'i cafodd Dei ei hun yn eistedd ar lan yr afon, i lawr yn y Cwm. Ni chofiai sut y bu iddo adael tŷ Madge na dim o'r daith rhwng Minafon a'r Cwm. Roedd ei draed a godreon ei drowsus yn wlyb diferol. Roedd ganddo frith gof o sefyll yn y dŵr a'r geiriau 'dyma'r diwedd' yn chwyrlïo trwy'i ben, fel tiwn gron. Gorffwysai ewin o leuad uwchben y Domen Ddu gan daflu clytiau o oleuni yma ac acw. Gwasgodd ei lygaid yn dynn ond gallai deimlo'r oerni ar ei amrannau, yn ei orfodi i'w hagor, ac yn eu llithio i gyfeiriad y Domen. Ac yn yr eiliad ysgytiol honno y plannwyd yr hedyn a oedd i egino'n ben-derfyniad ym meddwl Dei Elis.

6

Daethai Emyr yn ôl y prynhawn Sul hwnnw yn siriolach nag y gwelsai Mati ef ers wythnosau. Rhoesai gwybod fod ei fam mewn dwylo diogel nerth ynddo i wynebu ei dad a'r gras i ymatal rhag ffrae arall. Ond cragen wag oedd y cartref heb ei fam ac ni allai oddef aros yno.

Ni ddaethai ei weld â'r rhyddhad a ddisgwyliai Mati. Wedi'r wythnosau o ddyfalu yn ei gylch a'r ymdrech i gadw ei hofnau rhagddo fe'i câi'n anodd derbyn nad oedd i hyn, eto, fwy o addewid na'r ha' bach a oedd yn prysur chwythu'i blwc. Gwyddai fod ei hymateb llugoer wedi ei darfu, ac fel yr âi'r min nos rhagddo ceisiodd wneud iawn am hynny trwy sôn fel y bu i ymweliad Pat ei tharfu.

'Mi 'dach chi wedi bod yn rhy wirion efo nhw i gyd,' meddai Emyr.

'Ydw, debyg. Ond mi gan' fynd i'w crogi rŵan.'

'Hen bryd hefyd.'

Un da oedd o i siarad. Hen bryd iddo yntau feddwl amdano'i hun a'i ddyfodol, hefyd. Brathodd Mati ei thafod. Roedd o wedi gwneud ei ddewis a dylai hithau gyfri'i bendithion yn lle codi bwganod.

'Oes ganddoch chi gardia'n y tŷ, Mati?'

'Cardia? Be 'newch chi efo rheini?'

'Meddwl y gallan ni gael gêm, i basio'r amsar.'

'Wedi diflasu 'r ydach chi?'

'O, Mati, mae isio gras efo chi weithia. Na, 'd ydw i ddim wedi diflasu, ond mae gen i awydd gêm o gardia.'

'Mi edrycha i be sydd 'na.'

Dal i chwalu trwy'r drôr yr oedd hi pan ganodd cloch y drws ffrynt. Drapia unwaith, pwy oedd 'na rŵan? 'D oedd 'na ddim llonydd i'w gael.

Meddyliodd am funud mai un o hen ffrindiau ysgol Gwyneth oedd yr eneth a safai yn y drws. Bu amryw ohonynt yn galw yma ar un adeg. A hithau'n ceisio cribinio'i chof, meddai'r eneth,

'Wedi galw i weld Mr Morgan yr ydw i.'

'Braidd yn brysur ydi o ar hyn o bryd. Fedra i roi negas iddo fo?'

'Mae o'n 'y nisgwyl i.'

Cerddodd yr eneth i mewn i'r cyntedd, heb ei gwahodd. Â'i gwaed yn berwi, galwodd Mati ar Emyr a daeth yntau trwodd o'r gegin.

'O, mi 'dach chi wedi cyrraedd, Anna,' meddai'n glên. 'Mi awn ni i'r stafall ffrynt, ia?'

''D oes 'na ddim tân yno mae arna i ofn,' meddai Mati'n swta.

Gwenodd yr eneth, yr Anna yma, i fyny ar Emyr ac meddai'n bryfoclyd,

'Mae'n gwaed ni'n ddigon cynnas yn 'd ydi, Mr Morgan?'

7

Pendwmpian yn ei ffenestr yr oedd Gwen Elis pan glywodd sŵn car yn y stryd islaw. Gwyrodd ymlaen mewn da bryd i weld Emma Harris yn llusgo'i ffordd am y tŷ ar fraich dyn a ymddangosai'n ddieithr iddi hi, ar yr olwg gyntaf. Wedi i'r drws gau o'u hôl bu Gwen yn pendroni'n hir. Cawsai gip ar wyneb y dyn wrth iddo dywys Emma i'r tŷ, digon i wybod y dylai allu rhoi enw arno. Ac yna cofiodd fel y bu i Magi Goch roi pwniad iddi yn ei 'sennau un prynhawn Sadwrn pan oedden nhw'n cael pum munud, yn ôl eu haeddiant, yn y caffi tros y ffordd i Woolworth. 'Weli di hwnna,' sibrydodd, gan amneidio i gyfeiriad bwrdd ym mhen pella'r ystafell. 'Dyna fo iti . . . y Bevan 'na. Mae golwg wedi tynnu'i berfadd arno fo 'd oes? Dim rhyfadd fod y lle 'ma'n berwi o fandaliaid efo rhwbath fel'na wrth y llyw.'

Ni chawsai fawr o olwg arno, rhwng bod Magi Goch yn well drws na ffenestr a'i fod yntau'n cymryd diddordeb anghyffredin yn ei gwpan. Ond gwyddai i sicrwydd bellach mai fo, Bevan, oedd yr un a welsai'n cynnal Emma Harris rhwng y car a'r tŷ. Wedi bod yn yfed yr oedden nhw, debyg, a hwnnw wedi codi i ben yr Emma wirion 'na. Roedd hi'n ddigon hurt yn sobor. Byddai'r hen wraig ei mam yn troi yn ei bedd o'i gweld hi yn y fath gyflwr. Ond, dyna fo, on'd oedd Ned Harris yn slotiwr heb ei ail? Anodd tynnu dyn oddi ar ei dylwyth.

Erbyn meddwl, 'd oedd y Bevan 'na ddim yn rhy sad chwaith. Un yn ei safle fo, a dyfodol plant diniwed yn ei ddwylo, yn treulio'i Suliau'n llymeitan. Ac yntau'n B.A., yn ôl Magi Goch, beth bynnag oedd hynny'n ei feddwl. 'D oedd yr hen 'studio 'ma o les i neb, dim ond rhoi chwilen yn eu pennau a leisans iddyn nhw wneud fel y mynnen nhw. Roedd o'n gwilydd o beth fod Emma Harris yn ei gynnwys o i'r tŷ a hithau'n eneth sengl. Ond wedi gwirioni o gael dyn yr oedd hi, debyg, heb falio dim be oedd ei gymeriad na'i gyflwr.

Cofiodd Gwen fel y bu i Emma fwrw iddi mor egar yn y siop sglodion. Roedd hi wedi amau, bryd hynny, o'i gweld hi mor daer i ddal tano. O, roedd pethau'n ddigon clir rŵan. Ond fe wyddai hi ers tro, ran'ny, nad oedd Emma Harris mor bropor â'i golwg.

Pwysodd Gwen yn ôl yn ei chadair i ddychmygu'r mwynhad a ddeuai iddi trannoeth o gael gollwng y gyfrinach newydd hon i glust barod Magi Goch.

8

'Sut ydach chi'n teimlo rŵan, Emma?'

'Mi 'dw i'n dechra dadmar.'

'Fel dyn eira pan ddaw'r haul allan, ia?'

Roedd o'n syllu arni â'i lygaid yn llawn direidi. Ni fu eiliad yn llonydd er pan gyrhaeddon nhw'n ôl. Cynnau tân; paratoi diod iddi; llenwi'r botel-ddŵr poeth; estyn blanced i'w rhoi tros ei hysgwyddau. A hithau'n derbyn y cyfan, heb brotest. Peth amheuthun oedd cael rhywun i ddawnsio tendans arni ac i bryderu'n ei chylch.

Ond rŵan, a'r gwres yn dechrau ymgripian trwyddi, daeth ton o swildod trosti, a'i llorio. Gwelodd y direidi'n cilio o'i lygaid ac yn rhoi lle i'r anobaith a welsai ynddynt ar y traeth.

Ei syniad hi oedd cerdded hwnnw o'i gwr, mor glòs ag oedd bosibl i'r môr. Bu'n rhaid iddynt neidio'n ôl, sawl tro, i osgoi'r tonnau. Wrth iddi chwarae mig felly, am Madge y meddyliai Emma, a'r dyddiau gorlawn hynny nad oedd nac ofn na blinder ar eu cyfyl. Yn frwd gan lawenydd y cofio, symudodd ymlaen yn eiddgar a'i golwg ar gwr eitha'r traeth, ond teimlodd bwysau llaw ar ei braich, yn ei hatal.

'Emma.'

Roedd o'n ei throi i'w wynebu; yn ei gorfodi i gefnu ar y môr.

Teimlodd Emma'n ddig wrtho am feiddio tresmasu ar ei meddyliau. Ond pylodd y dicter pan welodd y trueni ar ei wyneb.

'Mae gen i gyfaddefiad i'w wneud,' meddai. 'Mi ddwedais i gelwydd wrthoch chi. Wedi 'ngadael i mae'r wraig.'

'Mae o'n wir, felly,' yn dawel.

'Roeddach chi wedi clywad?'

'Cymdoges imi ddeudodd. Finna'n gwadu,' yn chwerw.

'Mae'n ddrwg gen i. Mi ddylwn fod wedi dweud.'

'Dylach.'

''Ro'n i'n rhy glwm i'r swydd, medda hi . . . yn 'i hesgeuluso hi.'

''D ydi o ddim o 'musnas i.'

'Na . . . 'd oes gen i ddim hawl gorfodi 'mhoena arnoch chi.'

Bu'r siwrnai'n ôl i'r car yn un hunllefus. Roedd hi wedi amau, wrth gwrs, y diwrnod hwnnw y daethai ar ei warthaf yn yr ardd, fod Gwen Elis wedi taro ar y gwir, ond nid oedd chwa o amheuaeth felly'n ddim o'i gymharu â'r cadarnhad creulon. Wedi iddynt gyrraedd y car estynnodd ei gôt a'i thaenu trosti. Tynnodd hithau hi'n dynn amdani ond roedd teimlad oer i'r leinin ac ni wnâi ddim i leddfu'r cryndod.

Cerddai'r un cryndod ei chorff rŵan, er gwaetha'r flanced drom.

'Oes 'na rywbeth arall fedra i 'i wneud i chi?' holodd.

'Na, mi fydda i'n iawn.'

'Falla 'i bod hi'n well imi 'i throi hi.'

'Ia, 'na chi.'

Roedd arni eisiau erfyn arno i aros, i eistedd yma efo hi ar ei haelwyd a'r cysgodion yn nyddu o'u cwmpas. Cael teimlo'r gwres yn llyncu gwaddod y rhyndod nes rhoi iddi'r nerth i ddiolch iddo am ei ofal ohoni. Paratoi swper iddynt ill dau a'i fwyta ar eu gliniau wrth y tân, fel y byddai ei thad a hithau, a chael serio'r darluniau ar ei chof fel y gallai droi iddynt fel i albwm pan fyddai arni angen cysur. Ond fe'i gwyliodd yn gadael, heb air ymhellach.

Nid oedd yntau ronyn gwell na'r gweddill, meddyliodd, yn manteisio arni a'i defnyddio i'w bwrpas ei hun. Dylai hithau fod wedi gwrthod y demtasiwn o gael torri ar undonedd ac unigrwydd y Sul. Mynd, gan wybod nad oedd hi'n ddim ond rhywbeth i lenwi bwlch tros dro; gwadu'r egwyddorion y bu'n eu gwarchod mor ddyfal. Ni allai byth faddau iddo am ei gorfodi i ildio'i hunan-falchder, am wneud ffŵl ohoni trwy ei thwyllo i gredu'i gelwydd, ac am ddinistrio llawenydd y cofio ar y traeth. Diolch na fu iddi ymollwng i'r ysfa ac erfyn arno aros efo hi. Gallodd ddal wrth gymaint â hynny o hunan-barch, o leiaf. Ond bychan o gysur a roddai hynny i Emma y nos Sul honno wrth iddi ymdrechu'n ofer i ddileu'r prynhawn o'i chof a cheisio, yr un mor ofer, fagu nerth i wynebu bore Llun.

9

'Ydw i wedi'ch gorweithio chi, Anna?'

'Na, mi fedrwn i ddal ymlaen am oria.'

'Digon i'r diwrnod, ia?'

Casglodd Emyr y llyfrau at ei gilydd.

'Ga' i ddŵad yma eto?'

'Wrth gwrs y cewch chi.'

''D oedd Mrs Huws ddim yn edrych yn rhy fodlon.'

'Poeni yn 'y nghylch i mae hi . . . ofn imi 'neud gormod.'

'Fel mam i chi, ia?'

'Ddim yn hollol.'

Cododd Anna, yn gyndyn.

'Mi 'dw i wedi mwynhau heno,' meddai.

'Finna hefyd.'

'Wir?'

'Wir.'

'Mi 'dw i'n falch.'

Teimlodd Emyr y gwrid yn llifo i'w ruddiau. Wrth iddo ei thywys am y drws cadwodd ei ben ar dro oddi wrthi ond gwyddai fod ei llygaid arno, yn gwylio pob symudiad.

''R un amsar wythnos nesa?' holodd.

'Ia . . . iawn.' Yna'n ffwndrus, 'Na, falla y bydda nos Wener yn well.'

'Gora oll . . . llai o amsar i aros.'

O'r gegin, clywsai Mati gwt y sgwrs a phan ddaeth Emyr trwodd ati, meddai'n sur,

'Ac mae hi'n bwriadu dŵad yma eto, felly?'

'O . . . mi glywsoch.'

'Mi wnaeth yn siŵr o hynny.'

'Rydw i wedi trefnu iddi alw nos Wener . . . meddwl falla nad ydi nos Sul mo'r noson ora.'

''D ydi hynny ddim yma nac acw,' yn siort. 'Ydach chi ddim yn meddwl y dylach chi fod wedi gofyn fy nghaniatâd i?'

''Ro'n i wedi anghofio pob dim am y trefniada.'

'Be oedd hi'n da yma p'run bynnag?'

'Wedi gofyn am fy help i 'r oedd hi. Nid yn amal y bydda i'n cael disgybl sy'n dangos cymaint o ddiddordeb yn 'i gwaith.'

'Ydach chi'n siŵr mai yn y gwaith y mae'i diddordeb hi?'

Cewciodd Emyr arni ac meddai'n hanner cellweirus,

'Mi 'dw i'n synnu atoch chi, Mati.'

'Ydach chi? 'Ro'n i'n meddwl fod ganddoch chi ddigon o synnwyr cyffredin i gadw'n glir â genath fel'na.'

'Be sydd ganddoch chi yn 'i herbyn hi? Wyddoch chi ddim amdani.'

'Mi wn i am 'i theip hi. A 'd ydw i ddim am i chi roi gwaith siarad i bobol y lle 'ma.'

''D ydi hynny'n mennu dim arna i.'

'Ond mae o arna i. A 'nhŷ i ydi hwn wedi'r cyfan.'

Cododd Mati a brasgamu allan o'r ystafell gan adael Emyr yn syllu'n syn ar ei hôl. Be gynllwyn oedd yn bod arni? Wedi'r cyfan, roedd o'n talu am ei le a siawns nad oedd hynny'n gwarantu peth rhyddid iddo. Cofiodd fel y byddai ei fam yn dweud fod yn rhaid byw efo rhywun cyn ei adnabod. Roedd Mati wedi ei dangos ei hun yn ei lliwiau priodol heno, beth bynnag. Efallai mai'r peth gorau iddo fyddai cadw ei lygaid yn agored am lety arall. Ni fwriadai aros yn hir yn Nhrefeini p'run bynnag. Nid oedd unrhyw argoel bellach y gwelai wireddu'r freuddwyd a ddaethai ag ef yma.

PENNOD 13

Dydd Gwener, Hydref y 14eg

1

Madge ei hun a agorodd y drws i Doctor Puw y bore Gwener hwnnw. Roedd yn amlwg iddo o'r munud cyntaf fod rhywbeth wedi ei tharfu. Fe'i dilynodd i'r ystafell eistedd a chael Os yn gorwedd ar y setî o dan gruglwyth o flancedi. Gwyrodd Madge trosto.

'Mae o'n cysgu,' meddai.

'Be sydd wedi digwydd, Madge?'

'Wedi cynhyrfu mae o. Mi ddaw ato'i hun toc.'

'Wyt ti am imi gael golwg arno fo?'

''D oes dim angan.'

'Ydi o mewn trwbwl?'

'Nac ydi,' yn siarp.

'A be amdanat ti?'

'Mi 'dw i'n iawn.'

Camgymeriad oedd iddo ddod yma. Nid oedd dim y gallai ef ei wneud i esmwytho bywyd Madge Parry. Mor ddiymadferth y teimlai; mor aneffeithiol. Cofiodd fel y bu i'w ferch ddweud wrtho unwaith pan gollodd un o'i gleifion ac yntau'n credu'n siŵr ei fod ar fin llwyddo—'Un Duw sydd 'na, wyddoch chi'. Fe fu amser, pan oedd ei gyneddfau ar eu cryfaf, pan dybiai fod iddo allu uwch na'r cyffredin. Ond nid bellach. O, na, nid bellach.

'Waeth imi fynd, felly, ddim.'

'Diolch i chi am alw.'

Pan oedd ar adael yr ystafell, meddai Madge, yn swil,

'Ydach chi ar frys garw?'

'Pam wyt ti'n gofyn?'

'Mae'n rhaid imi gael siarad efo rhywun.'

'Wyt ti'n meddwl y gwna i'r tro?' yn sur.

'Os na ddeallwch chi, wn i ddim pwy wnaiff.'

'Tyd i eistedd. A chym' dy amsar. Mi gaiff bob dim arall aros.'

Eisteddodd y ddau, Madge ar ymyl cadair a'i llygaid aflonydd yn gwibio'n ôl a blaen rhwng Os a Doctor Puw.

'Ydach chi'n cofio i chi ofyn imi, wythnos yn ôl, oedd gen i le i fynd, am newid?' holodd.

'Wyt ti wedi meddwl am rywle?'

'Roeddach chi'n 'nabod Annie, chwaer ienga nain?'

'Yn dda. Hi oedd y glenia ohonyn nhw. Mynd i weini i Lundan ddaru hi 'te?'

'Mae hi'n dal yno . . . 'i hun rŵan, ac yn gaeth i'r tŷ . . . gorfod dibynnu ar gymdogion.'

'Am fynd i aros efo hi wyt ti, ia? 'D ydi o mo'r hyn oedd gen i mewn golwg.'

'Mi fydd raid iddo fo 'neud y tro. Ac nid mynd i aros yr ydw i. Mae Os a finna am fynd i fyw ati.'

'Ac mae hynny wedi'i setlo?'

'Ydi.'

'Mi fyddi'n cymryd rhagor o gyfrifoldab arnat dy hun. A be 'nei di efo Os yn Llundan, o bob man?'

'Mi fydd Os yn iawn ond iddo fo 'nghael i efo fo. P'run bynnag, fedra i ddim aros yma . . . ddim rŵan.'

'Ydi Gwen wedi dod i wybod?'

'Nac ydi, a ddaw hi ddim bellach, gobeithio. Ŵyr Dei ddim ein bod ni'n gadael. Rydw i wedi trio deud wrtho fo ers sbel fod pob dim drosodd rhyngon ni, ond mae o'n gwrthod derbyn.'

''D ydi hynny ddim syndod, wedi'r holl flynyddoedd.'

'Roedd o am imi ddewis rhwng Os ac ynta. Ond 'd oedd 'na ddim dewis. Mi 'dach chi'n deall hynny 'd ydach?'

'Ydw 'mach i, mi 'dw i'n deall.'

'Mi fuo petha'n o ddrwg yma nos Sul . . . Dei yn bygwth setlo Os un waith ac am byth. Mi driais i 'i rwystro fo ond mae'n rhaid 'y mod i wedi llewygu. Pan ddois i ataf fy hun 'ro'n i ar lawr ac Os â'i freichia amdana i.'

'A Dei?'

'Wedi mynd. Wn i ddim eto be ddigwyddodd, ond 'd oes 'na ddim trefn wedi bod ar Os ers hynny.'

'Wyt ti am imi gael gair efo Dei?'

'Na, 'd oes 'na ddim diban bellach. Dyn gwan ydi o, Doctor Puw.'

'Gweld Os yn fygythiad roedd o 'sti, a gwenwyn ohonoch chi'ch dau, mor glòs.'

'Mi fedrwn i fod wedi rhannu 'nghariad rhyngddyn nhw . . . flynyddoedd yn ôl.'

'Gallat, wn i.'

'Ydach chi'n meddwl y daw Dei trwyddi?'

'Ydw, mewn amsar.'

'Mi ddo' inna trwyddi hefyd.'

'Doi, 'mechan i.'

Syllodd Doctor Puw i eigion y llygaid golau a allai fod wedi gyrru sawl calon ar garlam a gwelodd eto'r penderfyniad tawel a welsai ar wyneb y fam ifanc pan ddeallodd na fyddai Os byth fel plant eraill. Pa ryfedd iddo deimlo mor ansicr ohono'i hun yma? Tra oedden nhw, o'r tu allan, yn tindroi mewn dryswch o fyd gan chwilio'n ofer am ryw ben llinyn i'w ddilyn, roedd Madge wedi dewis ei llwybr ac wedi'i gerdded, heb golli ei throed unwaith. Madge Parry, a gawsai ei difrïo a'i gwrthod oherwydd iddi gario'i phlentyn siawns yn bowld a phenuchel; y ferch a ddeallodd ystyr cariad a'i droi'n rym bywiol.

Eisteddodd Doctor Puw yn ôl yn ei gadair i sawru'r tawelwch a oedd yn falm i galon, cyn mentro allan i'r byd nad oedd i Madge Parry unrhyw ran ynddo.

2

Dychwelodd Emma o'i chinio i gael Tom Bevan yn eistedd wrth y ddesg yn ei hystafell. Cyn iddi gael cyfle i dynnu'i chôt, meddai,

'Mae'n rhaid imi gael siarad efo chi, Emma.'

Â'i chefn ato, meddai Emma'n oeraidd,

'Fedra i mo'ch rhwystro chi. Mae hi'n wlad rydd.'

Tynnodd ei chôt a'i hongian yn ofalus ar y pren crogi cyn troi ato.

'Wel?'

'Rhowch glo ar y drws 'na.'

'Ond fe roesoch chi orchymyn imi beidio'i gloi o.'

'A rŵan rydw i am i chi wneud.'

'Chi ydi'r bos,' yn sychlyd.

Croesodd Emma at y drws, a'i gloi. Arhosodd yno, â'i phwys arno.

'O, Emma, oes raid i chi wneud petha mor anodd imi?'

Fel yr oedd hi'n oedi, daeth cnoc sydyn ar y drws.

'Anwybyddwch o.'

'Ond . . . mae'r gloch wedi canu.'

Daeth cnoc arall, yn fwy ffyrnig y tro hwn, yna sŵn rhywun yn ymbalfalu efo'r dwrn. Edrychodd Emma'n erfyniol i gyfeiriad Tom Bevan.

'Dowch yma, Emma,' meddai.

'Gorchymyn ydi hwnna hefyd?'

'Ia, mae arna i ofn.'

Daeth Emma at y ddesg a sefyll hyd braich oddi wrtho.

'Mi 'dw i am i chi weld hwn.'

Estynnodd amlen o'i boced a pheri iddi ei hagor.

'Ond llythyr personol i chi ydi o,' protestiodd Emma.

'Oddi wrth y wraig. Darllenwch o, Emma.'

'Mi fydda'n well gen i beidio.'

Gollyngodd Emma'r llythyr ar y ddesg fel petai'n golsyn poeth.

'O'r gora. Dweud mae hi nad ydi hi'n bwriadu dod yn ôl ata i . . . 'i bod hi am gael ysgariad.'

''D ydi o ddim . . .'

'O'ch busnas chi. Felly roeddach chi'n dweud. Ond mae 'na un peth yr hoffwn i i chi 'i wybod. Bythefnos yn ôl, mi fydda'r newydd yma wedi fy sigo i'n llwyr. Fedrwn i ddim fod wedi dal ymlaen. Ond rŵan . . .'

''D ydw i ddim yn meddwl y dylach chi fod yn trafod hyn efo fi,' yn chwyrn. ''D ydi o mo'r lle na'r amsar.'

'Fel mynnwch chi.'

Cipiodd y llythyr oddi ar y ddesg. Oedodd am eiliad, fel petai ar fin dweud rhywbeth, yna gadawodd yr ystafell yn frysiog.

3

Rhoddodd Richard Powell ei ben heibio i ddrws lle'r doctor i wneud yn siŵr fod Magi'n ddiogel cyn mentro galw efo Hyw Twm. Cafodd gip arni'n fflachio heibio yn ei hoferôl wen. 'The white tornedo, myn cythral i,' mwmiodd wrtho'i hun.

Brasgamodd i lawr y ffordd dan chwibanu, ei grys yn agored i'w hanner a'r haul yn nythu yn y blew crychiog, gwinau ar ei frest. Fel yr oedd ar gyrraedd y stryd fawr gwelodd Doctor Puw'n cerdded i'w gyfarfod. Nid oedd modd ei osgoi.

'Wedi rhoi tro amdanom ni unwaith eto, Richard?'

'Methu cadw draw 'te, Doctor. Mae'r hen le 'ma'n agos iawn at 'y nghalon i.'

'Mm. Mae acw le rhyfadd mae'n siŵr.'

'Oes . . . sobor iawn.'

''D oedd 'na ddim fedren ni 'i 'neud 'sti, gwaetha'r modd. Roedd hi wedi gadael petha'n rhy hwyr. Ond mi ddaru ddiodda'n ddewr . . . siampl inni i gyd. Sut mae'r hogan 'na sydd gen ti bellach?'

'Dal ar 'i thrafal. Mi wyddoch sut maen nhw.'

'Ac mi wyt ti'n llwyddo i gadw'n brysur?'

'Dim eiliad i sbario.'

'Lwcus iawn. Wel, a' i ddim i dy gadw di oddi wrth dy orchwyl.'

Cerddodd Richard ymlaen â'i grib wedi ei thorri. Roedd y Puw 'na mor unllygeidiog â'r gweddill. Mati oedd wedi bod wrthi'n ei fwydo â chelwyddau, debyg; gwneud Lena allan i fod yn santes ac yntau'r diawl mwyaf ar wyneb daear.

Yn drwm o hunan-dosturi, cyrhaeddodd Richard dŷ Hyw Twm i gael y drws cefn wedi ei gloi. Dechreuodd ei ddyrnu, yna, pan na ddaeth ateb, rhoddodd gic egnïol iddo.

Daeth llais egwan o berfeddion y tŷ.

'Pwy sydd 'na?'

'Hidia befo pwy sydd 'na. Agor y blydi drws 'ma.'

'Fedra i ddim. Mae Magi wedi'i folltio fo.'

'Mae gen ti ddwy law 'd oes?'

''D ydw i ddim yn fod i'w agor o i neb ond Magi.'

'Wel, myn uffarn i. Ydi'r ffenast 'ma'n agor?'

'Ydi, am wn i.'

'Tria hi.'

Wedi peth wmbredd o chwythu a thuchan llwyddodd Hyw Twm i agor y ffenestr a dringodd Richard trwyddi.

'Y drws ddeudodd hi 'te,' meddai. 'Nefoedd fawr, ydi hi wedi gneud storm o eira yma?'

'Wrthi'n peintio 'dw i 'sti.'

'Y llawr, ia?'

'Mi ge's i ddamwain fach, efo'r tun paent.'

Torchodd Richard ei lewys.

'Yli, tria di gael trefn ar hwnna, ac mi beintia inna,' meddai.

Syrthiodd Hyw Twm ar ei liniau a dechreuodd sgwrio fel petai ei fywyd yn dibynnu ar hynny.

'Dew, diolch iti Pŵal. Mi wyt ti wedi f'arbad i.'

'Wn i ddim i be. Dim ond gobeithio y bydd Magi'n gwerthfawrogi. Sut hwyl wyt ti'n 'i gael arni hi?'

'Allan o bractis ydw i 'te. Wn i ddim b'le i ddechra . . . mae 'na gymaint ohoni.'

'Sôn am y dröedigaeth o'n i.'

'O, ia . . . dal i gredu 'sti.'

'Yn be d'wad?'

''D ydw i ddim yn siŵr iawn.' Bytheiriodd yn uchel. 'Sori, Pŵal . . . camdreuliad . . . y paent 'ma'n chwarae hafog efo fy stumog i. Be 'dw i wedi'i 'neud i haeddu hyn?'

''D wyt ti ond dechra. Gora'n y byd wyt ti, gwaetha'n y byd ydi hi arnat ti. Diodda i lawr yn fan'ma er mwyn cael telyn aur i fyny fan'cw.'

'Be wna i efo honno? Fedra i ddim chwara mowth organ. Welist ti mo 'nghlwt i, Pŵal?'

Amneidiodd Richard i gyfeiriad y bwndel pinc a orweddai wrth ei droed.

'Hwn ydi o?'

'Ia. Cod o imi 'nei di? Fedra i ddim efo 'nghefn.'

'Efo 'nwylo y bydda i'n codi petha. Be ydi o, d'wad?'

'Hen flwmars i Magi.'

Gwyrodd Richard i'w godi, ac yna'i ddal rhyngddo a'r golau.

'Mi 'nae gap nos iawn i eliffant,' meddai. 'Hwda,' gan ei daflu ar draws yr ystafell, 'a diolcha nad ydi Magi ynddo fo.'

4

Casglodd Pat y dillad budron at ei gilydd yn bentwr blêr. Roedd hi wedi bwriadu eu golchi a'u smwddio cyn i Leslie gyrraedd adref ond nid oedd ganddi ronyn o nerth yn weddill ar ôl bod yn dandwn Robert trwy'r wythnos. Gweld colli Os yr oedd o, fel hithau. Er na chawsai wybod beth a ddigwyddodd wrth yr afon clywsai ddigon i wybod mai Os a oedd yn gyfrifol. Ofnai fod Leslie wedi gwneud mwy na'i fygwth a bu ond y dim iddi â galw i holi'n ei gylch. Ond i be? Nid oedd wiw iddi ei gynnwys yma byth eto.

Cododd y pentwr dillad yn ei breichiau. Pan oedd ar y grisiau daeth yn ymwybodol o'r tawelwch anghynefin a chyflymodd ei chamau am yr ystafell fyw. Nid oedd olwg o'r plentyn a adawsai yno yn chwarae efo'i deganau. Gollyngodd y pentwr dillad ar lawr a dechreuodd chwilio'n wyllt, o gwr i gwr o'r tŷ. Galwodd arno, ond gwyddai nad oedd yn debygol o'i hateb. Cuddio yr oedd o, debyg, ac yn cael sbort o'i gweld hi'n bustachu i chwilio amdano. Ond wrth iddi chwalu trwy'r gegin yr eildro sylwodd fod y drws cefn yn gilagored a gwyddai ar amrant i b'le roedd y bychan wedi anelu. Taflodd gôt trosti a phrysurodd i gyfeiriad rhif saith.

Daeth bwrlwm o chwerthin i'w chyfarfod wrth iddi agor giât y ffordd. Eisteddai Robert mewn bocs cardbord. Roedd hwnnw'n sownd wrth raff ac Os yn ei lusgo o gwmpas yr iard. Chwifiodd Robert ei freichiau pan welodd ei fam, a gwaeddodd,

'Car coch, yli.'

Chwaraeodd cysgod gwên tros wyneb Os.

'Helo, Mrs,' meddai. 'T'isio reid?'

'Ddim rŵan, Os.'

Dringodd Robert allan o'r bocs a chrwydro i ben draw'r iard lle roedd rhes o geir bach wedi eu parcio.

'Mae'n rhaid mynd adra rŵan, Robert.'

Troi clust fyddar, fel arfer, a wnaeth y bychan. Gwyddai Pat y byddai arni angen ei holl ynni i'w symud. Pan oedd ar groesi ato clywodd sŵn anghyfarwydd o'r tu ôl iddi a throdd i weld Os yn ei gwman wrth y wal, yn siglo'n ôl a blaen ar ei sodlau. Penliniodd Pat wrth ei ochr.

'Be sydd, Os?' holodd.

Chwyrnai'n isel yn ei wddw, fel anifail mewn poen.

'Pat sydd 'ma, Os.'

Peidiodd y chwyrnu a gwelodd ei wefusau'n crynu. Cyffyrddodd ei wefus isaf â'i bys a'i dynnu'n ysgafn trosti.

'Deud be sydd, Os . . . deud wrth Pat.'

'Mynd. Mynd bell.'

Mae'n rhaid ei fod wedi cael ar ddeall, rhywsut, fod Leslie'n bwriadu gwerthu'r tŷ, ac wedi sylweddoli y golygai hynny golli Robert.

'Mynd. Mynd bell.'

'Na, Os, wnawn ni mo d'adael di. Mi 'dw i'n addo.'

Trodd at y bychan a oedd wedi cefnu ar y ceir ac yn syllu'n ddryslyd arnynt. Galwodd arno,

'Tyd at Os, Robert.'

Daeth yntau, a phlethu'i ddwylo bach chwyslyd am wddw Os. Lapiodd Pat ei breichiau am y ddau a'u tynnu i nyth cynnes ei mynwes.

5

Wrthi'n cloi drws ei hystafell o'i hôl yr oedd Emma pan glywodd lais Miss Humphries yn galw o ben draw'r coridor,

'Am funud, Miss Harris.'

Prysurodd yr athrawes tuag ati.

'Ar gychwyn adra'r ydw i.'

'Dyma'r cyfla cynta ydw i wedi'i gael y pnawn 'ma. Cŵyn sydd gen i, mae arna i ofn.'

'Be arall, ynte, Miss Humphries?'

''Ro'n i'n credu i chi gytuno i beidio cloi'r drws yma o fewn oriau gwaith.'

'Ar amod, do.'

'Ac mae'r amod honno wedi'i chadw o'm hochor i, ydi hi ddim?'

'Ydi,' yn gyndyn.

'Ond ddim o'ch ochor chi. Pam, meddech chi, yr oedd y drws ynghlo wedi i gloch y prynhawn ganu?'

'Heb gael cyfla i'w agor o 'ro'n i.'

'R ydach chi'n cyfadda eich bod chi yno, felly? Chlywsoch chi mohona i'n curo?'

'Naddo.'

'Os ydi'ch clyw chi mor ddrwg â hynny, rheitiach fyth i chi gadw'r drws ar agor. Mae arna i ofn y bydd yn rhaid imi fynd â'r mater yma ymhellach, Miss Harris.'

'Mi drefna i i chi gael gweld Mr Bevan bora fory.'

''D ydw i ddim yn credu fod yna fawr o bwrpas yn hynny.

Mae yna awdurdod uwch na'r prifathro, wyddoch chi. Mi fyddwn i'n ofalus iawn 'taswn i chi, Miss Harris.'

Cofiodd Emma fel y bu i Tom Bevan ei rhybuddio y gallai Miss Humphries wneud pethau'n anodd iddi. Ond arno fo'r oedd y bai ei bod hi yn y picil yma rŵan. Nid oedd ganddi droed i sefyll arno, ac fe wyddai'r athrawes hynny. Faint rhagor a wyddai hi, tybed, a beth oedd o'r tu ôl i'r rhybudd olaf yna? Roedd Madge yn iawn, ni allai obeithio cael y gorau ar un a gawsai chwarter canrif o flaen arni.

Fe âi i weld Madge heno a châi gyfle, wedi iddyn nhw gael cefn yr hogyn yna, i agor ei pherfedd. Hyd yn oed pe na byddai gan Madge ateb i'w gynnig, byddai cael dweud yn rhyddhad. Fe gostiodd yn ddrud iddi gymryd y cam cyntaf tuag at aildanio'r hen gyfeillgarwch, ac iddi hi'r oedd y diolch ei fod yn dal i gynnau, ond yng ngwres hwnnw yr oedd ei hunig obaith, a'i chysur hi, bellach.

6

Mynnodd Robert fod Os yn ei ddanfon adref yn y car coch. Roedd yr orymdaith fach ar fin cyrraedd rhif dau, Os yn arwain â'r rhaff tros ei ysgwydd, Robert yn ei annog ymlaen gan ddyrnu a chicio'r cerbyd ar yn ail a Pat yn eu dilyn yn cario'r bocs ceir, pan safodd Os yn stond ar ganol y ffordd. Rhoddodd y bychan waedd o brotest. Aeth y dyrnu a'r cicio'n ffyrnicach, ond ni syflodd Os. Heibio i'r ddau gallai Pat weld Leslie'n bras-gamu tuag atynt. Rhuthrodd ymlaen a sefyll rhyngddo ac Os. Ysgyrnygodd Leslie arni, ei wyneb wedi'i ystumio gan gyn-ddaredd.

'Mi ladda i'r bastard,' meddai.

'Na, gad lonydd iddo fo, Les.'

Yr eiliad honno, dechreuodd y plentyn sgrechian yn ei ddych-ryn ac wrth i Leslie gythru amdano gwthiodd Pat ei throed allan. Baglodd yntau â'i ben yn gyntaf am y wal. Gafaelodd Pat yn llaw Os a'i dynnu i gyfeiriad ei gartref.

'Dos adra, Os,' plediodd.

Ofnodd am eiliad fod Os am ei herio. Gwthiodd y bocs ceir tuag ato ond ni wnaeth osgo i'w dderbyn.

'Plîs, Os. Dos rŵan. Mi fydd bob dim yn iawn, mi 'dw i'n addo.'

Trodd Os ar ei sawdl a honcian yn ôl am ei dŷ ei hun, ei draed yn chwalu trwy'r graean.

'Yr ast uffarn. Be 'di'r gêm? Mi ddeudis i wrthat ti am beidio gadael yr hurtyn yna'n agos i fy mab i.'

Chwiliodd Pat am lwybr ymwared ond gwyddai, petai'n ceisio dianc, na fyddai'r dyn gwallgof a'i hwynebai fawr o dro'n ennill tir arni. Roedd y bychan yn y bocs yn fud, a'i lygaid yn fawr gan arswyd.

'Chei di ddim gneud stomp o fywyd Robert fel wyt ti wedi'i 'neud o fy mywyd i, o na chei. Mi ddysga i wers iti nad anghofi di byth mohoni hi.'

'Plîs, Les.'

Gwasgodd Pat ei hun yn erbyn y wal. Llithrodd y bocs ceir o'i gafael. Gallai deimlo anadl Leslie arni, yn serio'i chnawd.

Ni sylwodd yr un o'r ddau ar y sŵn traed, ond fel yr oedd dwylo Leslie'n cau am ei gwddw a'i fodiau'n gwasgu i'w llwnc clywodd Pat lais Mati Huws yn dweud, gydag awdurdod,

'Gollyngwch yr enath 'na'r munud 'ma.'

Llaciodd gafael Leslie a manteisiodd Pat ar y cyfle i ruthro at Robert a'i godi o'r bocs. Gwasgodd ef ati. Gallai deimlo oerni ei gorff trwy'i ddillad. Yn y cyfamser, roedd Leslie wedi troi at Mati, yn batrwm o gwrteisi.

'O, chi sydd 'na, Mrs Huws. 'D oes 'na ddim achos cynhyrfu. Rhyw gamddealltwriaeth bach rhwng Pat a finna . . . dyna i gyd.'

''D ydach chi rioed yn disgwyl imi gredu hynny?'

'Mi faswn i'n mynd adra 'taswn i chi. 'D ydi o ddim yn beth doeth ymyrryd rhwng gŵr a gwraig.'

'A' i ddim led troed odd'ma nes y gwela i fod yr enath fach 'ma'n iawn.'

'Mi edrycha i ar ôl 'y ngwraig, Mrs Huws. Mae'n rhaid troi tu min weithia, wyddoch chi, yn enwedig pan fydd dyfodol plentyn yn y fantol. Ond 'd oes wnelo hynny ddim byd â chi, wrth gwrs.'

'Sut ydach chi'n teimlo rŵan, Pat?'

'Iawn.'

'Wrth gwrs 'i bod hi . . . siort ora. Mi fydda'n well iti fynd â Robert i'r tŷ rŵan, Pat, rhag ofn iddo fo gael annwyd.'

Cododd Leslie'r bocs ceir a pharatoi i ddilyn ei wraig a'i blentyn.

'Hannar munud, Mr Owens. Mi 'dw i'n eich rhybuddio chi . . . os gwela i, neu glywad, rwbath tebyg i hyn eto, fydd gen i ddim dewis ond mynd at yr heddlu.'

''D ydw i ddim yn eich deall chi.'

'O, ydach. Thwyllwch chi mohona i eto.'

'Twyllo, Mrs Huws?'

'Ia, mi 'dach chi'n hen law ar hynny. Ond fe ddaw'ch dydd chitha.'

'Gobeithio y cewch chi fyw i'w weld o, ynte? Esgusodwch fi, ond mae'n rhaid imi ofalu am fy nheulu bach.'

Yr oedd ei osgo wrth iddo'i gadael yr un mor rhodresgar ag arfer a theimlai Mati fod ei hymdrech yn gwbl ofer. Efallai ei bod, trwy ei hymyrraeth, wedi gwneud pethau'n filwaith gwaeth i Pat. Ond ni allai fod wedi sefyll o'r neilltu a gwylio'r eneth yn cael ei cham-drin. Go drapia, petai ond wedi cychwyn i'r siop bum munud ynghynt gallai fod wedi osgoi'r cyfan. Ar ôl llwyddo i gadw pellter gyhyd, dyma hi eto wedi'i thynnu i mewn i helynt nad oedd a wnelo ddim â hi. Yn swp o drueni, cerddodd Mati linc-di-lonc am y stryd fawr a'i phwrpas yno wedi mynd yn angof llwyr.

O'i ffenestr, gwyliodd Leslie ei chamau. Beth petai'r cydwybod mwy effro na'r cyffredin a oedd ganddi yn ei harwain i Swyddfa'r Heddlu? Er na fyddai ganddynt ronyn o brawf yn ei erbyn, roedd perygl i'r si gyrraedd clustiau awdurdodau'r banc. Byddai unrhyw hedyn o amheuaeth yn ddigon i andwyo'i holl obeithion.

Dylai fod wedi ymbwyllo cyn dechrau helynt mewn lle mor gyhoeddus, ond byddai meddwl am gael y llwdn hanner pan yna'n tindroi o gwmpas ei blentyn yn ddigon i gyffroi unrhyw ddyn. Ni ddylai fod wedi caniatáu i Pat adael yr ysbyty. 'Rhaid iddi fynd trwy'r broses o gymryd cyfrifoldeb; dysgu byw mewn cymdeithas,' medden nhw, y gwybodusion. Ychydig a falient hwy am y dioddef a ddeuai i'w ran ef a'i blentyn yn ystod y broses honno. Nid oedd dim amdani ond eu gorfodi i gyfaddef eu methiant a'i chymryd hi'n ôl. Âi yntau â Robert at ei rieni a'i adael efo nhw nes y câi gyfle i setlo i lawr yn y fflat. Â'r dyfodol wedi ei drefnu'n daclus, teimlai Leslie y gallai ymlacio am y min nos, oni bai am fygythiad Mati Huws.

Oriau'n ddiweddarach, a'r perygl hwnnw trosodd, gwelodd waelod y botel wisgi y bu'n drachtio'n helaeth ohoni yn ystod yr aros pryderus. Yna, â'i feddwl yn dawel, syrthiodd i gysgu. Rywdro ganol nos, a hithau heb allu cau ei llygaid, mentrodd Pat i lawr y grisiau a'i gael yn chwyrnu yn ei gadair. Dychwelodd i'w gwely a chysgodd yn hwyr i'r bore.

7

Ni allai Emma gredu ei llygaid y nos Wener honno pan welodd Madge yn sefyll wrth ei drws.

'Wedi bod am dro wyt ti?' holodd.

'Na, galw i dy weld ti.'

''Ro'n i am ddŵad draw toc.'

'Wn i. Meddwl 'ro'n i y caen ni well cyfla i siarad. Fedra i ddim aros yn hir.'

'Ond mi ddoi i mewn, am funud.'

'Dof, siŵr.'

Arweiniodd Emma hi i'r gegin a pheri iddi eistedd. Eisteddodd hithau gyferbyn a'i boddhad o gael Madge yma efo hi yn gyrru ias o lawenydd trwyddi. Sawl tro'r oedd hi wedi dychmygu'r olygfa hon, a'i cheryddu ei hun yn hallt wedyn am fod mor ffôl â chodi cestyll tywod?

''D ydi'r lle 'ma wedi newid fawr, fel gweli di,' meddai.

'Mi fyddwn wrth 'y modd yn dŵad yma ers talwm. Roedd yn gas gen i orfod gadael.'

'Yn gas gen inna dy weld ti'n mynd, a gwybod sut oedd petha rhyngot ti a dy nain.'

'Mi rois i beth wmbradd o boen iddi, Emma.'

''D oedd hitha mo'r un glenia, yn edliw dy dad iti ac yn dy ddal di'n gyfrifol am farw dy fam.'

'Nac oedd, falla, ond . . .'

'Ifanc oeddan ni.'

''D oedd 'na ddim safa o'n blaena ni.'

'Dim. Wydden ni ddim be oedd ystyr ofn. Mi 'dw i'n dy gofio di'n cerddad canllaw'r bont pan oedd yr afon ar 'i hucha.'

'A nain yn cael sterics gwyllt ar ben drws.'

'Wyt ti'n cofio'r tro hwnnw ddaru ni ddal Robin Penmeini, tynnu'i drowsus o, a'i wthio fo i lwyn o ddanadl poethion?'

'Hwnnw'n ista yno a'i ben ôl yn swigod i gyd yn sgrechian am 'i fam . . .'

'A ninna'n dawnsio o'i gwmpas o yn dynwarad Indiaid Cochion.'

'Be ddigwyddodd inni, Emma?'

'Magu ofna, debyg, a gneud stomp o betha wrth drio ffeindio'n traed. Ond hidia befo, mi 'dan ni'n ôl rŵan. Mi fedrwn 'neud rwbath ohoni rhyngon.'

'Fydd hynny ddim yn bosib.'

Teimlodd Emma'r llawenydd yn fferru o'i mewn.

'Be sydd, Madge?' holodd, yn bryderus.

'Isio i ti fod y gynta i wybod 'ro'n i . . . ein bod ni'n gadael Minafon.'

''D wyt ti ddim . . .'

'Dim ond Os a finna. Rydan ni am fynd i Lundain, at Annie, chwaer nain.'

''Ro'n i'n meddwl am funud . . .'

'Wn i. Mi fedri fod yn dawal dy feddwl ar hynny. Mae'r cwbwl drosodd rhwng Dei a fi.'

'Diolch i'r nefoedd am hynny. Wn i ddim be liciwn i 'i 'neud i'r dyn 'na.'

'Rhaid iti beidio beio gormod ar Dei. Mae arna i ddylad fawr iddo fo 'sti.'

'Dylad?'

'Fe gawson ni fwy o hapusrwydd efo'n gilydd na mae'r rhan fwya'n 'i gael mewn oes. A fo roddodd Os imi.'

'Yn faen melin am dy wddw di am byth.'

'Newidiwn i mohono fo am y byd. Plentyn ein cariad ni oedd o. Fo ydi'r cwbwl imi rŵan. 'D oes 'na ddim byd tebyg i wybod fod ar rywun dy angan di.'

Caeodd Emma ei llygaid i geisio lleddfu rhywfaint ar y cur a oedd yn gwasgu arni. O'r pellter, clywodd lais ei thad yn sibrwd yn ei chlust, 'Cysga di 'mach i. 'D oes 'na ddim byd i'w ofni.' Na, nid llais ei thad oedd o, ond llais Tom Bevan. Ac nid ar ysgwydd ei thad y gorffwysai ei phen blinedig, ond ar ysgwydd gadarn Tom.

‘Faint gymri di amdanyn nhw, Emma?’

‘Mm?’

‘Dy feddylia . Roeddat ti’n o bell rŵan.’

‘’D ydyn nhw werth fawr. Mi ’dw i wedi bod yn ffŵl, Madge. Yr hen falchdar ’ma ydi’r drwg ’sti . . . methu rhoi dim ohona i fy hun.’

‘A chditha â chymaint i’w roi.’

‘Ofn sydd gen i.’

‘Mi wyt ti’n siŵr o fedru gorchfygu hwnnw, pan ddaw’r amsar.’

Syllodd Emma i’r llygaid golau a gwelodd ynddynt y ddealltwriaeth honno a fu’n gwlwm rhyngddynt, unwaith.

‘Fo ddyla hel ’i draed odd’ma, nid chdi,’ meddai’n filain.

‘Fel hyn mae hi ora, Emma.’

‘Ora i bwy?’

Gadawodd Madge hi’n fuan wedyn. Addawodd Emma alw yno i ffarwelio â hi fore Sul. Ffarwelio, cyn iddyn nhw gael cyfle i ddechrau gwneud iawn am y blynyddoedd coll. Roedd Madge yn mynd, a hithau’n gaeth unwaith eto mewn cyffion o egwyddorion nad oedd fawr neb, bellach, yn rhoi unrhyw goel arnynt. A gâi hi’r nerth o rywle, tybed, i dorri’r cyffion ac i fentro rhoi ohoni ei hun?

PENNOD 14

Dydd Sadwrn, Hydref y 15fed

1

Byddai Katie Lloyd wedi cychwyn i'w thaith yn ddirwystr y bore hwnnw petai heb ddigwydd sylwi, wrth iddi gamu allan i'r stryd gefn, ar yr anghenfil o gwmwl a grogai uwchben y Domen Ddu. Dychwelodd i'r tŷ â'i gwynt yn ei dwrn i nôl ei chôt law a'i hofn o golli'r bws yn ei gwneud yn fwy lletchwith nag arfer. Pan oedd yn gadael y tŷ am yr eildro gollyngodd yr agoriad a syrthiodd hwnnw i agen rhwng dwy lechen las.

Wrthi'n ei chwman yn bustachu i'w gael yn rhydd yr oedd pan ddaeth Richard Powell o'r tu cefn iddi.

'Mae ganddoch chi ben ôl bach digon o ryfeddod, Cit,' meddai.

Â'i thymer ar ei byrraf, meddai Katie'n gwta,

'Helpwch fi i gael gafael ar y 'goriad 'ma, yn lle siarad lol.'

Gwthiodd Richard ei fys i'r agen i geisio rhyddhau'r agoriad.

'Sut buoch chi mor flêr?' holodd.

'Mae damweinia *yn* digwydd. Fedrwch chi gael gafael arno fo?'

'Mi 'dw i'n trio 'ngora.'

'Faint o'r gloch ydach chi'n 'i gneud hi?'

'Roedd hi'n chwartar i ddeg arna i'n gadael y tŷ.'

'Ddalia i byth mo'r bŷs 'na.'

'Lle ydach chi am gael mynd, felly?'

'Fydda i'n gofyn i chi lle byddwch chi'n mynd?'

'Mi 'dach chi'n uffernol o bigog heddiw. Daliwch eich gwynt . . . mi 'dw i bron â'i gael o.'

Clywodd Katie'r agoriad yn tincial yn erbyn llechen las ond cyn iddi allu plygu i'w godi roedd Richard wedi ei orchuddio â'i droed.

'Be ydi'r brys, Cit?' holodd.

'On'd ydw i wedi deud wrthach chi. Mae'r býs yn cychwyn am ddeg.'

'Ddaliwch chi byth mohoni hi.'

'Diolch i chi 'te.'

'Dyna sydd i'w gael o fod yn dan din.'

'Ylwch, Richard, mi 'dw i'n rhydd i fynd i b'le mynna i.'

''Ro'n i'n meddwl ein bod ni'n ffrindia.'

Cododd Richard yr agoriad a'i estyn iddi.

'Hwdiwch eich blydi 'goriad,' meddai'n surbwch.

Gwelodd Katie ar fflach y lôn ar gyrion Y Waunfach a Richard yn sefyll ar ei chanol yn taranu'n erbyn y ffarmwr a oedd wedi eu hamddifadu o'r hawl i ddringo'r Foel. Yr un osgo guchiog a oedd arno rŵan a'i wefus isa'n llac fel un plentyn bach wedi'i wrthod. Teimlodd gosfa'n ei llwnc ac ni allai wneud dim i atal y bwrlwm chwerthin. Syllodd Richard yn syn arni, yna taflodd ei ben yn ôl a rhoddodd floedd o chwerthiniad fel y gwnaethai'r diwrnod hwnnw. Sobrodd Katie'n sydyn pan glywodd sŵn traed yn y stryd gefn.

'Mi fydd pobol yn meddwl ein bod ni'n drysu,' meddai.

'Mi neith les i'r diawliad glywad dipyn o chwerthin. I Lanelan yr ydach chi'n mynd, ynte Cit?'

'Rydw i'n bwriadu prynu tŷ yno, ac am fynd i'w weld o heddiw.'

''Ro'n i wedi ama fod ganddoch chi rwbath i fyny'ch llawas. Ylwch, be 'taswn i'n mynd â chi yno?'

'Na, wir, 'd oes dim angan.'

'Dyna'r peth lleia fedra i 'i 'neud gan mai fi achosodd i chi golli'r býs.'

'Fy mhenderfyniad i ydi hwn, Richard.'

'A' i ddim i 'myrryd. Falla na chawn ni fawr o gyfla efo'n gilydd eto. 'D ydw i ddim isio'ch colli chi, Cit.'

'Na finna chitha. Mae'r dyddia dwytha y rhai hapusa'r ydw i wedi'u treulio ym Minafon. Ond mae arna i isio darfod fy oes yn fy nghartra fy hun. Fuo hwn erioed yn gartra imi. Tŷ Harri oedd o, a dyna fydd o, am byth.'

Yr oedd eisoes dinc goruchafiaeth yn ei lais wrth iddo daflu'r her iddi. Nid oedd ganddi ddewis ond ei derbyn. Ond siawns na allai, a hithau wedi llwyddo i sodro Harri yn ei gynefin, orchfygu Richard ar ei thir ei hun. Yr oedd hyder yn ei llais hithau wrth iddi ddweud, yn dawel ond yn gadarn,

'O'r gora, ewch â fi i Lanelan, Richard.'

2

Ni chawsai Gwen fawr o lonydd gan ei chefn trwy'r nos. Byddai wedi codi ers oriau oni bai fod arni ofn aflonyddu ar Dei. Roedd arno angen ei gwsg os oedden nhw i gael y gorau ar yr hen salwch yna. Ac fe ofalai hi na roddai ddim ond y gorau o'i flaen, i bob pryd, hyd yn oed petai'n rhaid iddi dyllu i'w chelc. Ond yn bwysicaf oll, byddai'n rhaid iddi ei gael o'r parc yna, rhag blaen. Ni châi dreulio gaeaf arall yno, reit siŵr.

Symudodd yn ochelgar tua'r erchwyn.

'Ydach chi'n effro, Gwen?'

'Am godi 'ro'n i. Ond ewch chi'n ôl i gysgu.'

''D o'n i ddim yn cysgu. Nac wedi cysgu fawr trwy'r nos.'

'Newch chi ddim byd ohoni heb gwsg.'

'Wedi bod yn meddwl yr ydw i.'

'Mae meddwl gormod wedi gyrru amal un i'r seilam. Gneud sy'n bwysig.'

'Ia, mi 'dach chi'n iawn, Gwen . . . gweithredu.'

Gwasgodd Gwen ei dannedd wrth iddi lithro'i choesau tros yr erchwyn. Estynnodd am ei gŵn nos. Brathai'r gwayw yn ei meingefn gyda phob symudiad a chadwodd ei chefn at Dei rhag iddi fradychu'i gwewyr.

'Peidiwch â mynd rŵan. Mi 'dw i isio gair efo chi.'

'Panad gynta, ia?'

'Na. Mi 'dw i wedi dŵad i benderfyniad, Gwen. Mi 'dw i am adael.'

Saethodd y boen trwyddi a bu ond y dim iddi â gweiddi allan.

'Ond 'd oes dim angan hynny rŵan, a finna'n gwybod.'

'Gwybod be?' yn wyllt.

'Wel, am y salwch 'te. Mi ddeudis i wrthoch chi y cawn ni'r gora arno fo, efo'n gilydd.'

'Mi 'dw i wedi deud wrthoch chi . . . 'd oes 'na ddim byd yn bod arna i. Ac mi fydda i'n ysgafnach fy meddwl hefyd, rŵan 'y mod i wedi penderfynu gadael y parc 'na.'

'Sôn am y parc roeddach chi?'

'Wel, ia.'

'Rhoi'ch gwaith i fyny, felly?'

'Gyntad ag sy'n bosib.'

Llaciodd y boen wrth i'r rhyddhad lifo trosti. Trodd i wynebu Dei.

'Mi 'dach chi'n gneud yn ddoeth. Synnwn i ddim nad ydi'r hen bridd 'na'n beth digon afiach. Ac mi ga' i gadw llygad arnoch chi yma . . . gneud yn siŵr eich bod chi'n cael bob chwara teg.'

''D ydw i ddim yn bwriadu dal 'y nwylo.'

'O. Be 'newch chi, felly?'

'Mynd yn ôl i'r chwaral, gyda lwc. Rydw i am fynd i weld Hywel Morris heddiw nesa.'

'Ond ydach chi'n meddwl y medrwch chi 'i ddal o? O leia, mi fyddwch dan do, ac ar eich eistedd.'

'Nid yn y Miwsiym y bydda i.'

'B'le, felly?'

'Allan ar y bonc.'

''D ydw i ddim yn deall. Allan ar y bonc yn gneud be?'

'Bod yn chwarelwr, Gwen, chwarelwr go iawn fel 'ro'n i ers talwm. Mae 'na fwy o alw am lechi nag y buo 'na ers blynyddoedd.'

'Ond fedrwch chi ddim. Mi 'dach chi'n ddyn gwael.'

'Fûm i rioed gystal. Mae hyn yn ddechra newydd inni, Gwen . . . llechan lân.'

'Ond be oeddach chi'n 'i 'neud efo'r Doctor Puw 'na 'ta?'

'Mynd yno ynglŷn ag Os wnes i.'

'Be sydd 'nelo chi â hwnnw?'

'Mi alwis yno, wedi i Os daflu'r dywarchan atoch chi . . . meddwl y bydda'n well setlo petha cyn i ddim byd gwaeth ddigwydd.'

'Chwara teg i chi, wir,' yn bles.

'Roedd hi'n amlwg fod Madge Parry'n boenus 'i meddwl ac yn teimlo fod Os yn mynd yn ormod iddi. Feddyliais i ddim rhagor am y peth nes imi weld Os yn 'mosod ar yr Owens 'na, i lawr wrth yr afon. 'Ro'n i'n 'i theimlo hi'n gyfrifoldab arna i 'neud rwbath pendant.'

'Mi 'dw i wedi deud ers blynyddoedd nad ydi'r Os 'na ddim ffit i fod o gwmpas . . . a neb yn cymryd sylw ohona i.'

'Fel roeddan ni wiriona. Mi addawodd Doctor Puw alw yno. Rhyngddyn nhw a'u potas rŵan.'

'Gora po gynta iddo fo gael 'i gartio odd'ma, ddeuda i. 'D ydi o'n gneud dim lles i enw da Minafon 'ma.'

Tawodd Gwen wrth i arwyddocâd geiriau Dei dreiddio i'w meddwl.

''D ydach chi ddim yn sâl, felly,' meddai'n araf.

'Nac ydw, Gwen.'

'O . . . mae'n dda gen i. Wn i ddim be faswn i'n 'i 'neud hebddoch chi, Dei.'

Teimlodd Gwen y dagrau'n procio y tu ôl i'w llygaid.

'Mi a' i i 'neud panad,' meddai'n frysiog.

'Peidiwch â thrafferthu dŵad ag un i fyny i mi. Mi 'dw i am godi rŵan, imi gael cychwyn am Y Rhosydd.'

Wedi iddi gyrraedd diogelwch ei chegin, rhoddodd Gwen ffrwyn i'w dagrau. Roedd Dei, ei Dei hi, yn ôl. Er eu holl ymdrechion i wenwyno'i feddwl a'i gymryd oddi arni, roedd o'n ôl. A siawns na fyddai'r Morris yna'n ddigon doeth y tro yma i allu ei berswadio mai yn yr Amgueddfa yr oedd ei le. Wedi'r cyfan, rhoesai addewid iddi y câi Dei sylw a pharch ac ni allai gŵr bonheddig fel y fo fynd yn ôl ar ei air. On'd oedd o wedi cyfaddef fod Dei'n gaffaeliad i'r chwarel a'u bod ar goll hebddo? O, ia, yn llygad y cyhoedd yr oedd lle Dei, nid yn ymlafnio allan ym mhob tywydd fel unrhyw gomon jac. Dechrau o'r newydd, dyna ddwedodd o . . . llechen lân. Ac fe wnâi hi'n siŵr na châi'r un ohonyn nhw roi bysedd budron ar honno.

3

Fel yr oedd Pat yn croesi'r iard â bocs ceir Os yn ei llaw daeth Leslie i mewn o'r stryd gefn.

'A lle wyt ti'n meddwl wyt ti'n mynd?' arthiodd.

'Â'r ceir yn ôl i Os.'

'O, nac wyt.'

Cerddodd Pat yn ei blaen ond safodd Leslie yn ei llwybr.

'Tyd â'r bocs 'na i mi, Pat,' meddai, rhwng ei ddannedd.

'Os pia fo. Mae o'n meddwl y byd o'r ceir 'ma.'

Gafaelodd yn egar yn ei braich.

'Gwna fel 'dw i'n deud wrthat ti.'

'Na, Les,' yn herfeiddiol.

'Be ddeudist ti? Yli, mi 'dw i wedi cael llond bol ar dy 'stumia di.'

Tynhaodd ei afael ar ei braich. Llusgodd hi i'w ganlyn at y bin sbwriel a chododd y caead â'i law rydd.

'Rho fo yn hwnna.'

'Na, fedra i ddim.'

Daliodd ei llaw uwchben y bin a'i gorfodi i agor ei bysedd fesul un. Llaciodd ei gafael ar y bocs a syrthiodd hwnnw i ganol y lludw a'r sbwriel.

4

Bu Eunice yn oedi cyn hired ag y gallai yn y dref i geisio lladd amser ac nid oedd ganddi ddewis bellach ond gwneud ei ffordd yn ôl am Finafon. Gwelodd ambell un a adwaenai o ran ei weld a daeth un wraig ati i'w holi ynglŷn â Brian. Roedd ateb Eunice cyn syched â'i golwg ac roedd hi'n amlwg fod y wraig yn difaru iddi wneud yr ymdrech. Ta waeth, ran'ny, nid oedd arni angen yr un ohonynt. Cofiodd fel y bu i Brian geisio ei pherswadio i gael rhywun i'r tŷ yn gwmni iddi ac mor falch oedd o pan ddeallodd fod Katie Lloyd yn ei hôl. Byddai'n well ganddi gael ei charcharu mewn cell am ei hoes na gorfod dibynnu ar yr hen gyrbiban honno.

Cyn iddo adael yn yr ambiwlans fore Llun, meddai Brian,

'Mae Richard Powell wedi addo cadw llygad arnat ti. Cofia di fynd ar 'i ofyn o.'

Hithau'n addo, gan osgoi edrych i'r llygaid nad oedden nhw'n gweld dim ond da. Nid oedd lle i rywun fel Brian mewn byd fel hwn. Cofiai ddweud hynny wrth Katie Lloyd unwaith, pan oedden nhw'n gallu dygymod yn eithaf â'i gilydd. 'Yr addfwyn rai sy'n diodda bob tro, wyddoch chi,' meddai. Hithau'n protestio at annhegwch pethau ac yn cymryd ei chas at Katie Lloyd pan ddywedodd honno,

'Nid ein lle ni ydi gofyn pam, Eunice, dim ond derbyn be mae'r Llyfr yn 'i ddeud.'

Hi a'i Llyfr! Nid oedd fymryn gwell o fod wedi ysgrifennu hwnnw ar lech ei chalon, chwedl hithau.

Cyrhaeddodd Eunice Minafon i weld dyn dieithr yn curo ar ddrws ei thŷ. Pan ddaeth i fyny ato, meddai'n glên,

'Chwilio amdanoch chi'r o'n i.'

'O.'

‘’D ydach chi ddim yn fy nghofio i?’

‘Nac ydw, mae arna i ofn.’

‘Ron, mêt Brian. Fe ddaru ni gyfarfod yn y dre.’

Wrth gwrs, hwn oedd yr ‘hen foi clên’ a dorrodd y newydd iddi fod Brian yn mynd yn ôl i’w waith a’i gorfodi i fradychu ei hanwybodaeth.

‘Wedi galw i holi am Brei ydw i. Sut mae o bellach?’

‘Rwbath yn debyg. Disgwyl canlyniada’r X-rays ydan ni.’

‘Hen amsar poenus.’

‘Ydi, braidd.’

‘Oes ’na rwbath fedra i ’i ’neud?’

Petrusodd Eunice. Yna cofiodd am y coed y bu’n ymlafnio efo nhw hyd at ddagrau neithiwr.

‘Mae ’na goed angan ’u torri. Fedra Brei ddim, a ’d ydw inna fawr o law arni.’

‘Mi gwna i nhw rŵan.’

‘’D oes ’na ddim brys.’

‘’D ydw i ddim yn credu mewn gohirio.’

Agorodd Eunice y drws a’i arwain i’r cyntedd. Syllodd Ron mewn edmygedd ar y cyfuniad chwaethus o bapur a phaent.

‘Mae ganddoch chi le braf yma,’ meddai.

‘Hynny o werth ydi o.’

‘Teimlo’n isal, ia?’

‘Gormod o amsar ar ’y nwylo, debyg . . . i hel meddylia.’

‘Chewch chi fawr o gyfla i’neud hynny tra bydda i o gwmpas.’

Bu’n driw i’w air. Arhosodd efo hi yn hwyr i’r prynhawn. Llwyddodd hithau i anghofio’r ofnau a fu’n ei phlagio. Ond wedi iddo’i gadael daethant yn ôl, ar eu canfed. Gwasgai’r tawelwch amdani ac ymestynnai’r dyfodol o’i blaen yn oer a bygythiol a chyn dywylled â’r fagddu.

5

Ar berswâd Ann yr aethai Katie a Richard i gerdded un o lwybrau Llanelan. Nid oedd gan Katie fawr o awydd symud allan. Aethai Richard efo hi i weld y tŷ a bu’n frwd ei gondemniad ohono. Er iddi hoffi’r hyn a welsai llwyddodd i beri iddi amau doethineb prynu lle â chymaint o waith gwario arno. Wedi’r cyfan, nid oedd ganddi bwll diwaelod o arian, chwaith, ac nid oedd am gael ei gorfodi i werthu'r dodrefn. Roedd hi wedi bwriadu dod â'r rheini'n ôl i'w cynefin. Efallai y byddai'n well iddi aros nes y deuai rhywbeth mwy buddiol ar y farchnad. Mynegodd ei hofnau wrth Ann ond ni wnaeth honno ond gwenu'n dawel a'u hannog i gymryd tro cyn te.

Wedi ysbaid o fudandod, gofynnodd Richard,

'Oes ganddoch chi awydd dringo'r Foel?'

'Nac oes, wir,' yn gwta.

'Be am Bryn Melyn 'ta. Mi fedrwch goncro hwnnw, siawns.'

'O, medra.'

Ffieiddiodd Katie ei hun am ymateb mor barod i'w her. Brasgamodd Richard o'i blaen i fyny'r llechwedd ac nid oedd ganddi hithau ddewis ond ei ddilyn, orau y medrai. Ni chymerai mo'r byd â galw arno i arafu.

Pan gyrhaeddodd y nyth o dir lle bu'r ddau'n mwynhau'r te bach y mis Mehefin hwnnw roedd Richard eisoes yn gorwedd ar wastad ei gefn ar y borfa ac yn syllu'n bowld i lygad yr haul. Safodd Katie yn ei hunfan, ei chefn at yr haul hwnnw a'i golwg ar ddüwch undonog y coed pîn islaw.

'Be sydd mor ddiddorol?' holodd Richard.

'Dim. Wn i ddim be mae pobol yn 'i weld yn y lle 'ma, wir.'

Cofiodd Katie am yr oriau a dreuliodd yma yn ystod yr haf a'r tawelwch yn ei goglais fel awel gynnes. Heddiw, yr oedd i'r tawelwch frath gwynt yr hydref.

'Pam na 'steddwch chi, Cit?'

'Mi 'dw i'n meddwl y dylan ni fynd yn ôl rŵan.'

'Newydd gyrraedd ydan ni. Ar frys i fynd adra i Finafon ydach chi, ia? Wedi gweld eich camgymeriad?'

Anwybyddodd Katie'r cwestiwn. Be oedd ar ei phen hi'n derbyn ei her ac yn ei ddilyn i fyny yma; anwybyddu holl gynghorion Harri ac ildio i'r hen fyrbwylltra a fu'n gymaint o fagl iddi?

'Mi 'dach chi'n ddistaw iawn, Cit.'

'Lle i fod yn ddistaw ydi hwn, ia ddim?'

'Roedd ganddoch chi ddigon i'w ddeud y tro dwytha y buon ni yma.'

'Fel 'ro'n i wiriona. Gwastraffu f'anadl . . . 'd oeddach chi'n deall dim.'

'Chi oedd yn siarad iaith ddiarth 'te . . . sôn am gariad a maddeuant a rhyw 'nialwch felly.'

'Wnawn ni ddim byd hebddyn nhw.'

'Pawb drosto'i hun ydi hi yn yr hen fyd 'ma, Cit. Waeth i rywun heb â stwna o gwmpas yn aros i rwbath ddigwydd. Mae'n rhaid 'mystyn amdano fo.'

''D ydi hynny ddim mor hawdd i bawb.'

'Ydach chi'n meddwl 'y mod i wedi'i chael hi'n hawdd?' yn chwyrn.

Estynnodd Richard baced sigarets o'i boced a thanio un, heb symud o'i orwedd.

'Mi 'dach chi'n smocio gormod, Richard.'

''Dach chi'n meddwl? Mi fydda'r hogan 'cw yn 'y mhen i byth a hefyd, isio imi roi'r gora iddyn nhw. Rhyw damad fel'na, prin allan o'i chlytia, yn deud wrtha i be i 'neud. Rheitiach iddi gau'i cheg. Mi wnaeth ddigon o stomp tua'r coleg 'na.'

'Mi 'dan ni i gyd yn cael cama gweigion weithia.'

'Mi ddylach chi wybod. Pwy arall fydda wedi bod yn ddigon twp i briodi Harri Lloyd?'

Teimlodd Katie ias oer yn ei cherdded. Byddai'n rhaid iddi gilio cyn iddo gael cyfle i'w gweld yn ei gwendid. Symudodd yn araf tua'r llechwedd, gan gadw'i llygaid ar y gwregys o goed pîn. Camodd mor ofalus ag y gallai, ond roedd ei choesau'n sigledig wedi straen y dringo.

'Cit!'

Parodd y waedd iddi roi tro sydyn a cholli'i chydbwysedd. Llithrodd ei throed a syrthiodd, â'i choes ymhlyg oddi tani. Rhuthrodd Richard i fyny ati a phlygu uwch ei phen.

'Be aflwydd oeddach chi'n drio'i 'neud, Cit?' holodd.

'Mynd i rywle'n ddigon pell oddi wrthoch chi.'

'Be ydw i wedi'i 'neud rŵan?'

'Mi wyddoch yn iawn. Mi 'dach chi wedi bod yn trio cael y gora arna i drwy'r dydd. Fedra i ddim cadw i fyny efo chi, Richard.'

'Mi 'dw i wedi'ch sodro chi, felly?'

'Galwch chi o be fynnoch chi.'

'A 'd ydach chi ddim am brynu'r tŷ?'

'Fedra i ddim fforddio'i ail-wneud o.'

''D oes 'na ddim byd o'i le arno fo, Cit.'

Cododd Katie ar ei heistedd yn wyllt gan anwybyddu'r boen a frathai yn ei ffêr.

'Ond fe ddeudoch chi y bydda angan gwario ffortiwn arno fo,' meddai'n gyhuddgar.

'Do 'dwch?'

'Celwydd oedd hynny, felly?'

'Ymestyn dipyn ar y gwir 'te. 'D oes 'na ddim byd na fedar unrhyw ddyn gwerth 'i halan 'i setlo.'

'Mi 'dach chi'n ddyn drwg, Richard.'

'Ydw, cythral mewn croen. Ond mi ge's i'r plesar o'ch clywad chi'n deud 'y mod i wedi llwyddo lle methodd Harri Lloyd. Fedrwn i ddim gadael i'r Pharisead bach hwnnw gael y gora arna i. Am faint rhagor ydach chi'n bwriadu eistedd yn fan'ma?'

'Wn i ddim fedra i symud.'

'Rhowch eich braich am 'y ngwddw i a gadewch y gweddill i mi.'

Â'i phwysau ar Richard, cyrhaeddodd Katie gwr Llanelan yn ddidramgwydd. Pan ddaethant allan o'r coed i'r glesni llachar, meddai Richard,

'Fedrwch chi weld y tŷ o fan'ma?'

'Dim ond y corn simna. Yng nghanol y pentra, i'r dde o'r eglwys.'

'Fydd o fawr o dro na fydd o'n mygu.'

Er bod ei lygaid yn gwenu arni sylwodd Katie ar yr awgrym o gryndod yn ei lais. Pwysodd yn drymach ar ei fraich, ac meddai,

'Wnewch chi fy helpu i i gynna'r tân cynta, Richard?'

'Ydach chi'n meddwl hynna o ddifri?'

'Wrth gwrs 'y mod i. Mae'r amsar chwara drosodd rŵan.'

Pan agorodd Ann y drws iddynt, syllodd yn graff ar y ddau cyn holi'n gellweirus,

'Wel, pwy 'nillodd?'

'Gêm gyfartal oedd hi, ynte Richard,' meddai Katie'n ysgafn. Ond yr oedd tinc buddugoliaeth yn ei llais wrth ei ddweud.

6

Yr eiliad y cafodd gefn Leslie rhuthrodd Pat i'r iard gefn ac aeth ati i godi'r ceir bach o'r bin sbwriel heb falio dim yn y budreddi a lynai wrth ei dwylo. Ni fyddai fawr o dro yn eu glanhau ac yn picio â nhw draw i Os.

Aeth i'r afael â nhw wrth y sinc a'r cyffro o herio Leslie yn rhoi hyder newydd ynddi. Ond fel y carlamai'r amser ymlaen dychwelodd yr hen ansicrwydd a dechreuodd amau ei hawl i'w wrthsefyll. Efallai mai Leslie oedd yn iawn a'i bod wedi peryglu dyfodol y plentyn trwy adael iddo dreulio cymaint o amser yng nghwmni Os. ''D oes wybod pa effaith mae o wedi'i gael ar feddwl Robert'—dyna a ddywedodd Les. Roedd Mati Huws, hefyd, wedi amau doethineb y peth. Hithau'n protestio na allai ddod i ben ei hun a bod yn dda iawn iddi wrtho. Roedden nhw wedi ei sicrhau, wrth iddi adael yr ysbyty, fod pob gobaith iddi wella ond iddi dderbyn ei chyfrifoldeb a magu hyder ynddi ei hun. Addawsai hithau wneud hynny, yn ffyddiog—ar y pryd—y byddai iddi lwyddo. Ond ychydig iawn o ymdrech a wnaethai. Roedd hi'n gymaint haws manteisio ar barodrwydd Os. Ni allodd erioed gymryd at y plentyn. Yn ystod y cyfnod yn yr ysbyty nid oedd wedi hiraethu eiliad amdano. Pa fath fam oedd hi, mewn difri, yn mentro ei roi yng ngofal un nad oedd ond plentyn ei hun, a phlentyn anghyfrifol iawn yn ôl pawb arall? A pha fath wraig, i'w gymell yma yng nghefn ei gŵr, dro ar ôl tro? Roedd Les wedi ymdrechu cymaint efo hi; wedi aberthu cymaint er ei mwyn.

Teimlodd Pat y chwys oer yn cripian tros ei chorff. Estynnodd y botel dabledi o'r drôr. Llyncodd ddwy ohonynt a'u golchi i lawr â chegiad o ddŵr. Tywalltodd y ceir o'r ddysgl ar y sinc. Fe âi â nhw'n ôl i Os fel yr oedden nhw a'u gadael wrth ddrws y cefn fel na fyddai'n rhaid iddi ei wynebu. Ond fel yr oedd hi'n chwilio am focs yn y cwpwrdd clywodd sŵn traed yn yr iard a chyn iddi gael cyfle i ysgubo'r ceir o'r neilltu roedd Leslie yn y gegin.

'A dyma wyt ti'n 'i 'neud wedi cael 'y nghefn i, ia?' meddai, yn ddeifiol o oer.

'Mi 'dw i'n meddwl y dyla fo 'u cael nhw'n ôl.'

'Wedi dechra meddwl, wyt? Braidd yn hwyr ydi hi i hynny 'te?'

'Mae Os wedi bod yn ffeind iawn wrth Robert.'

'Ffeind! 'D ydi'r lembo ddim hannar call.'

'Diniwad ydi o. Wnaiff o ddim drwg i neb.'

''D ydi o ddim gwahaniaeth gen ti be sy'n digwydd i Robert ond i ti gael llonydd, yn nac ydi?'

'Ddaw o ddim yma eto . . . mi 'dw i'n addo.'

'Mae hi'n rhy hwyr, Pat. Mi 'dw i wedi rhoi pob cyfla iti . . . ond 'd oes 'na ddim dysgu arnat ti.'

Syrthiodd ei lygaid ar y botel dabledi.

''Ro'n i'n meddwl imi ddeud wrthat ti am 'neud i ffwrdd â'r rhain,' meddai.

'Mae arna i 'u hangan nhw, Les.'

'Dim rhyfadd fod 'na'r fath olwg arnat ti ac ar y lle 'ma, yn dibynnu ar betha fel'ma. Mi wyt ti wedi gneud llanast o 'nghartra i ac o 'mywyd i, ond mi ofala i na chei di ddim difetha bywyd Robert.'

Brasgamodd Leslie trwodd i'r ystafell fyw. Eisteddai Robert ar lawr yn chwarae efo'i deganau. Cododd ef yn ei freichiau a dychwelyd i'r gegin lle safai Pat, wedi ei rhewi'n ei hunfan. Syllodd ar Leslie, ei llygaid yn fawr gan arswyd.

'Plîs Les . . . mi wna i unrhyw beth ddeudi di,' yn erfyniol.

'Sawl tro'r ydw i wedi clywad hynna o'r blaen? Mi 'dw i am fynd â Robert at mam nes y ca' i gyfla i setlo i lawr.'

'Be amdana i?'

'Mi 'dw i wedi gneud hynny fedra i i ti.'

'Ond lle a' i Les?'

'Yr ysbyty 'na ydi'r lle gora iti. A dos â'r hannar pan 'na efo chdi. Fedrwch chi 'neud drwg i neb yn fan'no.'

Cipiodd Leslie gôt Robert oddi ar gefn y drws a'i lapio amdano. Yna, â'r bychan yn dynn yn ei freichiau, gadawodd y tŷ.

7

Trwy gydol y Sadwrn ni allodd Mati feddwl am ddim ond yr eneth fach drws nesaf. Gan faint ei phryder aethai hyd yn oed Emyr a'r dieithrwch oer a fu rhyngddynt ers dyddiau yn beth dibwys. Ei dyletswydd hi fel cymdoges oedd rhoi gwybod i'r heddlu. Nid ymyrraeth fyddai hynny ond ymgais i amddiffyn hawliau un nad oedd ganddi gefn yn y byd. Gwyddai na allai fyw yn ei chroen heb gael golwg ar Pat ond ni feiddiai alw yno tra oedd y dyn yna o gwmpas. Cofiodd ei fod yn arferiad ganddo fynd i weld ei fam ar nos Sadwrn a bu'n loetran yn ffenestr y llofft gefn yn y gobaith o'i weld yn cychwyn. Â hithau ar roi i fyny'r ysbryd, fe'i gwelodd yn mynd heibio â'r plentyn yn ei freichiau. Gan wybod fod ganddi bellach awr neu ddwy wrth gefn, bu'n oedi'n hir. Byddai gofyn iddi fod yn ofalus os oedd am gael cydweithrediad Pat. Cofiodd fel y bu i Doctor Puw newid ei diwn a'i hamau hi pan wadodd yr eneth i'w gŵr ei churo. Biti iddi erioed wneud dim efo hi. Ond ni allai alw doe'n ôl a hi, bellach, oedd yr unig un a allai fod yn gefn i Pat. Nid oedd modd osgoi. Byddai'n rhaid iddi ddilyn llwybr dyletswydd.

A'r llwybr hwnnw a arweiniodd Mati i rif dau, Minafon, y Sadwrn hwnnw o Hydref, i gael Pat yn gorwedd ar y setî a golwg angau arni. Yn oer gan arswyd, tybiai Mati'n sicr fod y trais y bu hi'n llygad-dyst ohono wedi cyrraedd ei benllanw. Yna gwelodd y botel dabledi wag wrth droed y setî.

'O'r nefoedd, be ydach chi wedi'i 'neud, Pat?'

Penliniodd wrth ochr yr eneth a gafael â bys a bawd yn ei garddwrn. Er mai prin y gallai deimlo'r curiad yr oedd yn ddigon i'w sicrhau fod yr eneth yn fyw. Heb oedi rhagor, rhuthrodd allan o'r tŷ. Nid oedd yn Nhrefeini ond un person yr oedd arni ei angen y munud yma ac er gwaetha'r ffrwgwd a fu yr oedd ei ffydd ynddo cyn gryfed ag erioed.

8

Roedd hi'n ôl yn ei chegin ei hun a Doctor Puw yn ei chymell i lyncu dwy dabled, fel y gwnaethai'r tro hwnnw y cawsai Pat yn gorwedd ar ei llawr fel peth marw.

'Chyffyrdda i ddim ynddyn nhw,' meddai Mati'n chwyrn. 'Mi 'dach chi wedi gweld eich hun y llanast maen nhw'n 'i achosi.'

'Cymedroldeb ym mhob dim, ynte Mati?'

Craffodd arni tros ben ei sbectol.

'Ac mi wyt ti'n meddwl y bydda fo wedi'i churo hi, oni bai i ti gyrraedd?' holodd.

‘Roedd o’n mynd i’w tharo hi, yno yn y stryd gefn.’
‘Be oedd yr helynt, wyddost ti?’
‘Na wn i, wir, a wela i ddim fod a wnelo hynny ddim â’r peth.’ Yna, wrth ei weld yn petruso, ‘Mi ’dach chi’n fy ama i eto ’d ydach?’
‘Nac ydw, Mati.’
‘Dyna wnaethoch chi’r tro dwytha . . . y chi a’r Sister ’na, yn dal yn f’erbyn i.’
‘Mae’n rhaid imi gael y ffeithia’n glir.’
‘Chi a’ch cymedroldeb a’ch ffeithia. A be sy’n mynd i ddŵad o’r enath ’na, yn y cyfamsar?’
‘Mi ddaw ati’i hun.’
‘A be fydd ganddi hi wedyn? Dim cartra . . . dim teulu. Mae o wedi’i gadael hi, ’d oes ’na ddim byd sicrach. Mi gwelis i o’n mynd, a’r bychan efo fo.’
‘’D oes ’na ddim dewis ond ’i hanfon hi’n ôl i’r ysbyty.’
‘Golchi’ch dwylo ohoni, unwaith eto?’ yn chwyrn.
Rhoddodd Doctor Puw’r tabledi yn ôl yn y botel a’i chadw yn ei boced.
‘Mi wyt ti’n iawn, Mati,’ meddai’n dawel. ‘Mi ddylwn fod wedi bodloni ar ymddeol yn raslon. Twyllwr ydw inna, ’r un fath â’r ha’ bach ’ma.’
Torrodd ton o gywilydd dros Mati ac meddai’n ddwys,
‘’Ro’n i ar fai’n siarad fel’na efo chi, a chitha wedi gneud cymaint. A chi o’n i ’i isio heno, neb arall.’
‘’D wyt ti ddim wedi digio wrtha i, felly?’
‘Sut y medrwn i? P’run bynnag, ’d oes gen i ddim hawl barnu. Pan ddaeth Pat yma ar ’y ngofyn i, y cwbwl wnes i oedd deud wrthi mai efo’i gŵr roedd ’i lle hi.’
‘Mi wyt ti wedi gneud dipyn efo hi?’
‘Naddo, wir. Ond mi ddaeth yma dydd Sul dwytha . . . am imi ’i chymryd hi a’r plentyn ata i am sbel.’
‘Fydda hynny ddim ond yn gofyn am drwbwl.’
‘Na fydda, debyg. Ond mi ddylwn fod wedi trio gneud rwbath i’w helpu hi. ’Ro’n i’n rhy llawn o ’mhoena i fy hun i foddran.’
‘Mi wyt ti wedi gneud yn dda iawn, Mati. Mi fydda Arthur yn falch ohonat ti.’

'Mae arna i ofn nad ydw i fawr o werth hebddo fo. Rhyw betha diymadfarth ydan ni 'te?'

Yn ei gwely'r noson honno, a chwsg ymhell o'i gafael, cofiodd Mati fel y bu iddi, y diwrnod y daethai Pat yma i ofyn benthyg siwgwr, synnu, yn ei hanwybodaeth, sut y bu i un mor larts â Leslie fynd i'r afael â pheth fach mor ddiolwg a didoreth..Ond gwybod yr oedd o, wrth gwrs, y gallai wneud fel y mynnai â hi; ei sathru a'i sarhau nes ei fod, â nerth llaw a geiriau, yn llwyddo i dorri ei hysbryd yn llwyr. Roedd hithau wedi dioddef peth amheuaeth o wrando stori'r hanner chwaer honno o Gaerdydd. Ond nid oedd ronyn o amheuaeth yn ei meddwl y diwrnod y daethai wyneb yn wyneb â Doctor Puw a'r Sister a mynnu mai gofal a chariad oedd anghenion Pat. Byddai wedi llwyddo i argyhoeddi Doctor Puw oni bai fod y ddynes yna'n chwythu i lawr ei war, a gellid bod wedi osgoi hyn. Ond nid oedd dim y gallai ei wneud bellach; dim ond sefyll yn ôl a gadael i Pat gael ei thaflu o'r neilltu. Pa werth oedd yna mewn pregethu'n huawdl ar destunau fel 'wrth eu gweithredoedd' ac 'yn gymaint â'i wneuthur ohonoch' pan oedd holl gyfundrefn cymdeithas yn gwarafun i rywun droi'r geiriau o gysur yn grefydd ymarferol, gynnes?

Ond nid oedd gwyrthiau'n digwydd, dim ond mewn straeon hud a lledrith. Toc, ni fyddai ganddi hi, mwy na neb arall, ond brith gof o'r eneth a fu'n byw, dro, yn rhif dau Minafon ac a ddiflannodd un diwrnod, fel pe oddi ar wyneb daear.

PENNOD 15

Dydd Mawrth, Hydref y 18fed

1

Byddai Emma wedi rhoi'r byd am gael aros adref y bore Mawrth hwnnw a threulio awr ar ôl awr yn cynaeafu atgofion i'w cael yn ddiogel o dan do cyn nos. Aethai i weld Madge am y tro olaf neithiwr. Roedd popeth wedi ei drefnu a thacsi'n galw i fynd â'r ddau at y trên cyntaf y bore yma. Ni fwriadai Madge fynd â dim ond y pethau angenrheidiol i'w chanlyn, meddai.

'Ond be wnei di efo'r dodrefn?' holodd hithau.

'Wyt ti'n meddwl y medri di gael 'u gwarad nhw? Mae'n ddrwg gen i beri traffarth iti ond 'd oes gen i neb arall.'

Pan ofynnodd hi, a'r gwreichionyn olaf o obaith yn diffodd o'i mewn—'Fydda ddim gwell iti 'u storio nhw, rhag ofn'—atebodd Madge, yn dawel, ond yn bendant, 'Na, mi 'dw i wedi darfod efo'r rhain, am byth.'

Teimlai Emma, ar y pryd, fel rhoi ysgytwad iawn i Madge. Sut y gallai ildio mor hawdd? Chwalu'r unig gartref a gawsai erioed; gadael ei chynefin; wynebu dyfodol a ymddangosai'n gwbwl ddiobaith? Onid oedd ynddi rywfaint yn weddill o'r ysbryd herfeiddiol hwnnw a'i gyrrodd i gerdded canllaw'r bont pan oedd yr afon ar ei huchaf? Onid oedd hi wedi aberthu digon? Sut yr oedd hi'n gobeithio dod i ben mewn lle estron efo'r fath bwysau o boptu? 'D oedd bosib fod gan yr hen wraig fawr o amser yn weddill. A be wedyn? Ond pa bwrpas oedd yna mewn afradu geiriau bellach? Roedd Madge yn gadael, ac ni welai neb ei cholli, neb ond y hi, a fu'n ddigon o ffŵl i gefnu ar gyfeillgarwch a allai fod wedi ei chynnal ar hyd y blynyddoedd.

'Wn i ddim sut i egluro i Os,' meddai Madge.

Gwastraff ar anadl a fyddai hynny, hefyd, meddyliodd Emma. Fel petai'n gallu dilyn rhediad ei meddwl, ychwanegodd Madge,

'Mae o'n deall mwy nag y mae neb yn 'i feddwl, 'sti.'

Ond nid oedd gan Emma'r diddordeb lleiaf yn Os, dim ond yn y ferch a oedd ar fin diflannu o'i bywyd; y ferch honno nad oedd dim a safai o'i blaen unwaith, pan oedd pob diwrnod yn llawn golau a gwres a sŵn a'r dref yn eiddo iddyn nhw eu dwy, i wneud fel y mynnen nhw â hi.

Wrth iddi adael tŷ Madge roedd melltith Emma'n drwm ar y treisiwr a gipiodd y cyfan oddi ar yr eneth honno a'i gadael hithau i ddioddef y tywyllwch a'r oerni a'r mudandod ar ei phen ei hun. Ond byddai'r rheini'n haws eu goddef petai ganddi ei thas o atgofion, yn gynnes a sawrus, i blymio iddi bob hyn a hyn.

Fe'i gorfododd ei hun i ddilyn ei llwybr arferol i'r ysgol ac i roi ei sylw, ei holl sylw, i'r gwaith a oedd yn ei haros. Gallai fod wedi ffugio salwch ac anfon nodyn i'w hesgusodi ei hun am y diwrnod, dyddiau petai galw. Ond byddai hynny'n dwyll ac yn groes i'r graen. Na, ni châi neb ei chyhuddo hi o adael i'w phoenau personol ymyrryd â'i dyletswydd. Ond wrth i'r bore ddirwyn i'w derfyn ni wyddai Emma sut ar wyneb daear yr oedd hi'n mynd i wynebu'r prynhawn.

A hithau yn ei gwendid felly daeth yr alwad y bu'n arswydo rhagddi wedi bygythiad Miss Humphries brynhawn Gwener. Pan agorodd ddrws ystafell y prifathro disgwyliai weld yr athrawes yno, yn barod i ddisgyn arni, fel cudyll. Ond ar ei ben ei hun yr oedd Tom Bevan â'i sylw wedi ei hoelio ar y ddesg o'i flaen.

'Oeddach chi am 'y ngweld i?' holodd Emma, yn ffurfiol.

Ni chymerodd arno'i chlywed. Chwarae am amser yr oedd o, debyg; ceisio meddwl am y ffordd orau o dorri'r newydd, heb darfu gormod arni. Byddai ganddi lawer mwy o barch tuag ato petai'n ddigon o ddyn i ddweud, yn blwmp ac yn blaen, nad oedd hi bellach o unrhyw ddefnydd iddo ac y byddai'n hapusach o gael ei gwared. Clywodd y gloch ginio'n atseinio'n y pellter a sŵn plant yn sgrialu am ryddid y coridor y tu allan i'r ystafell. Byddai'n dda ganddi hithau gael mynd i'w dilyn. A dyna a wnâi, unwaith y câi'r dyn yma'r gwroldeb i ddweud ei neges. Ond roedd o wedi codi'i ben ac yn syllu arni, a'r llygaid a arferai fod mor dawel yn fflachio tân.

'Am faint rhagor ydach chi'n bwriadu f'osgoi i, Emma?' holodd, yn gyhuddgar.

Byddai'n dda ganddi petai'n ei galw wrth ei chyfenw. Beth petai'n llithro ac yn ei galw'n Emma yng nghlyw Miss Humphries? Byddai'n amen arni wedyn.

'Wel?' yn frathog.

'Wedi bod yn brysur ydw i.'

'Mi wyddoch gystal â finna nad ydi hynny ddim yn wir.'

Pa hawl oedd ganddo i'w chyhuddo o ddweud celwydd? Ceisio'i glirio ei hun yr oedd o, mae'n siŵr, fel y gallai roi ei chardiau iddi heb yr un pigiad cydwybod.

'Rydach chi'n gwadu, felly?' holodd.

'Ydw.'

'Profwch hynny imi. Dowch allan i ginio efo fi rŵan.'

'Mae gen i lond 'y nwylo o waith.'

'Ond 'd ydach chi ddim yn arfar gweithio yn ystod yr awr ginio.'

'Mi rydw i heddiw.'

'Heno 'ta. Mi awn ni am dro allan i'r wlad.'

Gan lwyddo'n rhyfeddol i gadw'r cryndod o'i llais, meddai Emma,

''D ydw i ddim yn credu fod hynny'n beth doeth, dan yr amgylchiada, Mr Bevan.' Yna, cyn iddo gael cyfle i brotestio, 'Oes 'na rwbath arall?'

Daeth y llonyddwch yn ôl i'w lygaid.

'Nac oes, dim,' yn benisel.

Wedi iddi gyrraedd yn ôl i'w hystafell eisteddodd Emma wrth ei desg i geisio lleddfu'i chryndod. Mae'n rhaid na chawsai Miss Humphries gyfle i weithredu'i bygythiad. Ond roedd hi'n sicr o weithredu, ac o gael y maen i'r wal hefyd. Roedd y dyn gwirion yna fel petai'n benderfynol o chwarae i'w dwylo. Mae'n wir iddo gael ysgytwad go egar ond nid oedd hynny'n rheswm yn y byd dros iddo ymddwyn mor anghyfrifol, a pheryglu ei dyfodol hi a'i un yntau, hefyd. Siawns na chawsai'r neges yn glir y tro yma. Ni allai eu rhwystro rhag ei sarhau a'i gwrthod, ond beth bynnag a fyddai ei ffawd fe fynnai ddal ar ei hurddas, i'r pen.

Penderfynodd Emma fwyta'i brechdanau lle'r eisteddai, er mor gas oedd ganddi wneud hynny. Ond o leiaf câi gyfle i atgyfnerthu ar gyfer y prynhawn. Dim ond iddi gael hwnnw o'r tu cefn iddi, gallai gau arni ei hun am y min nos i ddechrau casglu'r cynhaeaf, yn barod ar gyfer yr hirlwm.

2

Yn fyr ei gwynt a'i thymer cyrhaeddodd Magi Goch y syrjeri i gael swp o'r un rhai wedi casglu o gwmpas y drws clo, fel defaid crwydr. Craffodd un ohonynt yn awgrymog ar ei horiawr wrth iddi wthio heibio a llwyddodd un arall i ffugio pwl o beswch cyhuddgar.

Nid oedd fymryn nes at adennill na'i hanadl na'i thymer pan gyrhaeddodd Doctor Puw.

'Mae'r lle 'ma'n llawn i'r drws . . . berwi o germs,' cwynodd. 'Pam na rowch chi ddôs o salts iddyn nhw, inni gael 'u gwarad nhw?'

Syrthiodd ei chŵyn ar glustiau byddar. Roedd hi wedi amau ers tro fod ei glyw'n dirywio, a'i amynedd i'w ganlyn. Adra wrth y tân yr oedd ei le. A dyna lle dylai hithau fod yn hytrach nag yn byrhau'i hoes yn y lle afiach yma.

Torrodd llais Doctor Puw fel cyllell ar draws ei meddyliau i holi a oedd Mrs Murphy, Minafon wedi cyrraedd.

'Ydi, am wn i,' meddai hithau'n ddi-feind.

'Ewch i edrych 'newch chi. Ac anfonwch hi ata i.'

'Mae 'na rai yma o'i blaen hi. Roeddan nhw yma pan gyrhaeddis i. Wn i ddim pam na ddon nhw â'u gwlâu yma, wir.'

'Rydw i am weld Mrs Murphy gynta, Mrs Griffiths.'

Mrs Griffiths rŵan, ia? Roedd o'n bigog ar y naw heddiw. Teimlo'r oerni yn ei gymalau'r oedd o, debyg, yr hen greadur. Byddai'n well iddo roi'r gorau iddi cyn i'r gaeaf gael ei ddannedd ynddo fo.

Ychydig a feddyliai Magi mor agos oedd gwrthrych ei thosturi at wneud hynny. Yn ystod y dyddiau diwethaf bu'n gorfodi prysurdeb arno'i hun er mwyn osgoi'r penderfyniad. Ond gwyddai y byddai'n rhaid iddo gilio cyn i'r gwaddod o hunanddirmyg suro blas y gwin yn llwyr.

Yn y cyfamser, yr oedd eraill a ddaethai yma'n un swydd i geisio ei gysur a'i gymorth. Byddai sgwrs-bwrw-gofidiau a phecyn bach o foddion neu dabledi yn ddigon i fodloni'r mwyafrif ond nid oedd ganddo ar gyfer Eunice Murphy ond cyngor i beidio disgwyl gormod a'r hen ystrydeb i obeithio'r gorau. Ers talwm, gallai gredu'r ystrydeb, a gweithredu arni; tanio ffydd eraill â'i ffydd ddiysgog ei hun a chael bod yn llygad-dyst o ganlyniadau gwyrthiol y credu. Ond heddiw, yn hesb o'r ffydd hwnnw, gwyddai y byddai'n ei ffieiddio ei hun am ddefnyddio geiriau nad oedd unrhyw ystyr iddynt. Yn nhawelwch gormesol ei ystafell, y bore hwnnw o Hydref, bu'n rhaid i Doctor Puw gydnabod iddo'i hun nad oedd modd osgoi mwyach.

3

Pan alwodd Magi Goch yn rhif wyth, Minafon ar ei ffordd o'r syrjeri yn y gobaith o gael paned heb orfod ymlafnio i'w pharatoi cafodd Gwen yn yr iard gefn wedi'i hamgylchynu â dodrefn o bob llun a maint.

'Mudo wyt ti, Gwen?' holodd.

Rhythodd Gwen arni. Dyma hi'n ta-ta i'r glanhau am awr neu ddwy. A hithau wedi ymorol ati ar ei chodiad er mwyn cael trefn ar y diwrnod.

'Am roi sgwrfa iawn i'r tŷ 'ma ydw i,' meddai'n swta.

'Wn i ddim be wyt ti'n boddran. 'D ydi mymryn o faw rioed wedi lladd neb.'

'Siarad o brofiad, Magi?' yn sychlyd.

'Mi wyt ti wedi dewis amsar da. Mi fydd yn glawio cyn nos.'

'Pwy sy'n deud?'

'Unrhyw un sydd â llygad yn 'i ben. Dyna gawn ni rŵan. Waeth inni hynny ddim. Mae plastic mac yn gweddu'n well i chdi a finna na bicini. Ond mi fydd hi'n chwith i Dei, at 'i din mewn slwj yn y parc 'na. Water polo fydd hi, nid bowls.' A chwarddodd yn wirion am ei phen ei hun.

'Fydd o ddim yno.'

'O. Y chwyn wedi cael y gora arno fo, ia?'

'Maen nhw wedi gofyn iddo fo fynd yn ôl i'r chwaral.'

'Pa nhw?'

'Yr Hywel Morris 'na a chriw Y Rhosydd.'

''Ro'n i'n meddwl iddo fo ddeud nad oedd o byth isio gweld llechan eto.'

'Wedi digio roedd o 'te. Mi fydda wedi bod dipyn uwch 'i barch 'tae o wedi gwrando arna i.'

'Fel'na maen nhw . . . dau dwll lle dyla'u clustia nhw fod, a lle gwag rhyngddyn nhw.'

Plonciodd Magi ei hun ar un o'r cadeiriau nes bod sbringiau'r clustog yn jerian.

'Ond os wyt ti isio gair gen gall, a phaid â meiddio gofyn "lle gweli di un", mae hi'n bosib 'u setlo nhw, mewn amsar. 'Ro'n i wedi meddwl na fydda waeth imi roi Hyw Twm allan efo'r lludw ddim ar hynny o werth oedd o. Ond dyna fo rŵan, yn ddyn newydd.'

'Be sydd wedi digwydd iddo fo, felly?' yn ddi-hid.

'Cwilydd, debyg, 'i fod o wedi achosi'r holl boen imi wrth fynd i ganlyn y sgerbwd Dic Pŵal 'na. Mi fuo ond y dim iddo fo â bod yn anga i Hyw Twm, y diniwad bach. Ond diolch 'i fod o wedi gweld gwerth 'i wraig a'i gartra cyn 'i bod hi'n rhy hwyr. Mi rhois i o ar waith i beintio'r gegin. Mi 'dw i'n deud wrthat ti, Gwen, 'ro'n i'n cael cathod bach drwy'r bora . . . ofn be fydda'n 'y nisgwyl i. Ond chredi di ddim . . . roedd y lle ddigon o ryfeddod. Roedd o hyd yn oed wedi golchi'r llawr, 'y ngwas gwyn i. Mi wnaeth gystal job ohoni nes 'y mod i wedi'i drystio fo efo'r stafall ffrynt heddiw. Wyt ti'n gwrando arna i, Gwen?'

'Ydw.'

'Mi wyt ti'n gynhron i gyd.'

'Y cefn 'ma sy'n plycio eto.'

'Mi ddylat fod wedi gwrando ar Doctor Puw. Chei di ddim cwyn ganddo fo rŵan 'sti. Rho dy glun i lawr am funud.'

Eisteddodd Gwen ar ymyl y gadair ond ni wnaeth hynny ond dwysáu'r boen. Cadw i fynd, dyna'r unig ateb. Ond sut y gallai symud ymlaen a hon yn llygadu pob symudiad?

'Mi faswn i'n taeru fod Hyw Twm wedi cael y be-wyt-ti'n-i-alw-fo crefyddol ond 'y mod i'n gwybod 'i fod o'n gallach na hynny.'

'Tröedigaeth?'

'Ia, hwnnw. Ydi pobol yn dal i gael peth felly d'wad?'

'Ydyn, hyd y gwn i.'

'Wyt ti'n cofio Hannah Haleliwia yn cerddad Trefeini 'ma'n bloeddio fod Duw wedi agor 'i llygaid hi?'

'Fel Saul ar ffordd Damascus.'

'Ia, 'na chdi . . . pwy bynnag oedd hwnnw. A'r hen Ned Harris yn gweiddi—"Mi fydda'n rheitiach iddo fo wedi cau'ch ceg chi nag agor eich llygaid chi, Mrs".'

Teimlodd Gwen y gwayw yn cripian i fyny o'i meingefn ac yn cau amdani fel gwregys dur. Cododd yn drwsgl a dechreuodd symud efo'r dodrefn i gyfeiriad y tŷ.

''D oes gen ti ddim mwy o gwrteisi na choes brws llawr,' cwynodd Magi. 'Lle wyt ti'n drio mynd rŵan?'

'I 'neud panad.'

'O. Syniad da. Pam wyt ti'n llusgo dy draed fel'na?'

'Am fod 'y nghefn i'n boenus 'te,' ysgyrnygodd Gwen.

'Olreit, 'd oes dim angan iti ddial dy lid arna i. Arnat ti mae'r bai. Be ydi diban mynd at y doctor os nad wyt ti'n bwriadu gwrando arno fo?'

Gallai Gwen deimlo llygaid Magi'n llosgi i'w chefn wrth iddi fustachu tros y stepan i'r tŷ. Hi â'i Hyw Twm! Yr unig dro a allai hwnnw ei gael oedd tro yn ei unfan. Byddai'n rhaid iddi gael gwared â Magi os oedd Dei a hithau i gael chwarae teg. Ond sut? Byddai'n well ganddi dynnu'r diafol yn ei phen na Magi Goch. O leiaf, roedd ganddi ei harfau yn erbyn hwnnw. Pellhau fesul tipyn fyddai orau; torri'r edau'n ara bach fel na fyddai dim ar ôl i'w dal. Câi Dei a hithau lonydd wedyn i ailgydio yn edeuon y llwon a wnaethant flynyddoedd yn ôl a'u sicrhau'n gwlwm mor gadarn fel na fyddai gan neb obaith ei ddatod, yn dragwyddol.

4

Ni chawsai Richard fawr o hwyl ar bluo'r Sais, er iddo'i helpu i gael gwared â chyfran go helaeth o'i wisgi. Ond wrth iddo sbrog-ian yma ac acw llwyddodd i gael gafael ar joban neu ddwy a fyddai'n gyfrwng i'w gadw rhag gorfod tyllu i'r iawndal a ddaethai i'w ganlyn o Lerpwl. Roedd o wedi bwriadu def-nyddio'r arian i brynu fan, cyn i'r hen un syrthio'n ddarnau, ond nid oedd fawr o bwrpas yn hynny bellach a'r glas wedi cael eu bachau arno. P'run bynnag, byddai'n dda iddo wrthynt pan ddeuai'r gwanc am ryddid trosto a'i orfodi i godi'i bac.

Ar y munud, fodd bynnag, yr oedd yn fodlon ei le. Eisoes, roedd y gweithdy fel petai wedi ei weddnewid. Aethai draw i'r iard goed ddoe a phrynu stoc newydd. Ac am y tro cyntaf ers misoedd teimlai'r hen ysfa'n cyniwair yn ei fysedd. Â'i ben yn gawdel o gynlluniau, tywalltodd baned o goffi iddo'i hun, o'r fflasg. Wrthi'n taro joch o wisgi ynddo i gadw gwres yr oedd pan glywodd sŵn traed yn yr iard. Symudodd at y ffenestr mewn pryd i weld Eunice Murphy yn cerdded heibio. Arhosodd nes y daeth cnoc wantan ar y drws, ac aeth i'w agor.

'Dew, dyma be ydi braint,' meddai'n wawdlyd. 'Wedi methu cadw draw, ia, Mrs Murphy?'

Ni chafodd ateb i'w gyfarchiad. 'D oedd hi rioed yn disgwyl iddo'i chroesawu â breichiau agored? Ganddo ef yr oedd y llaw uchaf rŵan ac fe gâi'r bits fach lyfu'r llawr cyn y byddai wedi gorffen efo hi.

'Wel . . . wyt ti am fentro i mewn?'

Be oedd ystyr y mudandod mawr yma, tybed? Wedi dod yma i ymddiheuro'r oedd hi, mae'n siŵr, a'r ymdrech o orfod syrthio ar ei bai yn ei thagu. Roedd hi'n welwach nag arfer, a'r cysgodion yn amlwg o dan ei llygaid. Ei chydwybod wedi ei chadw'n effro, meddyliodd.

'Gwna dy feddwl i fyny . . . mewn neu allan.'

Wrth iddi gamu heibio iddo sylwodd fod ei choesau'n gwegian fel petai ar fin llewygu a rhoddodd ei law allan i'w sadio. Be aflwydd oedd yn bod ar yr eneth? Gallai deimlo cryndod ei chorff yn erbyn ei fysedd. Mae'n rhaid fod yna rywbeth go erchyll wedi ei tharfu hi.

Gadawodd iddo'i harwain i mewn a'i rhoi i eistedd, heb air o brotest. Estynnodd y gwpan iddi a pheri iddi yfed. Ufuddhaodd hithau'n beiriannol. Â straen yr aros yn ormod iddo, gofynnodd Richard, yn ofalus,

'Oes 'na rwbath wedi digwydd i Brian, Eunice?'

Ysgydwodd ei phen. Nid dyna'r achos, felly. Ond be yn y byd a allai fod wedi ei gyrru i'r fath gyflwr? Cofiodd Richard yn sydyn am y noson honno o Fehefin a'r pwl gorffwyll o sterics ynghylch mymryn o damprwydd. Tybed nad oedd hyn, eto, ond un o'i chastiau hi i ennill ei dosturi heb orfod syrthio ar ei bai? Roedd hi eisoes wedi profi pa mor ddichellgar y gallai fod.

Â'i amynedd wedi ei drethu i'w eithaf, meddai'n chwyrn,

'Wyt ti am ddeud wrtha i be sydd? 'D oes gen i ddim amsar i chwara gema.'

Mudandod eto. Gwasgodd Richard ei ddyrnau. Blydi merchad . . . 'd oedd 'na ddim ond poen a thraffarth efo nhw. Lis, Lena, Rosie, a hon, y fwyaf plagus o'r cwbwl. Ond ni châi wneud ffŵl ohono ddim rhagor. Fe gâi fynd i'w chrogi, a gwynt teg ar ei hôl. Fel yr oedd o'n symud am y drws fe'i clywodd yn dweud, mewn llais egwan,

'Mae o'n sobor o wael, Richard.'

Arafodd ei gamau, a throi i'w hwynebu.

'Sôn am Brian wyt ti?'

Ailadroddodd Eunice y geiriau, fel un mewn breuddwyd. Gan gadw'i bellter, meddai Richard,

'Mi ddaw drwyddi eto, gei di weld. Mae o wedi bod fel'ma o'r blaen 'd ydi?'

'Ddim cyn waethad â hyn. Newydd fod yn gweld Doctor Puw'r ydw i. Roedd o wedi cael canlyniada'r X-rays. 'D oes 'na ddim diban disgwyl gormod, medda fo.'

'Roedd o ar fai yn dy ypsetio di fel'ma.'

'Fi ddaru fynnu cael gwybod. 'D ydi Brei rioed wedi bod yn gry . . . roedd 'na wendid yn 'i dad o. Ond mae'r Minafon 'na wedi'i andwyo fo.'

'Alla fo ddim cael lle gwaeth, efo'r hen damprwydd 'ma'n yr awyr.'

'Fo oedd isio dŵad yma. A fo oedd yn benderfynol o fynd yn ôl i'r gwaith. Ond arna i mae pobol yn gweld bai.'

'Fel'na maen nhw. Be fedra i 'i 'neud?'

''D oes 'na ddim fedar neb 'i 'neud. Ond roedd yn rhaid imi gael deud wrth rywun.'

Gwelodd Richard y dagrau'n cronni'n y llygaid tywyll. Damio unwaith, sut y gallai fod wedi ei hamau a'i chamfarnu mor egar? Diolch i'r drefn na fu iddo ei throi i ffwrdd a'i gorfodi i wynebu'r byd gelyniaethus ar ei phen ei hun. Fe wyddai ef, yn well na neb, pa mor greulon a difaol y gallai hwnnw fod.

'Mi ddoist ti i'r lle iawn,' meddai.

Daeth ati, ac wrth iddo'i thynnu i loches ei freichiau, diflannodd pob amheuaeth a phob ysfa dial. Ni lwyddodd y byd, er ei holl ystrywiau, i'w lorio ac fe wnâi'n siŵr na châi ei threchu hithau chwaith.

5

Roedd y min nos y bu Emma'n ysu amdano'n prysur ddirwyn i ben a hithau'n loetran rhwng mydylau o atgofion pan gafodd ei chipio'n ôl i'r presennol gan guro ffyrnig ar ddrws y cefn. Â'i chnawd yn gynnes gan wres y doe tybiodd yn sicr mai Madge oedd yno, wedi dychwelyd ati. Brysiodd am y drws, a'i agor yn eiddgar.

'O, chi sydd 'na, Dei Elis,' yn drwm o siom.

Heb ei chyfarch, meddai Dei,

'Wyddoch chi rwbath o hanas Madge? Be sydd wedi digwydd iddi hi?'

Roedd o'n taflu'r geiriau ati a'r rheini'n clatsian yn ei herbyn fel cawod o gesair.

'Mae'n rhaid imi gael gwybod, Emma.'

Be oedd meddwl y dyn, yn gweiddi arni fel'na? Nid yn yr ysgol yr oedd hi rŵan, yn fat sychu traed i bawb, ond yn ei chartref ei hun, ac ni châi neb ei sathru yma.

'Falla y bydda ganddoch chi well siawns o gael gwybod petaech chi'n cadw'ch llais i lawr, Dei Elis,' meddai'n finiog.

Sobrodd hynny rhyw gymaint arno. Ond pan ddywedodd hi, yn dawel, fod Madge ac Os wedi gadael, rhythodd arni a gofyn, yn fygythiol,

'Be 'dach chi'n 'i feddwl . . . gadael?'

'Mae hi wedi mynd at berthynas iddi.'

'Pryd bydd hi'n ôl?'

'Fydd hi ddim yn ôl.'

'Ond soniodd hi'r un gair wrtha i.'

'A rheswm da pam. Rhowch lonydd iddi bellach, da chi.'

'Adawodd hi ryw negas imi . . . nodyn falla?'

'Naddo, dim. Esgusodwch fi, ond mae gen i waith i'w 'neud.'

Fel yr oedd hi ar gamu'n ôl i'r tŷ teimlodd ei law yn cau am fôn ei braich.

'Mae'n ddrwg gen i, Emma,' meddai, 'ond mae'n rhaid imi gael gwybod lle mae Madge.'

Heb fradychu dim o'r arswyd a oedd yn dygyfor trwyddi, meddai Emma,

'Chewch chi ddim gwybod gen i, 'taech chi'n holi i dragwyddoldab. A tynnwch eich llaw oddi arna i, neu mi wna i'n siŵr na chewch chi'r un eiliad o heddwch ym Minafon 'ma, byth eto.'

Gollyngodd ei afael arni. Fe'i gwelodd yn crebachu o flaen ei llygaid.

'Plîs, Emma . . . wn i ddim be i 'neud,' yn gwynfannus.

Rhoddodd ei weld yn ei wendid nerth newydd ynddi.

'Mi ddeuda i wrthoch chi be i 'neud,' meddai'n chwyrn. 'Ewch adra at eich gwraig. Mae hi wedi bod yn driw iawn i chi, beth bynnag ydi hi. Mi fedrwch ddiolch ar eich glinia am y cyfla i 'neud iawn iddi am 'i sarhau a'i hesgeuluso hi.'

A chaeodd y drws arno. Fel un mewn llesmair, crwydrodd Dei yn ôl am y tŷ gwag a adawsai rai munudau ynghynt. Yr oedd wedi deffro'r bore hwnnw ag awydd angerddol am weld Madge unwaith yn rhagor. Petai ond yn cael cyfle i egluro iddi mai o gariad tuag ati y gwnaethai'r cyfan ac nad oedd dim ymhellach o'i feddwl na pheri gofid iddi. Unwaith y câi hi i ddeall hynny fe âi ar ei lw na chyffyrddai â hi byth eto, oni fyddai'n dymuno hynny, cyn belled ag y câi alw yno o dro i dro pan fyddai'r hiraeth amdani yn ei drechu. Siawns na fyddai iddi warafun hynny iddo wedi'r cwbwl a fu rhyngddynt.

Fel yr âi'r diwrnod rhagddo tyfodd yr awydd yn obsesiwn ac erbyn y min nos ni allai oddef rhagor. Bu'n curo'n hir a dyfal wrth ei drws a phan fethodd hynny yna galw'i henw, drosodd a throsodd. Roedd y llenni i gyd wedi eu cau'n glòs ac ni ddeuai smic o sŵn o'r tŷ. Ofnai'n ei galon fod y gwaethaf wedi digwydd ac yn ystod y munudau erchyll hynny wrth iddo ruthro am dŷ Emma Harris daeth iddo'r teimlad fod Madge wedi mynd o'i fywyd, am byth.

Ond nid fel hyn, o na, nid fel hyn. Byddai marwolaeth yn haws ei dderbyn na'r artaith o wybod ei bod hi'n symud ac yn anadlu, allan o'i gyrraedd.

Aeth at giât gefn rhif saith a sodro'i fawd yn galed ar y glicied. Agorodd honno led y pen a'i chau wedyn â chlep a atseiniodd trwy Finafon. Cofiodd am yr holl droeon y bu'n ysu am gael gwneud hynny. Ond bob tro, yn ei ddychymyg, gwelai Madge ac yntau'n camu allan a'r ddau'n cerdded yn benuchel, yn llygad yr haul ac yng ngŵydd pob copa walltog, i lawr Minafon a thrwy Drefeini. Hyd yn oed yn ystod y dyddiau diwethaf ni roesai heibio'r freuddwyd honno. Ond wrth iddo droi am ei dŷ ei hun gwyddai Dei iddo, gyda'r glep, gydnabod ei thranc.

6

Pan biciodd Katie Lloyd draw i rif pedwar i holi hynt a helynt Richard fe'i cafodd yn sefyll uwchben y sinc a gwaed yn diferu o'i fys.

'Be 'dach chi wedi'i 'neud rŵan, Richard?' holodd, yn bryderus.

'Trio plicio tatws o'n i . . . am 'neud pryd inni'n dau, yn syrpreis i chi. Mi 'dw i wedi llosgi'r cig moch yn golsyn.'

Edrychodd Katie ar y gweddillion tatws di-siâp ar y bwrdd.

'Ac wedi mwrdro'r tatws,' meddai. 'On'd ydach chi'n ddi-ymadfarth?'

'Anobeithiol.'

'Dowch imi weld faint o lanast ydach chi wedi'i 'neud ar y bys 'na. Oes ganddoch chi glwt glân?'

'Dim syniad.'

'Hidiwch befo, mi wnaiff yr hancas bocad 'ma'r tro. Rhowch eich bys o dan y tap.'

Wrth i Katie olchi'r gwaed oddi ar ei fys cwynai Richard yn uchel.

'Be sydd rŵan?'

'Llosgi mae o.'

'Peidiwch â bod mor fabïadd, da chi.'

Lapiodd yr hances am ei fys.

'Dyna chi. Mi 'dw i'n credu y bywiwch chi am sbel eto.'

Syllodd Richard arni â'i lygaid yn pefrio.

'Be wnawn i hebddoch chi, Cit?' holodd, yn chwareus.

'Mwy o lanast fyth. Be wnaethoch chi efo'r badall?'

''I thaflu hi, i'r bin o dan y sinc.'

'O, Richard. Mae hi yn bosib glanhau petha, wyddoch chi.'

'Ond mae hi'n haws prynu padall arall.'

'Efo be, meddach chi?'

'Aha!'

Tynnodd Richard sypyn o bapurau pumpunt o'i boced a'u chwifio o dan drwyn Katie.

'Ffrwyth fy llafur i, fel maen nhw'n deud,' meddai'n orchestol.

'Mi 'dach chi wedi bod yn lwcus, felly?'

'Be 'dach chi'n 'i feddwl efo'ch lwcus? Mae'r diawliad wedi methu, Cit.'

'Pwy?'

'Pobol y lle 'ma. 'Y ngadael i ar y clwt, i lwgu i farwolaeth. Ond mi ddangosa i iddyn nhw.'

'Trwy chwys dy wyneb y bwytei fara.'

'Be ddeudoch chi?'

'Adnod ydi hi.'

'O, un o'r rheini.'

'Mi synnach mor addas ydyn nhw.'

'Os 'dach chi'n deud. Ond mi 'dw i'n disgwyl rwbath amgenach na bara.'

'Beth am gig moch a thatws?'

'Yr union beth oedd gen i mewn golwg. Mi 'dach chi'n rhyfeddod o ddynas, Cit.'

'Felly roeddach chi'n deud.'

'Ac mi ddalia i i'w ddeud o, tra bydd anadl yn'a i.'

'Peidiwch â lolian, Richard.'

'Mi 'dw i o ddifri calon. Edrychwch arna i, Cit.'

Edrychodd hithau a chael cadarnhad i'w eiriau yng nglesni didwyll ei lygaid. Cofiai ddweud wrtho unwaith iddo roi mwy iddi mewn diwrnod nag a roesai Harri mewn oes. Cawsai ddigon o brawf yn ystod yr haf fod y diwrnod hwnnw yn ddiogel. A byddai ganddi ragor o oriau i fynd i'w chanlyn i Lanelan; oriau yr oedd iddyn nhw'r gallu i ddileu mud boen y deugain mlynedd a gwneud Minafon yn lle gwerth ei gofio.

Torchodd Katie ei llewys ac aeth i'r afael â'r badell.

7

''Ro'n i'n meddwl dy fod ti wedi troi'n titotal.'

Cododd Hyw Twm ei ben o'i wydryn blaenor i gael Ron Watkins yn crechwenu arno. Go fflamio, ni chlywai ddiwedd hyn rŵan. Ni allai Watkins ddal ei dafod, mwy na'i gwrw.

'Rhyw donic bach ydi hwn 'sti,' meddai'n ddidaro. 'Jest i gadw i fynd. Ddaru ti ddim digwydd gweld Dic Pŵal o gwmpas?'

'Dim golwg.'

'Dim ond gobeithio y cadwith o draw heno.'

'Pam, felly?'

'Rhyw foi sy'n holi amdano fo. Mae o newydd fynd i'r lle chwech.'

'Un diarth, ia?'

'Rwbath o Lerpwl. 'D ydw i ddim yn licio'i olwg o.'

Trwy gil ei lygad, gwelodd Hyw Twm ddrws y lle chwech yn agor.

'Mae o'n dŵad yn 'i ôl,' sibrydodd. 'Taw pia hi.'

'Mi fedri ddibynnu arna i.'

Byddai hynna'n ddigri, petai'n teimlo fel chwerthin. Nid oedd mwy o goel ar hwn nag ar dymer Magi. Diolch ei fod o'n sobor, o leiaf.

Daeth y dieithryn i fyny atynt. Gan anwybyddu Hyw Twm, meddai, wrth Ron,

'Wonder if you could help us, mate. I'm looking for a friend of mine . . . Powell.'

'Richard Powell?'

Cythrodd Hyw Twm am ei wydryn a'i wagio ar un llwnc.

'Yeah, that's him. Know him, do yer?'

'Knew him. He left town some time last year.'

'Dyna ddeudis i wrth y diawl.'

Rhythodd y Sgowser ar Hyw Twm.

'Come again?'

'I told you that.'

'Yeah, so you did.' Estynnodd ddarn o bapur o'i boced a'i roi i Ron. 'Do us a favour. Give us a ring if you see him eh?'

Cadwodd Ron y darn papur yn ofalus yn ei waled.

'You can count on me,' meddai'n glên.

'Pam deudist ti hynna?' cwynodd Hyw Twm, gynted ag y cafodd gefn y Sais.

'Taflu llwch i'w lygad o 'te. Mae o am waed Dic Pŵal, siŵr i chdi. Ond 'd oedd o ddim elwach arnon ni beth bynnag.'

Syllodd Hyw Twm ar ei wydryn gwag.

'Na ninna arno fynta,' meddai, cyn sobred â sant.

8

Daeth Mati â phaned o goffi trwodd i'r ystafell ffrynt a'i tharo'n ddiseremoni ar y bwrdd wrth benelin Emyr.

'Peidiwch â gadael iddo fo oeri,' meddai'n sychlyd.

Roedd hi ar adael yr ystafell pan ddywedodd Emyr,

'Mi fedrwch fentro deud "mi ddeudis i wrthoch chi", Mati.'

'Am be, felly?'

'Fy niffyg synnwyr cyffredin i.'

'O, hynny.'

'Welwch chi mo'r enath yna yma eto.'

'Be ddigwyddodd, Emyr?'

'Mi fydda'n well gen i beidio siarad am y peth.'

Roedd o wedi ei tharfu hi eto. Ond byddai'n rhaid iddi fodloni ar hynny. Ni châi byth wybod pa mor agos y bu at andwyo'i ddyfodol, a hynny ar gorn rhyw fflyrten o eneth ysgol. Diolch i'r nefoedd ei bod hi'n gadael ddiwedd y tymor. Roedd hi wedi cadw'n ddistaw hyd yn hyn ond 'd oedd wybod be allai ddigwydd petai'n dewis rhoi ei dehongliad ei hun o'r hyn a ddigwyddodd nos Wener ar led. Ni allai wadu iddo fynd i'w danfon adref a gadael iddi ei arwain i fyny i'r hen chwarel. Gallai hyd yn oed honni iddo'i threisio, ac ni fyddai ganddo ond ei air i sefyll wrtho. Mae'n wir iddo gael ei demtio i'w chymryd, yn y fan a'r lle, ac nid trwy drais chwaith. Ond pwy, mewn difri, a fyddai'n credu iddo fodloni i'w gollwng ar gusan yn unig? 'Fuo ddim rhaid imi'ch llusgo chi yma,' meddai, pan geisiodd ef ei esgusodi ei hun. Roedd hi'n iawn. Fe wyddai'n dda, cyn i Mati ei rybuddio, ei fod yn chwarae â thân.

'Mae'n ddrwg gen i, Mati,' meddai'n dawel.

'Mi fuas inna braidd yn hastus. Ond mae o drosodd rŵan. Mae'r dyddia dwytha 'ma wedi bod yn dreth arnon ni'n dau.'

Nid oedd ganddi syniad faint o dreth, meddyliodd Emyr. Ac nid oedd y gwaethaf drosodd, chwaith. Ni châi eiliad o heddwch nes gweld cefn yr eneth yna. Ond roedd o wedi bod ar fai yn llwytho rhagor o ofalon ar ysgwyddau Mati.

'Mi 'dan ni'n ffrindia eto, felly?' holodd, yn swil.

'Wrth gwrs ein bod ni.'

'Ac mi 'dw i yma i aros?'

'Hwn ydi'ch cartra chi rŵan, ynte? Yfwch eich coffi, da chi.'

'Wnaiff coffi mo'r tro i'r hyn sydd gen i mewn golwg.'

Cododd Emyr ac estyn potel o sieri a dau wydryn o'r cwpwrdd.

'Wedi'i brynu o at achlysuron arbennig,' eglurodd yn frysiog, wrth weld yr olwg amheus ar wyneb Mati. 'Ac mae hwn yn un ohonyn nhw, siŵr o fod.'

Petrusodd Mati am eiliad, yna meddai'n gyndyn,

'Mae'n debyg 'i fod o.'

'Beth am y cardia?'

'Be amdanyn nhw?'

'Ydach chi ddim yn meddwl 'i bod hi'n bryd inni gael y gêm yna bellach?'

'Fedris i ddod o hyd i ddim ond cardia Snap.'

'Snap amdani, felly.'

Roedd Emyr mor gastiog â phlentyn a'i hwyl yn heintus. Toc, roedd y ddau'n gweiddi am y gorau. Taerai Emyr mai ef a alwodd gyntaf; mynnai hithau ei fod yn sbecian ar y cardiau cyn eu rhoi i lawr.

'Wyddoch chi be fydda nhad yn 'i 'neud pan fydda fo'n colli,' meddai Emyr. 'Gafael yn y pac a thaflu'r cwbwl ar draws ac ar hyd y 'stafall.'

Chwarddodd Mati nes tynnu dagrau i'w llygaid.

'Mae'n dda'ch clywad chi'n chwerthin, Mati.'

'Ydi'r sieri 'ma'n codi i 'mhen i 'dwch? 'D ydw i ddim wedi'i gyffwrdd o ers blynyddoedd, ac mewn priodas oedd hynny.'

'Ylwch be ydach chi wedi'i golli. Be ydi'r sgôr rŵan?'

'Tair gêm yr un.'

'Tybad?'

'Cyn sicrad â mod i'n Mati Huws. Ac mi ro i gweir i chi hefyd.'

''Dw i'n methu meddwl. Mi ranna i rŵan.'

'Na 'newch chi. Thrystia i monoch chi.'

Roedd y gêm ar ei hanterth a Mati wedi ildio i berswâd Emyr i gymryd gwydriad arall pan glywsant sŵn drws yn agor a llais yn galw. Cododd Mati'n wyllt a rhuthro am y drws.

'Gwyneth? Chdi sydd 'na?'

'Lle'r ydach chi?'

'Yn y 'stafall ffrynt. Tyd drwodd.'

Cyfarfu'r ddwy yn y cyntedd. Meddai Mati'n ffrwcslyd,

'O b'le doist ti? . . . Pam na fasat ti'n gadael imi wybod? . . . Gad imi gael golwg arnat ti.'

Craffodd arni.

'Mi wyt ti'n edrych fel 'tasat ti wedi bod yn bwyta gwellt dy wely,' meddai.

'O . . . nain.'

'Pryd cest ti fwyd ddwytha?'

'Mi 'dw i'n iawn.'

''D wyt ti ddim yn edrych yn iawn i mi. Fydda i fawr o dro'n paratoi rwbath. Ond tyd i weld pwy sydd 'ma gynta.'

Gafaelodd yn ei llaw a'i harwain i'r ystafell. Yng ngwres ei llawenydd, ni sylwodd ar y cryndod yn llais Emyr wrth iddo gyfarch Gwyneth.

'Wel, be sydd gen ti i'w ddeud?' holodd, yn eiddgar.

Ond ni wnaeth yr eneth ond syllu'n fud ar Emyr. Yna, crwydrodd ei llygaid at y botel a'r gwydrau a'r pentwr cardiau.

'Mae'n ddrwg gen i dorri ar eich sbort chi,' meddai'n oeraidd.

Gadawodd yr ystafell heb air pellach. Aeth Mati i'w dilyn, a'i dal fel roedd hi'n cyrraedd y gegin.

'Be ydi ystyr peth fel'na?' gofynnodd, yn ddig.

'Be mae o'n da yma?'

'Emyr? Mae o'n dysgu yn Ysgol Y Graig. Yma mae o'n aros.'

'Byw, felly?'

'Wel, ia.'

'Be mae pobol Minafon yn 'i ddeud am hynny?'

'Be sydd 'na i'w ddeud?'

'Gola'n un llofft?'

'Rhag cwilydd iti.'

'Dyna fyddan nhw'n 'i ddeud am y ddynas honno fydda'n arfar byw yn rhif chwech 'te. P'run bynnag, mae croeso i chi arno fo.'

Tynnodd ei bag sach a'i thaflu ar lawr.

'Wn i ddim b'le cei di gysgu,' meddai Mati'n surbwch.

'Ar lawr.'

'Ond fedri di ddim gneud hynny.'

'Mae gen i sach gysgu. P'run bynnag, mi 'dw i wedi arfar â llefydd dipyn gwaeth na hwn.'

'Mae 'na lefydd gwaeth, felly?'

'O, oes. Ylwch, 'd oes dim isio i chi foddran efo swpar. Mi a' i i'r siop sglodion.'

'Wyt ti ddim yn meddwl y dylat ti ymddiheuro i Emyr gynta?'

'Ymddiheuro i'r sinach bach yna? Wyddoch chi mo'r peth cynta amdano fo.'

'Mae o wedi bod o help mawr i mi.'

'Go dda fo.'

Roedd yr eneth fel petai'n benderfynol o godi'i gwrychyn, meddyliodd Mati. Ond ni châi'r pleser hwnnw, heno o leiaf. Nid oedd wedi sylweddoli o'r blaen mor debyg oedd hi i Lena. Bron na allai daeru mai Lena a safai yno, wedi galw i'w thaclo hi ar rywbeth neu'i gilydd.

'Mi a' i 'ta. 'D oes dim angan i chi aros amdana i.'

Â'i gwaed yn berwi, dychwelodd Mati i'r ystafell ffrynt i ymddiheuro i Emyr, ar ran Gwyneth. Ond yr oedd yntau, hefyd, wedi diflannu.

PENNOD 16

Dydd Gwener Hydref yr 21ain

1

Synfyfyrio yn y gegin yr oedd Mati pan ruthrodd Gwyneth i mewn fel petai cŵn y fall wrth ei sodlau, a'i dychryn allan o'i chroen.

'O'r nefoedd fawr,' gwaeddodd, yn ei chyffro, 'pam aflwydd na fedri di gerddad i mewn, fel rhywun normal?'

Roedd yr eneth, os rhywbeth, yn debycach fyth i Lena, a'i hwyneb yn dywyll gan ddicter.

'Wyddoch chi b'le buas i rŵan?' holodd, yn fyr ei hanadl.

'Na wn i, wir.'

'Adra . . . fel 'dach chi'n 'i alw fo. Mi fuoch yn swnian digon arna i i fynd.'

'Welist ti dy dad?'

'Naddo. Ond mi welis rywun arall.'

'Pwy, felly?'

'Katie Lloyd, yn hongian dillad ar y lein. Ers faint mae hyn yn mynd ymlaen?'

'Be?'

'Peidiwch â chymryd arnoch. Y fo a hi 'te?'

'Dy dad a Katie Lloyd? O, Gwyneth, rho dy reswm ar waith. Mi wyddost gystal â finna faint ydi'i hoed hi.'

''D ydi hynny ddim yn debygol o'i rwystro fo.'

Cofiodd Mati fel y bu i Lena wneud ati i'w tharfu, trwy arfer iaith na fyddai wedi meiddio rhoi tafod iddi petai Arthur yn fyw, pan alwodd i ddweud ei chŵyn ynglŷn â'r llythyrau dienw. Roedd y rheini'n awgrymu, yn ôl Lena, fod yna ryw fusnes ar droed rhwng Richard a Katie Lloyd. Roedd y peth yn chwerthinllyd. Ond nid yn amhosibl. Na, nid oedd dim yn amhosibl lle roedd Richard yn y cwestiwn. Ond siawns nad oedd gan Katie Lloyd ei safonau, wedi'r holl flynyddoedd o rannu'i byw efo Harri Lloyd. Ac eto, roedd yna wirion hen, fel gwirion ifanc, ac nid oedd y llygaid gleision wedi colli'r gallu i dwyllo hyd yn oed y sadiaf o ferched.

Torrodd llais cyhuddgar Gwyneth ar draws ei myfyrdodau.

'Roeddach chi yn gwybod?'

'Nac o'n i, wir. A 'd ydw i ddim yn credu fod yna ddim i'w wybod.'

'Be mae hi'n 'i 'neud yno 'ta? Ac yn ymddwyn fel petai hi pia'r lle.'

'Helpu falla. 'D ydi dy dad mo'r un gora o gwmpas y tŷ.'

'Chi ddyla fod yno, nid y hi.'

Y gair 'ddyla' yn fwy na dim arall a barodd i Mati dorri'r addewid a wnaethai iddi ei hun. Ni chofiai iddi erioed godi ei llais efo Lena er i honno ei gyrru i'r pen sawl tro. Ond pa well oedd hi o fod wedi dioddef yn ddistaw? Oni fyddai'n rheitiach iddi fod wedi troi arni o'r dechrau yn hytrach na chymryd ei phardduo a'i chystwyo heb achos? Ond ni wnâi'r un camgymeriad eto, reit siŵr.

'Falla yr hoffet ti egluro pam y dylwn i ofalu am dy dad,' meddai, yn ddeifiol o oer.

'Dim ond chi sydd ganddo fo 'te.'

'A be amdanat ti?'

''D ydw i ddim yma, yn nac ydw?'

'Cyfleus iawn. 'D oeddat ti ddim yma pan oedd dy fam yn marw chwaith . . . pan oedd angan rhywun efo hi, ddydd a nos.'

'Roedd gen i waith i 'neud.'

'O, ia . . . y petha pwysicach.'

''Ro'n i'n credu'u bod nhw.'

'A rŵan?'

''D ydw i ddim wedi newid fy meddwl.'

'Ond rwyt ti wedi rhoi'r gora i frwydro?'

'Dim ond dros dro.'

'A faint ydi'r ''dros dro'' 'ma, os ca' i fod mor hy â gofyn?'

'Hynny fedra i 'i ddiodda.'

'Neis iawn. Dim ond cymryd mantais arna i, tra mae hi'n gyfleus iti, ia?'

'Os mai fel'na 'dach chi'n teimlo.'

''D wyt ti ddim wedi rhoi achos imi deimlo'n wahanol. 'Rwyt ti wedi gneud ati i 'nghroesi i, o'r eiliad y cyrhaeddast ti. Siawns nad ydw i'n haeddu dipyn o heddwch bellach.'

'Peidiwch â phoeni . . . mi gewch chi'ch heddwch, chi a'r cachgi 'na sydd wedi llwyddo i'ch troi chi rownd 'i fys bach. Mi ddyla fod ganddoch chi gwilydd, yn eich oed chi. Ond 'd ydi oed yn mennu dim arnoch chi, mae'n amlwg, mwy na Katie Lloyd.'

Saethodd llaw Mati allan a dal Gwyneth ar ei chern. Rhoddodd hithau dro gwyllt ar ei sawdl a rhuthro allan gan glepian y drws ar ei hôl. Wrth iddi ei gollwng ei hun i gadair, cofiodd Mati fel y bu i Arthur ei rhybuddio, yn ystod dyddiau cynnar eu priodas, i gadw ffrwyn ar y tymer a fyddai'n brochi ar yr esgus lleiaf. 'Ti gaiff dy frifo fwya 'sti,' meddai. Roedd cledr ei llaw yn wynias. Fe'i cododd at ei gwefusau a chwythu'n ysgafn arni, i geisio lleddfu'r gwres. Ond ni allai wneud dim i ostegu curiad afreolaidd ei chalon na'r pwyo dyfal yn ei phen.

2

Â'i hwyliau ar eu huchaf, camodd Richard allan i'r stryd gefn dan chwibanu. 'D oedd Minafon ddim yn lle mor ddrwg wedi'r cyfan, meddyliodd, cyn belled â bod gan rywun stumog a phoced lawn. Roedd yna ferched a merched, hefyd. Y gyfrinach oedd gwybod sut i'w trin; eu rhoi nhw'n eu lle a gwneud yn siŵr eu bod yn aros yno; gadael iddyn nhw weld eu hangen, a'i gydnabod. Roedd o wedi bod yn rhy wirion efo nhw rioed a hwythau wedi manteisio ar hynny.

Cerddodd ymlaen yn dalog nes cyrraedd rhif chwech. Roedd hi wedi bod yn uffernol o anodd cadw'i bellter yn ystod y tridiau diwethaf. Ond roedd un olwg ar Eunice yn ddigon i'w argyhoeddi na fu iddo ei gosbi ei hun yn ofer. Er ei bod yr un mor welw a'r clytiau duon, os rhywbeth, yn amlycach fyth, ni cheisiodd guddio'i rhyddhad o'i weld.

'Sut wyt ti'n teimlo rŵan?' holodd Richard.

'Yn well.'

'Mae Doctor Pŵal wedi gneud 'i waith, felly. Falla y ca' i gynnig lle 'rhen Puw.'

'Ydi o'n rhoi'r gora iddi?'

'Hen bryd, 'd ydi, cyn iddo fo wenwyno rhywun.'

'Mae o wedi bod yn ffeind iawn wrth Brei a finna.'

Daeth nodyn cwynfannus i'w llais. Damio unwaith, 'd oedd hi rioed am roi dampar ar y diwrnod. Cofiodd Richard am y coed tân a welsai wrth iddo groesi'r iard, wedi'u pentyrru'n daclus yn erbyn wal y cwt, ac meddai, er mwyn troi'r stori,

'Mi wyt ti'n dipyn o giamstar ar drin bwyall.'
'Mm?' yn ddiddeall.
'Y coed tân.'
'Ron ddaru'u torri nhw imi.'
'Pa Ron?'
'Mi fydda Brei yn arfar gweithio efo fo.'
'Watkins, ia? 'D ydi hwnnw ddim yn hel 'i din o dy gwmpas di, gobeithio.'
'Dim ond helpu.'
'Hy! I bwrpas 'te. Mi fedri ddeud wrtho fo lle i fynd rŵan.'
'Mi ddaru gynnig mynd â fi i weld Brian.'
'Y cythral drwg. Est ti ddim?'
'Naddo, siŵr.'
'Hogan dda. Be wyt ti'n 'i 'neud heno?'
'Dim . . . 'r un fath ag arfar.'
'Tyd draw acw am swpar. Iawn?'
Nodiodd Eunice. Tybiodd Richard iddo weld ei llygaid yn lleithio a ffarweliodd â hi, yn frysiog.

Wrth iddo frasgamu i lawr Minafon gwelodd Doctor Puw yn troi i mewn am dŷ Mati, ac arafodd ei gamau. Be oedd ei neges o yno, tybed? Ni fyddai'n fyr o groeso, mae'n siŵr. Roedd o wedi edmygu Mati erioed; wedi credu ei bod hi'n ddynes â sa' ynddi. Ond be ddaru hi? Ei droi allan o'r tŷ a bygwth plismon arno pan oedd o fwyaf o angen cefn. Ta waeth, ran'ny, pan oedd un drws yn cau roedd drysau eraill yn agor ac roedd yr hyn a oedd y tu ôl i ddrws rhif chwech dipyn amgenach na dim a allai yr un arall o drigolion Minafon ei gynnig iddo.

3

Pan glywodd y gnoc ar ddrws y cefn ni wnaeth Mati ymdrech i godi. Câi pwy bynnag a oedd yno fynd i'r bliws cyn belled ag yr oedd hi'n malio. Ond agorodd y drws a gwthiodd Doctor Puw ei ben i mewn.
'Mati?'
'O, chi sydd 'na, Doctor. Dowch i mewn.'
'Wn i ddim fentra i.'
'Pam 'dwch?'

'Gweld rhyw olwg stormus iawn arnat ti. 'D wyt ti ddim yn digwydd gwybod rwbath o hanas yr Owens drws nesa 'ma?'

'Nac ydw i, wir,' yn siort.

'Roedd o fod i alw i 'ngweld i. Wyddat ti fod y tŷ ar werth?'

'Na wyddwn.'

'Mi 'dw i wedi trefnu i'r enath fach 'na fynd yn ôl i'r ysbyty. 'D oedd 'na ddim byd arall fedrwn i 'i 'neud. Mae'n ddrwg gen i imi d'ama di, Mati.'

''D oeddach chi ddim i wybod.'

'Fy lle i oedd gwybod. Sut drefn sydd arnat ti?'

'Dim trefn ar hyn o bryd.'

''Ro'n i'n gobeithio y bydda petha wedi gwella efo chdi erbyn hyn.'

'Maen nhw. Neu mi 'roeddan nhw, tan neithiwr. Mae Gwyneth yn 'i hôl.'

'Merch Lena?'

'Merch Lena ydi hi hefyd. 'R un sbit â hi. Rydan ni newydd gael andros o ffrae.'

'Mynd yn hy arnat ti ddaru hi?'

'Roedd hi'n ysu am ffrae ers pan gyrhaeddodd hi. Mi wnaeth bob dim i drio 'ngwylltio i, ac mi lwyddodd, er 'y mod i wedi tyngu llw i mi fy hun na fyddwn i'n colli fy limpin. Wn i ddim be ddaeth drosta i. Mi rois i'r glustan ora welsoch chi rioed iddi hi. 'D ydw i rioed wedi cyffwrdd â'r un o'r plant.'

'Mae 'na dro cynta i bob dim, Mati.'

'Yn f'oed i?'

'Bob oed. 'D ydan ni byth yn darfod dysgu 'sti . . . drwy drugaradd.'

'Mi fydda'n well gen i heb y wers yma. 'Ro'n i'n credu 'mod i wedi darfod efo nhw bellach.'

'Dy deulu?'

'Maen nhw fel 'tasan nhw'n benderfynol o ddinistrio hynny o obaith sydd gen i.'

'Mae Richard yn gneud yn o dda yn ôl pob golwg.'

'Efo be 'dwch?'

'Gwaith. Dim eiliad i'w sbario, medda fo.'

'Hy, dyna ddeudodd o? Welith o'r un awr o waith yn Nhrefeini 'ma ond gen rhyw betha diarth nad ydyn nhw'n gwybod dim gwell.'

'Mae o wedi'i gneud hi efo chdi, felly?'
'Ydach chi'n 'y meio i?'
'Nac ydw. Mae 'na derfyn ar amynadd y gora.'
''Tae o ond wedi dangos iot o edifeirwch.'
'Richard?'
'Mi 'dw i'n gofyn yr amhosib 'd ydw?'
'Mae arna i ofn dy fod ti. Wyddost ti be fydda'n dda rŵan?'
'Panad, ia?'

Wrth iddi baratoi'r te teimlai Mati'n rhyfeddol o ysgafn a sylweddolodd fod y pwyo yn ei phen wedi tawelu a'i chalon yn curo'n rheolaidd.

'Mae'n ddrwg gen i eich bod chi wedi 'nal i ar funud gwan,' meddai.

''D ydi hyn yn ddim ond crafu'r wynab o'i gymharu â'r hyn wyt ti wedi byw trwyddo fo. Mi ddoi drosto fo mewn chwinciad.'

''Dach chi'n meddwl?'

'Gwybod. Mae rhyw storm fel'ma'n help i glirio'r awyr 'sti. Ac mae'r petha ifanc 'ma fel ceiliogod gwynt. Felly roeddat titha yn 'u hoed nhw.'

'Wn i ddim, wir.'

'Mi wn i. 'D oedd 'na ddim dal arnat ti. Mi wnaeth Arthur ddynas ohonat ti, Mati. Ond nid chdi ydi'r unig un sy'n dal i ddysgu 'sti.'

'Chitha hefyd?'

'Ac mi 'dw i'n hŷn na chdi. Wedi sylweddoli'r ydw i mor ddifudd ydi 'mywyd i wedi bod.'

'Mae hynna'n gelwydd i ddechra. 'D oes 'na neb wedi gneud mwy na chi.'

'Yn rhinwedd fy swydd, ynte, Mati? A diolch bach imi am hynny. Wyddon ni ddim byd amdani.'

'Am be, felly?'

'Aberthu, yn fwy na dim. Mi wn i dy fod ti wedi cael dy siâr o broblema.'

'Faswn i'n meddwl, wir.'

'Ac mi wyt ti wedi ymdrechu'n ddewr, chwara teg iti. Ond pan feddyli di am Madge Parry . . .'

'Be amdani hi?'

'Wyddat ti 'i bod hi ac Os wedi gadael Minafon?'

'Wn i ddim be sy'n digwydd yma.'

'Oeddat ti'n 'i 'nabod hi'n o dda?'

'Sut oedd posib 'i 'nabod hi? On'd oedd hi'n cau arni 'i hun yn y tŷ 'na.'

'Feddyliast ti am roi tro amdani o gwbwl?'

'Pam y dylwn i? 'D oedd wnelo fi ddim byd â hi.'

'Dyna maen nhw i gyd yn 'i ddeud, ynte? Wedi gneud 'i gwely, ac ystrydeba felly.'

'Wnes i rioed 'i barnu hi. Roedd gen i biti drosti.'

''D oedd arni ddim angan dy biti di, Mati.'

'O. Rhyngddi hi a'i photas, felly.'

'Ŵyr yr enath yna mo ystyr hunanoldeb. Mae'i chariad a'i gofal hi o Os y peth hardda welis i rioed. Mae hi wedi codi cwilydd mawr arna i.'

Cewciodd Doctor Puw ar Mati heibio i'w gwpan de. Na, nid oedd hithau'n deall chwaith. Mae'n debyg fod hynny'n ormod i'w ofyn gan un na fu'n llygad-dyst o ymlyniad Madge wrth blentyn na fu, ac na fyddai byth, ond baich arni. Profiad i'w gadw iddo ei hun oedd hwn; i dynnu arno pan fyddai ei stoc yn isel; i'w atgoffa o'i feidroldeb. Siawns na allai fforddio rhannu peth o'r cysur a gawsai rhwng muriau rhif saith â'r Mati Huws y bu'n ei hedmygu oherwydd iddi allu cerdded llwybr dyletswydd, a hynny heb gariad i'w chynnal.

''D oes mo dy debyg di am banad, Mati,' meddai.

Gwenodd hithau, a dechreuodd sôn am y gobaith newydd a ddaethai iddi o gael Emyr yma efo hi. Cynhesodd i'w stori, o wybod fod Doctor Puw cyn falched â hithau o ddeall fod ganddi rywbeth y mynnai ddal ei gafael arno, er gwaethaf grym y lli.

4

Safai Gwyneth yn y cysgodion gyferbyn ag Ysgol Y Graig, yn gwylio ecsodus y prynhawn. Er nad oedd ond dwy flynedd er pan wisgai hi'r wisg lwyd unffurf ymddangosai fel hanner oes. Ond nid oedd y drefn wedi newid dim. Rhusiai'r bechgyn ieuengaf allan gan wneud ati i geisio baglu'i gilydd. Cerddai'r merched ieuengaf yn ddeuoedd a thrioedd gan sisial a chilchwerthin a chrychu'u trwynau pan ddeuai'r bechgyn yn rhy agos. Ar eu cwt deuai bechgyn trwsgl y dosbarthiadau canol mewn esgidiau digon tebyg i'r rhai a wisgai ei thaid i fynd i'r chwarel, coesau'u trowsusau heb gyrraedd eu fferau a llewys eu cotiau heb gyrraedd eu harddyrnau, ac yn eu plith ambell fach y nyth, yn gôt ac yn drowsus i gyd. Casglent yn dyrrau wrth y giât, i lygadu'r merched a âi heibio. Siglent hwythau eu penolau crynion ac agorai ambell un fwy beiddgar na'i gilydd fotymau uchaf ei blows i ddangos ei hegin fronnau.

Sylwodd Gwyneth ar un yn arbennig a oedd wedi gadael y merched eraill i ymuno â'r criw bechgyn. Taniodd un o'r rheini sigaret a'i hestyn iddi a thynnodd hithau'n wancus ynddi gan chwythu mwg yn brofiadol trwy'i ffroenau. Roedd ei hwyneb yn gyfarwydd. Wrth gwrs, hon oedd yr eneth a welsai hi a Gwen ei ffrind yn caru y tu ôl i'r cantîn efo bachgen o'r pumed, a hithau ond ar ei thrydedd flwyddyn. Be oedd ei henw hi, hefyd? Anna rywbeth neu'i gilydd. Cofiodd fel y bu iddi ddweud wrth Gwen mai eu dyletswydd oedd riportio'r eneth i Miss Humphries. Roedd hi'n ymwybodol iawn bryd hynny o'r cyfrifoldeb a ddeuai'n sgîl y bathodyn swyddog.

'Mae hi'n siŵr o ofyn be oeddan nhw'n 'i 'neud,' meddai Gwen, yn bryfoclyd. 'Wyt ti am roi disgrifiad manwl . . . hynny ydi os medri di.'

Ni chollai Gwen gyfle i'w herian ynglŷn â'i hanwybodaeth rhywiol. Gwnaethai ei gorau i'w pherswadio i fynd ar y bilsen. 'Chwara'n saff,' meddai. Hithau'n haeru'n gysetlyd mai peidio chwarae o gwbwl oedd y saffa.

Rhuodd car i lawr y dreif, ei do'n agored a chasét yn chwarae ar ei uchaf. Un o fechgyn y chweched, yn orchest i gyd wrth i bwysau'i droed ar y sbardun yrru'r ystelcwyr ar chwâl. Dilynwyd ef gan y gweddill ffyddlon, y rhai a lwyddodd i gael mynediad i gysegr sancteiddiolaf y chweched. Roedd un o'r merched wrthi'n tynnu ei thei ysgol ac yn ei lapio am ei bysedd. Dyna a wnâi hithau, hefyd, gynted ag yr oedd hi trwy'r drws. Daethai unwaith wyneb yn wyneb â Miss Humphries pan oedd ar ei wthio i'w phoced. Cawsai ei hanfon at y prifathro. 'Ond ylwch arno fo, mewn difri, Mr Bevan,' ymbiliodd, gan ei ddal i fyny rhyngddynt. 'Welsoch chi beth mor hyll erioed?' Yntau, â'i lygaid yn llawn direidi, yn dweud, 'Ydi, mae o braidd yn erchyll.'

Efallai, ond iddi aros i'r bagad yma glirio, y gallai bicio draw i'w weld. Er na fu iddo erioed ddangos ei liw gwleidyddol y tu mewn i ffiniau'r ysgol nid anghofiai byth mohono'n darllen rhai o gywyddau Dafydd ap Gwilym yn y Gymdeithas Gymraeg. Ni allai dyn a lwyddodd i ail-greu cyfaredd y trwbadŵr 'â'i law fel y glaw a'r gwlith' lai na deall pam y bu iddi gefnu ar yr addysg y rhoesai ei bryd arno. A theimlai angen dealltwriaeth, heddiw yn fwy nag erioed.

Tra bu hi'n synfyfyrio felly aethai rhagor o geir heibio i gyfeiliant gweiddi a hisian y plant. O dipyn i beth, chwalodd y tyrrau wrth y giât. Crwydrodd y mwyafrif i gyfeiriad y dref. Wedi i'r olaf ddiflannu croesodd Gwyneth y ffordd. Roedd hi ar gyrraedd drws yr ysgol pan welodd Emma Harris yn dod, yn fân ac yn fuan, i'w chyfarfod.

'Pnawn da, Miss Harris.'

Cerddodd Emma heibio iddi heb ddim ond nòd bach cwta. Yna, wedi iddi fynd rai camau, arhosodd, a galw,

'Gwyneth, ynte?'

'Ia.'

'Mae'n ddrwg gen i . . . wnes i mo'ch 'nabod chi.'

''D ydach chi ddim yn digwydd gwybod os ydi Mr Bevan o gwmpas?'

'Mae o mewn pwyllgor. Ddaw o ddim yn ôl pnawn 'ma. Fedra i roi negas iddo fo?'

'Na, ddim diolch.'

Gadawodd Gwyneth iddi fynd gryn bellter cyn mentro troi'n ei hôl. Cofiodd fel y bu i'w nain droi tu min arni y diwrnod hwnnw ym Mae Colwyn a dweud yr hoffai weld Emma Harris yn gallu codi ei dau fys ar Jones Davies am ei hysbeilio o swydd y rhoesai ei bywyd iddi. Ac roedd hi wedi cael y pleser hwnnw. Go dda hi. Ond druan o Mr Bevan. Roedd ganddi gof i'w mam ddweud unwaith i Emma gael ei gadael ar y clwt ar yr unfed awr ar ddeg. Cawsai'r creadur hwnnw, pwy bynnag oedd o, waredigaeth. Er iddi fyw deunaw mlynedd y drws nesaf i Emma Harris nid oedd ronyn nes at ei hadnabod, ac ni chyfrifai hynny'n golled chwaith.

A hithau ar gyrraedd y giât clywodd sŵn car o'r tu ôl iddi a chamodd i'r ochr. Tynnodd y car i fyny gyferbyn â hi.

'Be wyt ti'n 'i 'neud yn fan'ma . . . chwilio am dy blentyndod coll?'

Trodd Gwyneth i weld Emyr Morgan yn gwthio'i ben cyrliog golau trwy'r ffenestr agored. Go damio, byddai'n well ganddi fod wedi dioddef cwmni Emma Harris rhwng yma a Minafon na chael ei dal gan hwn.

'Isio gweld y prifathro oedd arna i,' yn gwta.

''D ydi o ddim yma.'

'Felly 'ro'n i'n deall.'

'Wyt ti am reid adra?'

'Nac ydw.'

'Wyt ti ddim yn meddwl 'i bod hi'n bryd inni glirio'r awyr? 'D ydi hyn ddim yn deg â Mati 'sti.'

'Eglura di'r sefyllfa iddi 'ta. Wyt ti'n ormod o gachgi i hynny, hefyd?'

'Mae gan ddyn yr hawl i ddewis.'

'A bradychu'i egwyddorion? Roeddat ti'n uwch dy gloch na neb nes y daeth hi'n amsar gweithredu.'

''D ydw i ddim yn difaru.'

'Nac wyt, siŵr. Mae gen ti swydd ddiogel a lle o barch mewn cymdeithas . . .'

''D ydi hwn mo'r lle i ffraeo, Gwyneth.'

'Oes gen ti ofn i rywun glywad faint o gachwr ydi'r Mr Morgan bach neis sy'n dysgu plant Trefeini i gerddad y llwybyr canol?'

'Plîs, Gwyneth. Mi fydd Mati wedi paratoi te inni.'

'Dos i'r diawl. A dywad wrth y fam fenthyg 'na sy'n meddwl fod yr haul yn codi o dy dwll din di am stwffio'i the.'

Ac ar y nodyn chwerw hwnnw y gwahanodd y ddau.

5

Ar ei ffordd adref o Finafon penderfynodd Doctor Puw alw yn yr ysbyty yn y gobaith y gallai leddfu rhyw gymaint ar y gydwybod a fu'n ei blagio ers pan gyhuddodd Mati ef o olchi'i ddwylo o Pat. Ond fel yr oedd yn troi trwyn y car am y maes parcio gwelodd y dyn ei hun yn ffarwelio â'r Sister y tu allan i'r ysbyty. Gan adael y peiriant yn rhedeg, agorodd y drws a galw arno. Fe'i gwelodd yn ysgrytian a'i lygaid yn gwibio yma ac acw fel pe'n chwilio am lwybr dihangfa. Gallai ddiolch, meddyliodd, fod y Sister yno, yn fur o gnawd rhyngddo a'r giât.

Erbyn iddo barcio'n daclus yn ei le arferol a diffodd y peiriant roedd Leslie wedi cyrraedd y car.

'Mi adawais i negas i chi yn gofyn i chi alw i 'ngweld i, Mr Owens,' meddai'n llym.

Syllodd Leslie'n herfeiddiol arno, ei lygaid yn oer a chaled ac heb arlliw o'r braw a welsai ynddynt rai eiliadau ynghynt.

'Mae f'amsar i braidd yn fyr,' meddai.

'Fel f'un inna. Ond mi 'dw i'n siŵr y cytunwch chi 'i bod hi'n bryd inni gael sgwrs.'

'Wela i ddim fod 'na unrhyw bwrpas, ond 'd oes gen i ddim gwrthwynebiad,' yn nawddogol.

Gan ymdrechu i gadw'i dymer o dan reolaeth, meddai Doctor Puw,

'Oes ganddoch chi ryw syniad be barodd i Pat geisio rhoi terfyn ar 'i bywyd?'

''D ydw i ddim yn ddoctor.'

'Ond mi 'dach chi'n ŵr iddi. Y cleisia 'na ar 'i chorff hi . . . oes ganddoch chi eglurhad am y rheini?'

'Un ddi-lun ydi hi, yn taro'n erbyn petha byth a hefyd.'

'A 'd oes wnelo chi ddim byd â nhw?'

'Be 'dach chi'n 'i awgrymu?'

''I bod hi wedi cael 'i cham-drin, a hynny'n egar iawn . . . ac mai chi sy'n gyfrifol.'

'Fi? Oes 'na olwg dyn sy'n curo'i wraig arna i? Dowch rŵan, Doctor, waeth i chi heb â cheisio ysgwyddo'r bai arna i. Oni bai i chi fod mor anghyfrifol â rhoi'r tabledi 'na iddi fydda hyn ddim wedi digwydd.'

Craffodd Leslie ar ei oriawr, ac meddai

'Mae arna i ofn fod yn rhaid imi'ch gadael chi.'

Gwelodd Doctor Puw wên gyfrwys, a oedd yn fwy atgas hyd yn oed nag oerni'r llygaid, yn chwarae ar wefusau Leslie; gwên a oedd fel pe'n marweiddio dyn fel pigiad nodwydd.

'Am funud, Mr Owens . . . mae'n rhaid setlo hyn,' meddai'n wannaidd.

Yr oedd hyder y gorchfygwr yn llais Leslie wrth iddo ateb,

'Mi 'dw i'n credu eich bod chi wedi deud hen ddigon. Mi

fyddwn i'n chwilio fy nghydwybod fy hun 'taswn i chi . . . Doctor.'

Wedi i Leslie ei adael safodd Doctor Puw yno'n hir a'r rhyndod yn treiddio trwy'i gorff. A phan orfododd yr oerni hwnnw ef i ddychwelyd i'r car ac i adael y maes parcio roedd y penderfyniad y bu'n ceisio ei osgoi gyhyd wedi ei wneud.

6

Gwylio rhaglen blant ar y teledu'r oedd Richard pan gerddodd Gwyneth i'r ystafell a sefyll rhyngddo a'r sgrîn.

'Mi wyt ti wedi ffeindio dy ffordd yma o'r diwadd,' meddai, gan graffu heibio iddi.

'Mi wnes i alw bora 'ma.'

'Felly'r o'n i'n clywad.'

'Ydi o ots ganddoch chi os rho i hwn i ffwrdd?'

'Mi 'dw i'n edrych arno fo 'd ydw.'

'A dyma ydach chi'n 'i 'neud efo'ch amsar . . . gwylio rhaglenni babis?'

'Cael pum munud 'dw i 'te. 'D wyt ti ddim yn gwarafun hynny imi, siawns.'

Ciliodd Gwyneth am y drws.

'Mi alwa i rywdro eto 'ta . . . os ca' i gyfla,' meddai.

Gwthiodd Richard ei droed allan a phwyso'r botwm i ddiffodd y set.

'Ydi hynna'n dy blesio di?' holodd. 'Aros efo dy nain wyt ti, ia? Rhannu llofft efo'r pwff 'na. Mi fyddi di'n ddigon saff efo hwnna.'

'Cysgu ar lawr, mewn sach, os ydach chi am wybod.'

''D ydi hi rioed yn gadael iti 'neud hynny? Pam na ddoi di yma i aros? Mae dy lofft di fel y gadewist ti hi.'

'Ddim diolch. 'D oes gen i ddim awydd rhannu tŷ efo Katie Lloyd.'

'Dim ond picio i roi ryw siâp ar y lle 'ma mae hi. Roedd o wedi mynd tu hwnt i mi a 'd oes 'na'r un diawl arall yn debygol o gynnig help.'

''D ydach chi rioed yn disgwyl imi gredu'i bod hi'n fodlon slafio yn fan'ma am ddim?'

''D ydw i'n talu'r un ddima iddi, a chymra hi'r un ddima chwaith.'

'Nid sôn am arian o'n i.'

'Be, felly?'

'Oes raid deud?'

Neidiodd Richard ar ei draed yn wyllt.

'Y bits fach. Mi ddylwn dy roi di ar draws 'y nglin.'

'Pam na 'newch chi? Falla y rhoith hynny gic i chi.'

'Mae gen ti feddwl fel siwar. Sawl un wyt ti wedi'i flingo ar dy drafal tybad?'

Syllodd Gwyneth i fyw'r llygaid a oedd fe pe'n tasgu gwreichion trosti, ac meddai'n dawel,

'Dim ond un. Ac mi ddeudodd hwnnw wrtha i am fynd i'r diawl pan ddalltodd o 'mod i'n mynd i gael babi.'

'Babi? 'D wyt ti ddim . . .'

'Mi drias i gael 'i warad o, ond weithiodd o ddim.'

'Wel, myn cythral i. Ac mae gen ti'r wynab i ddŵad yma i faeddu cymeriad dynas fel Katie Lloyd. Ddallti di ddim, ond mae'r berthynas rhyngon ni'r peth gora sydd wedi digwydd i mi erioed. Eneidia cytûn, dyna ydan ni, a chei di na neb arall ddifetha hynny.'

'Mae'n ddrwg gen i.'

'Dyna'r cwbwl fedri di'i ddeud?'

'Ddeudis i rioed mo'no fo o'r blaen.'

'Naddo ran'ny.'

Eisteddodd Richard â'i law o dan ei ben. Safodd Gwyneth yn ei wylio a'r dicter a fu'n ei chynnal trwy gydol y prynhawn wedi ei gadael yn llwyr. Y tŷ yma ydi'r drwg, meddyliodd, y tŷ a phopeth o'i gwmpas. Mae yna wenwyn yn yr awyr a hwnnw'n socian trwy'r cnawd ac yn lladd pob teimlad a phob synnwyr.

'Gwyneth.'

'Ia?' yn ddi-ffrwt.

'Ddylwn i ddim fod wedi gweiddi arnat ti fel y gwnes i. 'D oedd dim disgwyl iti allu deall.'

'Ydach chitha'n ymddiheuro?'

'Mae'n debyg 'y mod i. Damio unwaith, dim ond ni'n dau sydd 'na rŵan. Pa well ydan ni o ffraeo? Tyd i eistadd i fan'ma wrth 'y nhraed i, fel byddat ti ers talwm.'

Daeth hithau, a phwyso'i chefn yn erbyn ei goesau. Tynnodd ei phen i orffwyso ar ei lin.

'Wyt ti isio'r babi 'ma?' holodd.

''D o'n i ddim, ar y dechra. Ond pan feddyliais i 'mod i'n mynd i'w golli o . . .'

'A'r hogyn 'na? Oes 'na ryw obaith i chi ddŵad at eich gilydd?'

''D ydw i byth isio'i weld o eto.'

'Chdi ŵyr. Mi wnawn ni rwbath ohoni 'sti. 'D oes 'na'r un cythral wedi llwyddo i gael y gora arna i eto. Ac mi setla i hyn hefyd. Dos i nôl dy betha.'

'Na, fedra i ddim aros yma.'

'Wyt ti'n dal i f'ama i?'

'Nac ydw. Meddwl am Minafon 'ro'n i. Mae'n gas gen i'r lle.'

'Licias inna rioed mo'no fo chwaith.'

'Wnewch chi mo 'ngorfodi i i aros?' yn ymbilgar.

Rhoddodd Richard ei law o dan ei gên a'i throi i'w wynebu.

'Na, wnawn i byth mo hynny. 'D ydw i ddim am i ti gael dy gaethiwo fel y ce's i. Ond mi fydda'n dda gen i 'tasat ti'n gadael imi wybod lle'r wyt ti a be sy'n dŵad ohonat ti. Wnei di hynny?'

'Mi wna i.'

Cyfarfu llygaid y ddau, a thoddi i'w gilydd. Nid oedd dim yn ei golwg i'w atgoffa o Lena. Na, merch ei thad oedd hi, o'r eiliad y cymerodd o hi'n ei freichiau. Hon oedd canlyniad y caru nwydus ar wely benthyg yn Albert Road. Er ei mwyn hi yr ildiodd ei ryddid a'i gynefin. Hebddi hi ni fyddai na Lena na Minafon. Gallai gofio Lena'n poeri'r geiriau ato—'Hi, hi oedd y babi. Dy haul melyn mawr di.' A dyna oedd hi, hefyd, ei unig haul, nes i Lena lwyddo, â'i hen fileindra, i ddiffodd hwnnw. Ond rhyw ddiwrnod, efallai, caent ddod ynghyd eto, ymhell o Finafon, yn rhydd o ormes y mynyddoedd a'r blynyddoedd.

'Hogan pwy?' holodd.

'Hogan dad bob tamad.' A gwenu.

Ac yng ngwres y munud hwnnw llwyddodd Richard i'w dwyllo ei hun fod i'r geiriau yr un cyfoeth o ystyr ag oedd iddyn nhw pan oedd hi'n bwt o eneth, heb wybod gwell.

7

Ni fyddai Emma wedi gwahodd Tom Bevan i'r tŷ y nos Wener honno oni bai fod arni ofn yn ei chalon i Gwen Elis ddod heibio ar ei sgawt. Buan iawn yr âi'r stori ar led os câi honno ei phump arni. Fe'i hysiodd i mewn a chau'r drws ar ei sodlau. Diffoddodd olau'r cyntedd gynted ag y gallai a'i arwain i'r ystafell fyw gan daflu cip pryderus i gyfeiriad y ffenestr i wneud yn siŵr fod y llenni wedi eu cau'n glòs.

Yn ymwybodol o'i chyffro, meddai Tom,

'Gobeithio nad ydach chi ddim dicach 'y mod i wedi galw yma, Emma.'

''D oedd o mo'r peth doetha i 'neud,' yn biwis.

'Sut arall y cawn i sgwrs efo chi? 'Rydach chi *wedi* bod yn f'osgoi i, yn do?'

'Falla. Ond am reswm da.'

'Miss Humphries sydd wedi bod yn codi bwganod, ia?'

'Nid bwganod mo'nyn nhw. Mae hi wedi bod yn f'erbyn i, o'r diwrnod cynta. A rŵan mae hi'n gweld 'i chyfla i ddial arna i.'

'Mi wna i'n siŵr na wnaiff hynny ddim digwydd.'

'Ond 'd ydach chi ddim yn deall. Wrth ddial arna i mi fydd yn eich tynnu chitha i 'nghanlyn i. Faddeuwn i byth i mi fy hun 'taech chi'n colli'ch swydd o'm hachos i.'

'Mi rois i'r cwbwl i'r swydd yna, Emma . . . esgeuluso popeth arall. Ond rydw i wedi sylweddoli fod yna betha amgenach mewn bywyd.'

'Mi wnes inna'r un fath. Ac i be, mewn difri?'

Daeth Tom i fyny ati a gafael yn ei llaw.

'Wnewch chi 'nhrystio i, Emma?' meddai. 'Adawa i i neb na dim fygwth ein cyfeillgarwch ni. 'D ydw i ddim am gymryd arna y bydd petha'n hawdd, ond mi wynebwn ni nhw efo'n gilydd, a'u gorchfygu nhw fesul un.'

Roedd i'w gyffyrddiad yr un cyfuniad o gadernid a thynerwch â hwnnw a welsai yn rhediad y talcen a'r trwyn y prynhawn Sul ar y traeth. Cofiodd fel y bu i Madge ddweud, pan soniodd hi am yr ofn a oedd yn ei rhwystro rhag rhoi dim ohoni ei hun—'Mi wyt ti'n siŵr o fedru gorchfygu hwnnw, pan ddaw'r amsar.'

Roedd Madge yn deall, ac wedi deall erioed. Sawl tro'r oedd hi wedi rhyfeddu at allu ei ffrind i daenu eli ar ei briwiau heb iddi eu gweld yn gwaedu hyd yn oed? Ni fyddai Madge byth wedi ei gadael yn ddiymgeledd. Fe wyddai, yn ei ffordd gyfrin ei hun, fod yna rywun, yn rhywle, a roddai iddi'r nerth i allu gorchfygu'r ofnau ac i dorri'r cyffion.

Teimlodd fysedd Tom yn cau am ei bysedd hi.

'Ydach chi'n barod i fentro, Emma?' holodd.

Â'i bysedd yn ddiogel ym mhlethiad ei fysedd ef, meddai Emma'n hyderus,

'Ydw, mi 'dw i'n barod.'

8

Wrth iddo deimlo gwres corff Eunice yn ei erbyn, am yr eneth arall a fu'n eistedd fel hyn wrth ei draed rai oriau ynghynt y meddyliai Richard. Go brin y deuai'n ôl i Finafon eto ac ni fynnai ei hudo yma chwaith. Fe gâi ei rhyddid, faint bynnag o stomp a wnâi ohono.

'Meddwl am Gwyneth wyt ti?'

Syllodd Eunice i fyny arno â'i llygaid yn llawn tosturi.

'Ia. Roeddan ni fel un 'stalwm 'sti . . . byth air croes. Mi fyddan ni wedi bod yn iawn 'tasan ni wedi cael llonydd. Mi wnaeth Lena bob dim i droi Gwyneth yn f'erbyn i.'

'Gwenwyn ohonach chi oedd hi, ia?'

'Fedra hi ddim diodda gweld neb yn hapus . . . yn mwynhau 'u hunain. Taflu dŵr oer ar bob dim . . . codi rhyw hen gnecs dragwyddol.'

''I salwch oedd yn 'i gneud hi felly mae'n debyg.'

'Na, dyna'i natur hi . . . tynnu ar ôl 'i mam. A finna wedi cael 'y nhwyllo i feddwl fod Mati'n wahanol. Ond mae honno fel carrag hefyd. Mi 'dw i wedi cael uffarn o amsar ers pan 'dw i'n ôl.'

'Fuas inna ddim help.'

'Ddim llawar.'

'Ofn oedd arna i.'

'Fy ofn i?' yn syn.

'Ia, mewn ffordd. Ac ofn fi fy hun. 'D o'n i ddim yn meddwl y byddat ti'n dod yn ôl.'

'Gobeithio na fyddwn i ddim, ia?'

'Na! Ond 'ro'n i wedi trio dygymod. Roedd Brei yn dibynnu cymaint arna i.'

'Mi wyt ti wedi gneud dy ora iddo fo. Fedri di mo'i gario fo am byth 'sti. Mi faswn inna wedi gneud unrhyw beth i helpu Gwyneth, ond 'd oedd hi mo f'isio i. Hynny oedd yn brifo.'

'Ydi hi am gadw'r babi.'

'Ydi, medda hi. Wn i ddim be ddaw ohoni.'

'Mi fydd hi'n iawn. Mae hi'n ferch i ti 'd ydi?'

Roedd hi'n llygad ei lle. P'run bynnag, be oedd diben moedro am y doe a oedd wedi hen chwythu'i blwc ac Eunice ganddo, yn goflaid wresog o fewn ei gyrraedd. Gwyrodd trosti.

'Hapus?' holodd.

'Mm.'

'Diolch iti am ddŵad. Mi faswn i wedi mynd yn hurt bost yma fy hun. Mi 'dan ni wedi'n gneud i'n gilydd 'sti . . . chdi a fi. Ti'n cytuno?'

'Ydw.'

'Da'r hogan. 'D wyt ti ddim yn ffitio i Minafon 'ma, mwy na finna.'

'Mi fuo ond y dim imi â gadael. Mi es i lawr i'r stesion . . . ond fedrwn i ddim.'

'Diolch am hynny. Gwybod dy fod ti yma oedd yr unig beth ddaeth â fi'n ôl. Wyt ti'n cofio'r tro cynta y galwis i acw, i holi am Brian?'

'A finna'n cau'r drws yn dy wynab di.'

'Chaei di mo'no fo arna i eto, gobeithio.'

'Na . . . byth.'

'Tyd yma.'

Daeth hithau, yn ufudd. Tynnodd hi ar ei lin a'i chusanu, yn araf fwythus, yna'n ffyrnicach.

'Aros efo fi heno, Eunice,' meddai.

Teimlodd ei chorff yn tynhau ac ofnodd am eiliad ei bod am lithro o'i afael unwaith eto.

'Plîs, 'nghariad i. Mi 'dan ni angan ein gilydd 'sti.'

Roedd ei chorff eto'n gynnes a meddal. Chwiliodd ei gwefusau am ei wefusau ef a'u dal mewn cusan a oedd yn siarad yn huotlach na geiriau.

PENNOD 17

Dydd Sadwrn, Hydref yr 22ain

1

Roedd hi'n hwyr ar Eunice yn deffro trannoeth. Petai gartref byddai wedi codi ers oriau ac wedi gorffen ei gwaith am y diwrnod cyn i hwnnw ond prin ddechrau. Gorweddai Richard ar chwâl ar draws y gwely. Roedd ganddi gof niwlog o ddeffro ganol nos a'i chael ei hun ar yr erchwyn, heb ddillad trosti. Yn ei chwman y cysgai hi bob amser, a'i dyrnau wedi eu cau'n dynn. Nid oedd wedi cysgu fawr ers misoedd, ran'ny, a hyd yn oed pan fyddai'n deffro weithiau o gyntun anniddig byddai'r euogrwydd yn gwasgu arni o wybod cyn lleied o gwsg a gawsai Brian.

Ond heddiw, a hithau wedi treulio'r nos yng ngwely Richard, wedi ei rhoi ei hun iddo, o'i bodd, ac wedi ailbrofi ar ei ganfed lawenydd ysig y diwrnod hwnnw o Fehefin, nid oedd yr euogrwydd a ddylai fod ar ei benllanw yn ddim mwy na phigiad cydwybod. 'Mi 'dan ni angan ein gilydd 'sti'—dyna ddywedodd Richard neithiwr. Ond nid oedd wedi sylweddoli maint ei hangen er iddi wybod, yn nyfnder ei bod, fod rhywbeth yn eisiau yng ngharu Brian a hithau.

Gwyrodd tros Richard a phlannu cusan ar flaen ei drwyn. Ystwyriodd yntau rhyw fymryn.

'Richard.'

'Mm?'

Agorodd gil un llygad a chewcian arni.

'Mae hi bron yn ddeg.'

'Be 'di'r ots,' yn swrth.

Estynnodd amdani a'i thynnu i'w gesail. Llithrodd ei law tros ei chorff gan oedi yma ac acw i dylino'i chnawd.

'Gad inni aros yma drwy'r dydd,' meddai.

Swatiodd Eunice i'w gesail a gadawodd i'w chorff gael ei gario gan y llif y bu'n nofio'n ei erbyn mor hir. Roedd ei llygaid yn trymhau a chwsg yn dechrau cau amdani pan ddywedodd Richard,

'Mi fasa panad o goffi'n dda.'

'Mi a' i i'w 'neud o rŵan,' yn eiddgar.

Cusanodd hi'n hir a dwys cyn ei gollwng.

'Mi wyt ti'n werth y byd,' meddai.

Daeth ton o swildod tros Eunice wrth iddi deimlo'i lygaid yn crwydro'i chorff. Cipiodd ei ŵn nos oddi ar gadair a'i gwisgo. Chwarddodd Richard, yn bryfoclyd.

'Paid â bod yn hir,' rhybuddiodd.

Daethai llythyr i Katie'r bore hwnnw oddi wrth Ann. Roedd yr hynaf o'r plant wedi ychwanegu ôl-nodiad yn dweud cymaint yr oedden nhw'n edrych ymlaen at ei chael atyn nhw i Lanelan. Yn ystod prysurdeb y dyddiau diwethaf ni chawsai gyfle i feddwl rhagor am y tŷ ond byddai'n rhaid iddi fwrw ymlaen os oedd am symud i mewn cyn y Nadolig. Roedd Ann a'r plant eisoes yn llawn cynlluniau ac yn addo y câi Ŵyl i'w chofio. Byddai gofyn iddi ofalu am anrhegion iddyn nhw i gyd. Ei Nadolig cyntaf ym Minafon, bu'n cerdded y dref am ddyddiau yn chwilio am anrheg addas i Harri. Daethai o hyd i grafat sidan a thalu croc-bris amdano yn ei hawydd i blesio. Ond ni wnaethai Harri ond ei cheryddu am wario'n ofer a pheri iddi ddychwelyd y crafat i'r siop i'w gyfnewid am rywbeth mwy angenrheidiol. Nid anghofiai byth mo'r trueni a deimlodd wrth iddi ildio'r crafat sidan a derbyn y festiau gwlân a'r trôns hir yn ei le.

Ond nid oedd ganddi amser i fwydro ynglŷn â hynny heddiw. Fe âi i Lanelan i fesur y ffenestri ar gyfer llenni ac i gynnau tân er mwyn cynhesu'r tŷ. Gwnaethai John, gŵr Ann, y trefniadau i gyd ac roedd yr agoriad yno, yn aros amdani. Yna, cofiodd iddi addo i Richard y câi ef gynnau'r tân cyntaf. 'D oedd wiw iddi fynd yn ôl ar ei gair.

Brysiodd am y drws nesaf a'i chyffro'n rhoi sbonc yn ei cherddediad. Nid oedd clo ar y drws cefn a theimlai'n ddigon cyfarwydd bellach i allu cerdded i mewn heb orfod curo. Roedd y llanastr arferol yn y gegin a'r sinc yn un cawdel o lestri budron. Ddoe ddiwethaf y bu yma, yn clirio'r cyfan. Drapia unwaith, roedd hi'n hen bryd i Richard dorchi'i lewys. Yn ei wely yr oedd o, debyg, ac yno y byddai os na roddai hi stŷr ynddo. Ond fel yr oedd hi'n symud am y cyntedd clywodd sŵn traed ar y grisiau a llais yr oedd hi'n gwbwl gyfarwydd ag ef yn galw,

'Wyt ti'n cymryd siwgwr?'

Daeth yr ateb o'r pellter, ond yn glir fel cloch, 'Tair . . . i gadw nerth', yn cael ei ddilyn gan chwerthiniad y daethai i ddibynnu cymaint arno.

Ceisiodd Katie gymryd cam ar yn ôl ond roedd ei choesau fel dwy 'styllen bren. Â hithau wedi ei chaethiwo yn ei hunfan agorodd y drws a daeth Eunice i'r gegin. Fferrodd y wên ar ei hwyneb wrth i'w llygaid gyfarfod â llygaid syfrdan Katie Lloyd. Safodd y ddwy felly am rai eiliadau, yna, heb yngan gair, rhoddodd Eunice dro siarp ar ei sawdl, a diflannu.

2

Daeth Mati i'r gegin i gael y bwrdd wedi ei osod a Gwyneth yn hofran yn bryderus rhwng y sinc a'r stôf.

'Pam na fasat ti'n 'y neffro i?' holodd.

'Mi wnaiff les i chi gael gorffwys. Mae'r wy bron yn barod. Pedwar munud, ia?'

'Ia, 'na chdi.'

'Mae 'na de yn y tebot.'

Roedd hwnnw fel triog. 'D oedd Gwyneth fawr o law o gwmpas y gegin; wedi arfer cael ei thendans. Beth bynnag oedd ffaeleddau Lena, roedd ei gofal am ei chartref yn batrwm. Sut olwg a oedd arno bellach, tybed? Roedd hi'n anodd meddwl am Katie Lloyd yn actio morwyn fach i Richard. Tybed nad oedd yna rywfaint o wirionedd yng ngeiriau Gwyneth, wedi'r cyfan? Efallai y dylai ymddiheuro iddi am y glustan ddoe. Ond, na, ni wnâi hynny ond peri iddi feddwl fod ganddi'r hawl i'w thrin a'i thrafod fel y mynnai.

'Mae'r wy 'na'n siŵr o fod yn barod rŵan.'

'Damio unwaith, 'ro'n i wedi anghofio amdano fo.'

Cythrodd Gwyneth am y sosban. Cododd yr wy allan rhwng bys a bawd. Llithrodd hwnnw o'i gafael a disgyn yn glats ar y llawr. Gwyliodd y melynwy'n rhedeg yn ffrwd gludiog tros y leino. Yna, â'i stumog yn corddi, rhuthrodd am y sinc.

Gadawodd Mati i'r pwl cyfog arafu cyn gofyn, yn dawel,

'Ers faint wyt ti fel hyn?'

'Fel be?'

''D ydi hwn mo'r tro cynta, yn nac ydi?'

'Yr wy 'na ddaru droi arna i.'

'Mi 'dw i wedi bod drwyddo fo fy hun 'sti.'

Cofiodd fel y byddai Arthur yn ffwdanu o'i chwmpas a hithau mewn byd yn ei berswadio i gychwyn i'w waith. 'Fedra i mo dy adael di fel'ma'—dyna oedd y byrdwn bob tro. Roedd hi wedi teimlo ganwaith na allai byth fod wedi wynebu'r salwch a'i blinai ddydd a nos am y rhan orau o'r naw mis oni bai am ei gefnogaeth a'i gynhaliaeth.

'Tyd i eistedd i lawr,' meddai.

'Beth am y brecwast?'

'Hidia befo hwnnw. Fydda i byth yn boddran efo dim ond brechdan. Wyt ti'n oer?'

'Ydw, braidd.'

'Felly y byddwn inna ar ôl chwys cyfog. Rho hon drostat.'

Tynnodd Mati ei chôt-weu a'i hestyn iddi. Wrth iddi ei gwisgo, meddai Gwyneth yn herfeiddiol, â'i hwyneb ar dro oddi wrthi,

'Dyna chi'n gwybod, felly.'

''Ro'n i wedi ama, ar d'olwg di. Wyt ti isio siarad am y peth?'

'Ddim rŵan.'

'Oes 'na rwbath fedra i 'i 'neud, i helpu?'

'Fy llanast i ydi o, nain.'

'Paid â phoeni . . . a' i ddim i ymyrryd. Ond unrhyw amsar y byddi di f'angan i, mi wyddost lle i 'nghael i.'

Trodd Gwyneth i'w hwynebu. Cofiodd Mati am y diwrnod y daethai adref o'r coleg a'i llygaid gleision yn fflachio tân wrth iddi hi amau pwrpas y llosgi a'r dinistrio. Er mai dim ond mud losgi a wnâi'r tân heddiw roedd o'n ddigon i'w sicrhau nad oedd ar yr eneth ei hangen. Dyna oedd arni hi ei eisiau, ia ddim . . . bod yn rhydd ohonyn nhw i gyd? Ond, na, nid fel hyn chwaith.

'Diolch i chi am beidio pregethu.'

Dyna a fyddai wedi dymuno ei wneud—pregethu, tantro, holi a stilio; mynnu cael gwybod pwy oedd yn gyfrifol, be oedd ei bwriad hi, lle roedd hi am fynd. Siawns nad oedd ganddi'r hawl i hynny. Ond wrth iddi syllu ar yr eneth a fu unwaith mor barod i rannu'i chyfrinachau â hi gwyddai Mati i sicrwydd nad oedd ganddi bellach yr un hawl arni ac nad oedd dim y gallai hi ei wneud i adfer ei chyfeillgarwch a'i hymddiriedaeth nac i bontio'r agendor a oedd rhyngddynt.

Yno, wrth y bwrdd, yr oedd hi, â'i phen yn ei phlu, pan ddaeth Emyr i lawr i'w frecwast.

''D ydach chi rioed yn y felan eto, Mati?' holodd, yn gellweirus.

'Fedrwch chi 'meio i, o ddifri?' holodd hithau'n gwta. 'Mi 'dw i'n deud wrthoch chi, Emyr, mae 'na ryw felltith ar y teulu 'ma.'

'Gwyneth sydd wedi'ch cynhyrfu chi, ia?'

'Waeth ichi gael gwybod ddim. Mae hi'n disgwyl plentyn.'

'O, dyna sydd,' yn ddigynnwrf.

'Ydach chi ddim yn meddwl fod hynny'n ddigon? Difetha'i bywyd . . . am byth.'

'Nid hi ydi'r gynta, na'r ola.'

''D oes a wnelo fi â neb arall. Dial ydi hyn, yn siŵr i chi. ''Y tadau a fwytasant rawnwin surion'' . . . mamau ran'ny.'

''D ydw i ddim yn eich dilyn chi, Mati.'

'Mi ddeudis i wrthoch chi, yn do, na fedrodd Lena a finna rioed gyd-dynnu. 'D oedd 'na ddim rhithyn o gariad rhyngon ni, mwy nag oedd rhyngddi hi a Gwyneth.'

''D ydi hynny ddim yn wir.'

'Be wyddoch chi?'

'Mwy na 'dach chi'n 'i feddwl.'

Be aflwydd oedd yn bod ar bawb, yn celu pethau rhagddi.

''D ydw i ddim yn eich deall chi, wir,' meddai'n siort.

'Ydach chi am i mi gael gair efo Gwyneth?'

'Chi?' yn syn.

'Fydda i ddim gwaeth â rhoi cynnig arni.'

'Na fyddwch, debyg. Fedra i ddim peidio pryderu yn 'i chylch hi, fel 'dw i wiriona.'

'Na fedrwch, siŵr.'

Roedd yna rywbeth wedi bod rhwng y ddau, roedd hi'n sicr o hynny, a'r rhywbeth hwnnw'n ddigon cryf i fod wedi esgor ar gasineb, ar ran Gwyneth. Ond un i wneud mynydd o gaws llyffant oedd honno, ran'ny, fel ei mam. 'D oedd yr un ohonyn nhw am ymddiried ynddi hi, beth bynnag.

'Mi fydda'n dda gen i 'taech chi'n onast efo fi, Emyr,' meddai'n ddig.

'Ia, mi rydan ni ar fai. Mae'n ddrwg gen i, Mati, ond mi gewch chi'r gwir, mi 'dw i'n addo.'

Bu ond y dim iddi â'i atgoffa, unwaith eto, mai ei thŷ hi oedd hwn ac mai hyfdra ar eu rhan oedd manteisio arni fel hyn, ond llwyddodd i ddal ei thafod. Pa well oedd hi o'u tynnu nhw yn ei phen a pheryglu'r llygedyn gobaith a oedd ganddi? Aeth ati i olchi'r mymryn llestri.

Taflodd y cwpanau blith draphlith i'r dŵr berwedig. Clywodd grac sydyn wrth i glust ddod yn rhydd o gwpan. Go fflamia, roedd honna'n un o set a gawsai Arthur a hithau, wedi ei gwarchod yn ofalus ar hyd y blynyddoedd. Ond be oedd o wahaniaeth, ran'ny, pe baen nhw i gyd yn chwalu'n chwilfriw mân? Roedden nhw'n prysur ddarfod eu hoes, fel hithau.

3

Cawsai Richard gryn drafferth i dawelu Eunice a bu'n rhaid iddo addo galw i setlo Katie Lloyd er nad oedd ganddo syniad ar y pryd sut i fynd i'r afael â hi. Ond byddai'n siŵr o gael rhyw weledigaeth. Petai ond wedi cofio cloi'r drws, gallai fod wedi osgoi hyn. Ond nid oedd y ffaith ei bod wedi ei sefydlu ei hun fel howscipar ddi-dâl neu hyd yn oed fam faeth yn rhoi'r hawl iddi gerdded i mewn fel a phryd y mynnai chwaith. A 'd oedd o ddim o'i busnes hi efo pwy yr oedd o'n rhannu'i wely.

Bod yn agored, dyna oedd y dacteg orau. Siawns na allai dynes a dreuliodd ragor na hanner oes efo Harri Lloyd ddeall yr angen am gwmni a chysur. Ond mae'n amlwg nad oedd ganddi fawr i'w ddweud wrth Eunice. Difaru yr oedd hi, mae'n siŵr, na fyddai hithau wedi dal ar gyfle tebyg pan oedd hi'n iau. Roedd o'n fodlon betio y byddai wedi ildio, hefyd, a hynny'n ddigon parod, oni bai fod yr hen Harri Lloyd wedi'i dychryn hi allan o'i chroen efo'i sôn am y Farn a rhyw lol botes felly.

Er nad oedd yn disgwyl y croeso arferol, aeth yr olwg guchiog a oedd ar Katie â'r gwynt o'i hwyliau braidd. Cyn iddo gael cyfle i'w sadio ei hun, meddai,

'Sut y medrach chi, Richard?'

Fel'na roedd ei dallt hi, ia? Byddai gofyn iddo fod ar ei wyliadwriaeth.

''D ydi o ddim yn anodd. Mi glywsoch chitha am y gwenyn a'r bloda, siawns,' meddai'n bryfoclyd.

''D ydi hwn ddim yn achos gwamalu.'

'Dowch, Cit, mae o'n beth digon naturiol. Mae ar Eunice angan cysur . . . finna hefyd, ran'ny.'

'Dyna ydi'ch esgus chi, ia?' yn oeraidd.

'Rheswm. 'D ydan ni'n gneud dim drwg i neb.'

'A beth am Brian?'

''D ydi o ddim callach, yn nac ydi?'

'Ac mae'n debyg eich bod chi'n meddwl fod hynny'n cyfiawnhau'r peth. Fe ddaru chi addo i mi y bydda chi'n cadw'n glir â'r enath 'na.'

Wel myn uffarn i, roedd hi wedi camu'n rhy bell y tro yma. Â'i amynedd, a oedd yn brin ar y gorau, wedi ei drethu i'r eithaf, meddai Richard,

'Wnes i addo dim i chi. A pham ddylwn i? Chewch chi na neb arall ddeud wrtha i be i 'neud.'

'Mi gymrwch ormod o raff ryw ddiwrnod, a'ch crogi'ch hun efo hi.'

'O leia mi fydda i wedi byw. Fedrwch chi ddeud hynny, Cit?'

Roedd o'n iawn. Gwenwyn oedd y tu cefn i hyn i gyd; hen fileindra o sylweddoli ei cholled ei hun, o wybod fod bywyd wedi ei hanwybyddu ers deugain mlynedd. Be oedd ar ei ben o'n meddwl, am funud, eu bod nhw'n eneidiau cytûn? 'D oedd ganddyn nhw ddim yn gyffredin, affliw o ddim.

'Ewch odd'ma, Richard.'

Roedd hi wedi ei droi allan un waith o'r blaen ac yntau wedi maddau iddi ac wedi sodro'r bai i gyd ar ysgwyddau Harri Lloyd. Ond nid oedd dim yn aros bellach o'r Cit y cawsai ef ei dwyllo i gredu iddi allu llorio'r hen sinach bach hwnnw.

'Â chroeso,' meddai'n chwerw. ''Ro'n i'n meddwl eich bod chi wedi llwyddo i gael gwarad â Harri Lloyd, ond fyddwch chi byth yn rhydd ohono fo.'

Yno, yn nhŷ Harri, y treuliodd Katie ei Sadwrn. Crwydrodd ei meddwl yn ôl, sawl gwaith yn ystod y diwrnod, i'r tro cyntaf y cyfarfu â Richard a gwelodd ei hun eto ar ei gliniau wrth ei gwely yn erfyn maddeuant ei Duw. Y hi, a oedd wedi ei thywys i gerdded y llwybr cul o dan lygaid barcud Harri, yn euog o'r pechod marwol o chwennych gŵr dynes arall, bachgen yr oedd hi'n ddigon hen i fod yn fam iddo. Gallai deimlo'r dagrau poethion ar ei gruddiau a'i chlywed ei hun yn tyngu llw y byddai iddi fygu'r chwantau dieflig a etifeddodd gan ei thad.

O, do, fe fu'n ffyddlon i Harri, ond nid heb aberth. Yna, yn ei henaint, yn ddiogel rhag temtasiynau'r corff, daethai cyfle iddi brofi llawenydd yng nghwmni'r un a achosodd y fath wewyr meddwl iddi unwaith. Gallai fod wedi dal ar y llawenydd hwnnw, bod yn Cit, yn rhyfeddod o ddynas, am flynyddoedd i ddod oni bai iddi fod yn llygad-dyst o'r wên hunan-fodlon ar wyneb yr eneth na fu'n rhaid iddi fygu'i chwantau na chosbi dyheadau'i chnawd. Ond gadawsai i Richard ei gweld er eitha'i gwendid, yn hen wraig sur nad oedd erioed wedi profi gorfoledd y cyffwrdd a'r cydio; hen wraig nad oedd ond cangen grin o'r goeden wenwynig honno na ddeuai'r un anifail i gysgodi oddi tani na'r un aderyn i nythu ynddi.

Gynted ag y câi ei nerth yn ôl—a byddai'n rhaid iddi ailafael ynddo—rywsut rywfodd, fe âi i Lanelan. Ei dwylo hi a fyddai'n cynnau'r tân cyntaf. Ac efallai, ymhen amser, pan fyddai'r briw wedi croenio, y gallai fentro eto i Fryn Melyn a chael fod y diwrnod hwnnw o Fehefin yn dal yn ddiogel er gwaetha'r holl brofiadau chwerwon.

4

Cafodd Emma flas ar y cinio a llwyddodd i glirio'i phlât heb unrhyw drafferth. Er bod y gwesty'n prysur lenwi nid oedd yn ymwybodol o neb ond y dyn a eisteddai gyferbyn â hi, y dyn nad oedd ond wedi dechrau ei adnabod. Yn ystod y pryd bwyd, cawsai gip arno'n blentyn, weithiau'n fwrlwm o ddireidi, dro arall yn hen ddyn bach o hogyn. Fe'i gwelsai'n ifanc a'i uchelgais yn ei chwipio ymlaen; yn athro a'i gariad at ei bwnc yn deffro brwdfrydedd ei ddisgyblion; yn brifathro, a fyddai'n dianc, o dro i dro, o ormes y gwaith gweinyddol i hafan y Gymdeithas Gymraeg lle y câi adrodd a thrafod y cerddi a oedd yn ddirgelwch llwyr iddi hi. Ond er iddi holi fel na fu iddi holi erioed ni feiddiodd sôn am y wraig a'i gadawodd oherwydd iddi gael ei hesgeuluso ar draul y gwaith a oedd yn fwyd a diod iddo. Wrth iddi deimlo'r brwdfrydedd yn cydio ynddi hithau gwyddai na allai byth obeithio ei gael yn eiddo crwn, cyfan iddi ei hun. Byddai'n rhaid iddi fodloni ar adael iddo encilio weithiau i'r byd nad oedd ganddi hi ond crap arno, a'i ollwng gyda'r sicrwydd y byddai yno'n ei aros.

'Ydach chi'n siŵr na chymrwch chi ddim o'r gwin yma, Emma?'

Daeth ei lais â hi'n ôl i'r presennol, at y bwrdd i ddau wrth ffenestr yn wynebu'r môr.

'Mi fydda'n well gen i banad o de, a deud y gwir.'

'Te amdani, felly.'

Tra oedd Tom wrthi'n ceisio dal llygad y weinyddes syllodd Emma o gwmpas yr ystafell a chael, er ei syndod, ei bod yn ferw o brysurdeb. Clywodd rygnu'r drws wrth iddo gael ei wthio'n agored a dilynodd ei llygaid y sŵn. Adnabu gerddediad ac osgo'r wraig cyn iddi weld ei hwyneb.

'Tom!'

Yn ymwybodol o'r braw yn ei llais holodd Tom, yn bryderus,

'Be sy'n bod, Emma?'

Amneidiodd Emma i gyfeiriad y drws a thaflodd yntau drem tros ei ysgwydd i gael Miss Humphries yn camu tuag atynt. Cipiodd Emma ei bag llaw oddi ar lawr. Ond fel yr oedd hi ar hanner codi, meddai Tom,

'Arhoswch lle'r ydach chi, Emma.'

Parodd ei dôn orchmynnol iddi ei gollwng ei hun yn ôl i'w chadair mewn pryd i glywed Miss Humphries yn eu cyfarch, yn wên deg,

'Pwy fydda'n disgwyl eich gweld chi'ch dau yn fan'ma.'

Heb gyffroi blewyn, meddai Tom,

'Mae'r byd 'ma'n rhyfeddol o fychan, Miss Humphries.'

'Wedi bod yn siopa yr ydach chitha, Miss Harris?'

Ni allai Emma wneud dim i atal y gwrid rhag llifo i'w gruddiau.

'Na . . . ddim eto,' cagiodd.

'Wedi dod â Miss Harris yma am newid bach yr ydw i,' ychwanegodd Tom Bevan, heb eiliad o betruster. 'Rhyw ymdrech ddigon tila i ddiolch iddi am fod yn gefn imi yn ystod yr wythnosa diwetha.'

'Meddylgar iawn,' yn sychlyd.

'Ydach chi am ymuno â ni?'

'Diolch i chi'r un fath, ond rydw i wedi trefnu i gyfarfod fy chwaer. Gobeithio y cewch chi ddiwrnod bendithiol eich dau.'

''Rydw i'n siŵr y cawn ni. Pnawn da, Miss Humphries.'

Taflodd yr athrawes nòd cwta i gyfeiriad Emma a chroesodd yr ystafell at wraig a eisteddai yn y pen pellaf. Gollyngodd Tom ochenaid o ryddhad cyn tywallt gweddillion y gwin i'w wydryn.

'Wel . . . dyna hynna drosodd,' meddai.

Er bod ei phen fel ffwrnais teimlai Emma fel petai gweddill ei chorff wedi ei drochi mewn pwll o ddŵr rhew.

''D ydi o ddim ond dechra,' meddai'n ofidus.

Prin iawn fu geiriau Emma am weddill y pryd. Derbyniodd ei phaned te a chanolbwyntio ar adael i'r hylif melys esmwytho rhyw gymaint ar graster ei llwnc. Wedi iddynt adael y gwesty, gadawodd i Tom ei thywys ar draws y stryd fawr i gyfeiriad y promenâd heb fod yn ymwybodol o ruo'r ceir wrth eu sodlau. Arweiniodd hi at fainc, a pheri iddi eistedd.

'Dim diolch,' meddai hithau'n ffurfiol.

'Be 'dach chi am 'i 'neud, felly?'

''D oes gen i fawr o awydd gneud dim ar hyn o bryd.'

'Dim ond pwdu am weddill y pnawn, ia?'

''D ydw i ddim yn gneud ffasiwn beth. 'D oes 'na fawr o hwyl arna i, dyna'r cwbwl. Wn i ddim sut y gallwch chi gymryd y peth mor ysgafn.'

'Wyddoch chi mai chi ydi'r person mwya plagus yr ydw i wedi'i gyfarfod erioed?'

'Os 'dach chi'n deud.'

'Mae gofyn mwy o amynadd efo chi na holl blant a staff yr ysgol efo'i gilydd.'

'Yn cynnwys Miss Humphries, mae'n debyg.'

'Ia, yn cynnwys Miss Humphries.'

'Mi wn i lle'r ydw i'n sefyll rŵan, felly. Mae'n ddrwg gen i eich bod chi wedi gwastraffu'ch amsar efo fi. Ewch â fi adra rŵan, Tom.'

'Dim ffiars o beryg.'

'Mi fydd raid imi fynd ar y trên, felly.'

'Ewch chi ddim efo hwnnw chwaith.'

'Fedrwch chi mo fy rhwystro i.'

'Mi wna i 'ngora, hyd yn oed petai hynny'n golygu rhoi sioe am ddim i'r merched acw.'

Syllodd Emma heibio iddo a gwelodd, am y tro cyntaf, resiad

o ferched ar fainc â'u pennau ar dro tuag atynt, mor ddisgwylgar â chynulleidfa mewn theatr.

'Mi gerddwn ni at y pîr ac yn ôl,' meddai'n gwta.

'Fel mynnwch chi, Emma.'

Plethodd ei fraich am ei braich hi. Nid oedd wiw iddi ei wrthsefyll a'r parau llygaid yn gwylio pob symudiad.

'Biti siomi'r creaduriaid,' meddai Tom, wrth i'r ddau gerdded, gam wrth gam, ar hyd y promenâd. 'Mi alla rhyw gyffro fel'na fod wedi gneud 'u diwrnod nhw.'

''D ydw i ddim yn bwriadu fy rhoi fy hun ar sioe i blesio neb. A ph'run bynnag, swatio ydi'r gora i ni'n dau.'

'Pam, felly?'

'Chawn ni 'r un eiliad o heddwch, rŵan fod Miss Humphries wedi'n gweld ni efo'n gilydd.'

Arafodd Tom yn ddirybudd a'i gorfodi i aros. Tynhaodd ei afael ar ei braich.

'Edrychwch arna i, Emma,' meddai.

Cadwodd Emma ei llygaid ar y môr. Roedd golwg frochus arno a theimlodd yr hen ofn yn cnotio ym mhwll ei stumog. Pa hawl a oedd ganddo i reoli ei bywyd hi? Dylai fod wedi caniatáu iddi godi a gadael yn hytrach na'i thaflu'n ysglyfaeth i un nad oedd ganddi unrhyw obaith yn ei herbyn. A pha hawl a oedd ganddo i'w charcharu fel hyn yng ngŵydd peth a fu'n hunllef arni? Fe âi adref i Finafon lle roedd hi'n feistres arni ei hun a lle y câi eistedd a chodi pryd y mynnai, ac nid ar orchymyn.

'Ydach chi'n dal i f'ama i, Emma?'

Clywodd ei lais o bellter, fel adlais o'r môr yn y gragen y mynnodd ei thad iddi ddod i'w chanlyn o'r traeth.

'Wna i ddim ohoni hebddoch chi. Plîs, Emma, peidiwch â throi oddi wrtha i.'

Nid gorchymyn oedd hwn, ond erfyniad. Yn ara bach, gadawodd ei llygaid ymchwydd herfeiddiol y tonnau, ond nid oedd yn barod eto i ateb y gofyn. Chwiliodd ei law am ei llaw hi a'i thynnu i gynhesrwydd poced ei gôt fawr.

'Ydach chi'n gyfarwydd ag R. Williams Parry?' holodd.

'Pwy?'

'Bardd oedd o, un o'r beirdd gora welodd Cymru erioed. Fe ganodd awdl i'r ha'.'

'O, ia,' yn ddiddeall.

'Pitïo roedd o fod yr ha' drosodd—''Myfi'n drist am fynd o'r haf/Â'i ddiwrnod oddi arnaf/Uwch ei fedd wybûm heddiw/Nad ofer oedd. Difarw yw.'' Be feddyliwch chi o hynna?'

''D ydw i ddim yn siŵr.'

'Chawson ni'n dau ddim ond cip ar yr ha' bach, yn naddo, ond mi fydd 'na hafa eraill. Ydach chi'n cofio be ddaru ni gytuno?'

'Y byddan ni'n wynebu'r anawstera a'u gorchfygu nhw fesul un,' yn dawel.

'Efo'n gilydd, ynte?'

'Yn ddau yn erbyn y byd.'

'Fedrwn i ddim fod wedi'i rhoi o'n well fy hun. Mae'n dyfodol ni'n bwysicach nag unrhyw swydd, Emma. Fedrwn ni ddim gadael i neb na dim beryglu hwnnw.'

Sut y gallai fod wedi amau eiliad, meddyliodd, a hithau wedi coleddu'r un syniad ac wedi mynd ar ei llw na fyddai rhagor o ddianc?

'Mae gen i gwilydd ohona i fy hun,' meddai'n benisel. ''Ro'n i wedi credu na allai un dim siglo fy ffydd i rŵan.'

'Mi gawsoch ysgytwad fach dros dro, dyna'r cwbwl.'

Teimlodd Emma ddafnau glaw yn syrthio ar ei thalcen. Heb iddynt sylwi, roedd yr awyr wedi duo a thrymhau.

'Be oedd y llinall 'na am yr ha'?' holodd.

' ''Marw i fyw mae'r haf o hyd''.'

'Mae hynna reit wir, 'd ydi?'

'O, ydi.'

Cyfarfu llygaid y ddau, a chydio. Syrthiodd rhagor o ddafnau. Cyn pen dim, roedd meinciau'r promenâd yn weigion a'r rhai a fu'n ceisio dal gafael ar weddillion yr ha' bach yn cythru am y dref i chwilio am gysgod. Ond herio'r gawod a wnaeth Emma a Tom Bevan.

5

Wedi iddo adael Katie Lloyd rhoesai Richard ei fryd ar fynd ag Eunice yn ôl i'r gwesty lle bu'n sipian ei sudd oren fel petai'n wenwyn, rai wythnosau ynghynt. Ni soniodd air am ei fwriad, ac wrth droi'r car i mewn i'r maes parcio nid oedd yn sicr o gwbwl beth a fyddai ei hadwaith. Gan geisio anwybyddu'r nerfusrwydd a oedd yn beth mor ddieithr iddo, estynnodd ei law iddi i'w thywys am y gwesty. Roedd ei bysedd yn oer a llipa. Cofiodd fel y bu iddo dyngu'r diwrnod hwnnw y gwnâi iddi fynd ar ei gliniau i erfyn am ei drugaredd, petai galw. Ond ni fu'n rhaid iddo ond chwarae ei gardiau'n ddoeth. Ni faddeuai byth iddo'i hun petai, wrth fynnu dychwelyd yma, wedi dad-wneud y cyfan.

Roedd tân coed yn gwreichioni ym mhen pella'r ystafell. Anelodd at hwnnw ac eisteddodd y ddau'n glòs ar y fainc wrth ystlys y simnai. Ond er bod eu cyrff yn cyffwrdd a'u dwylo ynghlwm teimlai Richard ei bod ymhellach o'i afael nag erioed.

Cododd, ac aeth i nôl y fwydlen oddi ar y bar. Bu Eunice yn ei hastudio'n hir, heb ddweud gair. Gorfododd Richard ei hun i wylio'r fflamau'n bwyta i mewn i'r boncyffion. Yna, pan na allai oddef rhagor o fudandod, meddai,

'Gad hwnna am funud.'

Rhoddodd Eunice y fwydlen o'r neilltu a syllodd yn ofidus arno, gan gnoi'i gwefus. Chwiliodd Richard ei feddwl yn wyllt am ryw ffordd o ailennyn ei ffydd ynddo, cyn iddi lithro o'i afael, am byth. Daeth yr ateb iddo, ar fflach.

'Mi ddeudis i y byddwn i'n setlo Katie Lloyd, yn do,' meddai.

Ni sylwodd Eunice fod ei lais yn brin o'r rhodres arferol.

'Ac mi wnest?' holodd, yn eiddgar.

'Siŵr iawn.'

'Pam na fasat ti'n deud cyn rŵan?'

'Aros nes roeddan ni'n y lle iawn o'n i. 'D wyt ti ddim yn ddig wrtha i am ddŵad â chdi yma, wyt ti?'

'Nac ydw.'

'Mae o'n lle rhy braf i orfod 'i osgoi.'

'Ydi. Arna i roedd hi'n gweld bai, mae'n siŵr.'

'Pwy?'

'Y Katie Lloyd 'na.'

''D oes 'na ddim bai ar neb. Mi wnes i hynny'n reit glir iddi. Bron nad oedd hi mewn dagra erbyn imi ddarfod. Mi fydd yn hel 'i thraed am Lanelan unrhyw ddiwrnod rŵan.'

'Diolch am hynny. Mae'n well gen i 'i lle hi.'

'Gwenwyn ohonat ti ydi hi 'sti. Dim rhyfadd . . . sut basat ti ar ôl gorfod byw efo Harri Lloyd?'

‘’D o’n i ddim yn ’i ’nabod o.’

‘Pwy fydda isio’i ’nabod o? Hidia befo Katie Lloyd. ’D ydi hi ddim gwerth boddran yn ’i chylch. Be gymri di i yfad?’

Tybiodd am eiliad ei bod am bellhau eto. Damio unwaith, nid oedd ganddo’r un cerdyn arall i fyny’i lawes. Yna, roedd hi’n gwenu arno ac yn gofyn, yn gellweirus,

‘Sudd oran?’

Tynnodd hi ato a tharo pigyn o gusan ar fôn ei chlust.

‘Efo jin ynddo fo tro yma, ia?’

‘Un dwbwl, os lici di.’

Fe gâi yntau wisgi bach neu ddau, a’i gadael ar hynny fel y gallai ddal ar bob manylyn. Fe ddeuai â hi yma eto, lawer gwaith, ond yr ymweliad hwn oedd yr un i’w serio ar ei gof. Roedd o’n iawn, wedi’r cyfan, i fynnu dychwelyd yma. Dyma’r unig ffordd i ladd surni’r tro arall hwnnw. Craffodd arni, fel y gallai ei gweld fel hyn, pryd y mynnai, y wên brin yn goleuo’i hwyneb a’i llygaid yn cydnabod ei hangen ohono. Yna’n gyndyn o’i gadael, aeth i nôl y ddiod nad oedd arno, am unwaith, ddim o’i hangen.

6

Ni fyddai Emyr wedi meddwl am fynd i lawr i’r Cwm oni bai iddo ddigwydd taro ar Dei Elis. Dyma’r tro cyntaf iddo dorri gair â’r dyn, ar wahân i ambell ‘bnawn da’, a go brin y byddai wedi aros i siarad efo fo, o ddewis. Ond ni allai ei osgoi’n hawdd ac yntau’n sefyll yn ei lwybr. Cawsai ar ddeall mai un go dawedog oedd Dei Elis. Roedd o’n rhydd iawn ei dafod heddiw, beth bynnag, ac yn ei holi fel petai mewn llys barn. Cofiodd Emyr i Mati ddweud ei fod yn ddyn gwael a cheisiodd ffrwyno peth ar y dicter a oedd yn ei gorddi o gael ei gornelu gan ddieithryn a’i orfodi i agor ei bac.

‘Ac mi ’dach chi wedi setlo ym Minafon ’ma, felly?’ holodd Dei.

‘Dros dro.’

‘O, wela i. Dim ond rhyw basio trwodd fel ’tae, ia?’

‘Rwbath felly.’

‘Mi ’dach chi’n gneud yn gall. ’D ydi o ddim yn talu i adael i neb na dim gael gormod o afael arnoch chi. Dyna o’n i’n ’i ddeud wrth Gwyneth gynna.’

Ar siawns felly y cawsai wybod, wedi oriau o chwilio, ymhle i ddod o hyd iddi. Ond roedd y Cwm yn glamp o le ac yn ddieithr iddo ac aeth awr arall heibio ac yntau heb weld golwg ohoni. Mae'n siŵr fod Dei Elis yn meddwl fod colled arno, yn ei adael mor ffwr-bwt, heb air o eglurhad. Ond fe gâi feddwl beth a fynnai. Dod o hyd i Gwyneth, dyna'r unig beth a oedd yn cyfri rŵan; cael cyfle i egluro iddi pam y bu iddo ei siomi trwy wadu'r egwyddorion y rhoesai'r fath werth arnynt unwaith.

Ond pan ddaeth o hyd iddi, yn eistedd yn swp bach truenus ar lan yr afon, aeth yr holl eiriau y bu'n eu hymarfer mor ddygn yn ystod yr wythnos yn llwyr o'i gof. Rhoesai'r byd am allu rhuthro i fyny ati a'i chodi'n ei freichiau; ei throi ar gylch nes bod y ddau'n feddw wirion a'r byd yn chwyrlïo o'u cwmpas, heb eu cyffwrdd. Ond ni wnaeth ond galw'i henw, yn ysgafn, rhag ei dychryn.

'Mi 'dw i wedi bod yn chwilio'r lle amdanat ti,' meddai.

'Wn i ddim i be.'

'Isio llonydd wyt ti, ia?'

'Dyna oedd y syniad.'

'Wyt ti am imi fynd, felly?'

'Mi wyt ti yma rŵan.'

Eisteddodd ar garreg, bellter oddi wrthi. Roedd honno'n oer a chaled yn erbyn ei gluniau. Fel y dref ei hun, meddyliodd; tref na fyddai wedi gallu ei goddef oni bai iddo fynnu dal wrth y gobaith a ddaethai ag ef yma.

'Mi wnes i stomp o betha ddoe, yn do?' meddai.

'Na, mi wnest dy hun reit glir.'

''D wyt ti ddim yn deall. 'D oedd gen i ddim dewis, o ddifri. Fyddwn i ddim yn y coleg oni bai am mam. Mi fydda wedi torri'i chalon 'taswn i wedi cael 'y ngyrru odd'no.'

'Mi ddyla fod ar ben y byd rŵan. Mae'n syn gen i na fasat ti wedi chwilio am swydd yn nes adra, iti gael hyd yn oed mwy o foetha nag wyt ti'n 'i gael yn fan'ma.'

''D oes 'na ddim adra bellach. Mae mam mewn cartra, wedi cael strôc, ac mae 'nhad a finna wedi cael ffrae.'

'Wyddwn i ddim. Mae'n ddrwg gen i.'

Rhoddodd yr arlliw o gydymdeimlad yn ei llais hyder newydd ynddo. Aeth ati, a phenlinio wrth ei hochr.

'Pam wyt ti'n meddwl y dois i i Drefeini 'ma?' holodd, yn dawel.
'Cael cynnig swydd yma 'te.'
'Mi ge's gynnig gwell swydd, yn nes adra.'
'Mi wnest beth gwirion iawn felly, yn do?'
'Dyma'r unig ffordd oedd gen i o gael dy weld ti . . . byw yn y gobaith y byddat ti'n troi i fyny, ryw ddiwrnod. Rho gyfla imi wneud iawn am dy siomi di.'
'Mae hi'n rhy hwyr, Emyr.'
'Nac ydi, ddim. Mae Mati wedi deud wrtha i am y babi.'
''D oedd ganddi hi ddim busnas deud.'
'Fedar hitha ddim cario'r cyfrifoldab i gyd 'i hun 'sti.'
'Fy nghyfrifoldab i ydi o, a neb arall.'
'Pwy oedd o, Gwyneth?'
'Am be wyt ti'n boddran rŵan?'
'Y bachgan ddaru dy frifo di. Ydw i'n 'i 'nabod o?'
'Mi ddylat. Fo ddaru gymryd llywyddiaeth y Gymdeithas ar ôl i ti droi dy gefn.'
'Rhys Hywel?'
''I syniad o oedd inni ffurfio rhyw fath o gomiwn, o aeloda'r Gymdeithas, fel y gallen ni fyw a gweithio efo'n gilydd. Roedd 'na griw ohonon ni ar y dechra, ond mynd ddaru nhw, o un i un. Dim ond y fo a fi oedd ar ôl. Fedrwn i mo'i adael o. P'run bynnag, 'ro'n i'n credu 'i fod o'n fy ngharu i.'
Tawodd yn sydyn. Sylwodd Emyr fod ei llygaid yn loyw o ddagrau. Ni faddeuai byth iddo petai'n oedi yma i fod yn llygad-dyst o'i gwendid. Cododd yn drwsgl. Sylwodd fod staen gwair ar ei drowsus. Daria unwaith, sut yr oedd o'n mynd i egluro hyn i Mati? Ond be oedd ots ran'ny? Be oedd ots am ddim bellach? Roedd hi'n mynd a'i adael, ac yntau'n rhy llwfr i roi tafod i'w gariad.
'Ga'i dy weld ti eto?' holodd, fel dyn ar foddi'n cythru am welltyn.
'Wn i ddim. Rho amsar imi.'
'Mi wna i. Ond gad imi wybod lle byddi di . . . plîs.'
'Pan fydda i'n barod.'

Gadawodd Emyr y Cwm a dringo'n ôl am Drefeini. Aethai'r cymylau a fu'n crynhoi yn ystod y dydd yn un a pharai düwch yr awyr i'r dref ymddangos yn llwytach a chaletach nag erioed. Unwaith y câi oliad o swydd arall byddai'n cefnu arni, a hynny heb unrhyw ofid. Fe âi â'r hedyn gobaith a ddaethai ag ef yma i'w ganlyn a'i feithrin fel y byddai'n barod, pan ddeuai'r alwad oddi wrth Gwyneth, i'w hargyhoeddi fod ei gariad tuag ati'n ddigon pwerus i ddiddymu holl siomedigaethau'r gorffennol.

7

Cerddodd Richard i mewn i gegin Eunice y noson honno a chael Ron wrth y bwrdd yn tywallt gwin i ddau wydryn.

'Be wyt ti'n 'i 'neud yma?' holodd, yn haerllug.

'Wedi dŵad i gadw cwmni i Eunice. 'D ydi o ddim lles iddi fod 'i hun.'

'Fydd hi ddim . . . mi wna i'n siŵr o hynny. Diolch i ti 'r un fath.'

Aeth Richard at y drws a'i daflu'n agored, led y pen.

'Awn ni ddim i dy gadw di,' meddai. 'Mi fydda'n biti iti golli dy beint.'

Taflodd Ron gipolwg diymadferth i gyfeiriad Eunice. Gostyngodd hithau ei llygaid, ac meddai'n wannaidd,

'Diolch am y gwin.'

'Be am fory? Wyt ti am ddŵad i weld Brei?'

'Mae fory wedi'i fwcio . . . a phob fory arall,' oddi wrth Richard.

Croesodd Ron am y drws. Wrth iddo gamu heibio i Richard meddai hwnnw, dan wenu,

'Dal di i gredu, Ron. Mi wyddost be maen nhw'n 'i ddeud am y ci sy'n crwydro.'

Caeodd Richard y drws, a'i folltio.

'Dyna hwnna wedi'i setlo . . . y diawl dig'wilydd,' meddai.

Aeth at y bwrdd ac astudio'r botel win, yn ddirmygus.

'Stwff ceiniog a dima,' cwynodd. 'Ond mi wnaiff y tro am heno.'

Hanner gair gan y sbrigyn yna a byddai wedi ei roi ar wastad ei gefn. Ni châi'r un cythral gymryd mantais ar Eunice tra oedd o o gwmpas. Ac fe fwriadai fod o gwmpas, am sbel go hir hefyd. Llanwodd y ddau wydryn i'w hymylon.

'Tyd yma,' gorchmynnodd.

'Beth am y bwyd?'

'Mi fedar hwnnw aros. Fedra i ddim.'

Daeth Eunice, ac eistedd ar ei lin.

'Tyd â llwncdestun.'

Cofiodd Eunice am y botel win honno a brynodd i ddathlu wythnos gyntaf Brian yn ôl yn y gwaith. Roedd hi wedi credu, bryd hynny, fod y gwaethaf o'r tu cefn iddynt. Ond nid oedd ond rhybudd o hunllef arall a oedd yn fwy mileinig hyd yn oed na'r hunllef a fu.

'Eunice.'

'Mm?'

''D wyt ti ddim efo fi.'

Ceisiodd wthio'r atgof i gefn ei meddwl. Cododd ei gwydryn a'i daro yn erbyn gwydryn Richard.

'I ni'n dau,' meddai.

Ond er gwaethaf blas y gwin ac angerdd tanbaid y rhoi a'r derbyn mynnodd yr atgof lynu wrthi yn hwyr i'r nos.

PENNOD 18

Dydd Mawrth, Hydref y 25ain

1

Bu'r glaw a syrthiodd yn gyson yn ystod y penwythnos a'r gwynt a ddaethai yn ei sgîl yn gyfrwng i ysgubo ymaith holl weddillion yr ha' bach. Rhyddhad i'r mwyafrif oedd gallu galw hydref yn hydref a chael gwybod lle'r oedden nhw'n sefyll. Ar strydoedd y dref, swatiai'r rhai mwyaf ymarferol ym mhlygion y dillad gaeaf y buont yn eu tempru mor ofalus. Gadawyd y gweddill, fel y pum morwyn ffôl, allan yn yr oerni, i gael eu hatgoffa, pan fyddai eu trwynau'n rhedeg a'u brestiau'n gaethion, o'r esgeulustod a fu. Un o'r rheini oedd Richard Powell, er nad oedd ef ei hun yn ymwybodol o'r oerni wrth iddo frasgamu trwy'r dref â'i lewys wedi eu torchi i'w hanner. Daliai bigion o sgyrsiau wrth fynd heibio. 'Mae hi'n o chwith arnon ni'; 'Addo gaea calad maen nhw'; ''D oes 'na ddim fel tanllwyth o dân ar dywydd fel'ma.' Druan ohonoch chi, meddyliodd, wyddoch chi ddim fod yna amgenach ffyrdd o gadw gwres?

'Trwy chwys dy wyneb y bwytei fara.' B'le clywodd o hynna, tybed? Ganddi hi, gweddw Harri Lloyd, siŵr iawn; un o'r cannoedd adnodau y cawsai ei gorfodi i'w llyncu efo'i bara llefrith a'i huwd. Ond roedd honna'n gwneud synnwyr, o leiaf. Byddai'n rheitiach i'r rhain ymorol ati a chwysu tipyn na dibynnu ar eu thermals a'u gwlân.

Aethai i Danclogwyn ar ei godiad y bore 'ma i gael fod y Saesnes ddŵad a oedd â thin a wyneb fel talcen tŷ wedi cymryd yn ei phen wneud dwy ystafell yn un. 'These bloody houses were made for mice, not men,' cwynodd. Ond os oedd y tai'n fychan roedden nhw wedi eu hadeiladu i bara a bu'n brwydro efo'r wal am oriau, y Saesnes yn ei gynnal â phaneidiau o goffi ac yn edmygu ei gyhyrau. 'I like a man with brawn,' meddai. 'Brawn and brains, Mrs,' ychwanegodd yntau, gan gadw'i bellter. Gwnaethai'n siŵr o'i arian, rhag ofn i'r llygoden fawr ddiflannu efo'r diwrnod. Petai wedi ei wrthod byddai wedi gadael yr hen fuwch wirion at ei fferau mewn llwch a mortar.

Ond roedd yna ffordd arall, fwy pleserus, o osgoi'r thermals a'r gwlân. Ac ar hynny yr oedd bryd Richard wrth iddo gyrraedd Minafon.

Roedd ar droi i mewn am y tŷ pan sylwodd ar y dyn a safai fel delw gyferbyn â rhif saith.

'Wedi cymryd ffansi ato fo ydach chi?' galwodd.

Ni chymerodd y dyn arno ei glywed. Craffodd Richard i'r llwyd olau. Dei Elis oedd o. Be gynllwyn oedd o'n ei wneud yn stelcian o gwmpas y lle? Aeth i fyny ato.

'Gweld colli'ch cymdogion, Dei Elis?' holodd.

Camodd Dei yn ôl â golwg euog arno, fel un wedi cael ei ddal ar berwyl drwg. 'D oedd yr hen lwynog rioed wedi bod yn hel o gwmpas Madge Parry? Y dyfroedd llonydd oedd y rhai dyfnaf, medden nhw.

'Mae 'ma le od heb Os,' meddai.

'Oes . . . rhyfadd iawn.'

'Ddon nhw ddim yn ôl, debyg?'

'Wn i ddim byd o'u hanas nhw,' yn finiog, rhy finiog o'r hanner.

'Gobeithio y caiff Madge well lwc na gafodd hi ym Minafon 'ma, b'le bynnag mae hi.'

Wrth iddo grybwll enw Madge gwelodd Richard wyneb Dei yn crebachu fel petai mewn poen. Roedd hynna wedi taro adra, felly. Ta waeth, ran'ny, ni fyddai yntau fawr o dro'n mynd i chwilio am flewyn glasach petai'n gorfod rhannu porfa efo Gwen Elis.

'Ydach chi am y Queens heno?' holodd, yn glên.

'Na . . . fawr o daro.'

'Finna chwaith. Amgenach petha'n galw. Hwyl i chi.'

Oedodd Dei yno am rai eiliadau wedi i Richard ei adael. Go damio'r dyn, roedd o'n siŵr o fod wedi amau rhywbeth. Ond 'd oedd o ddim yn un i bwyntio bys. A hyd yn oed petai wedi cael rhyw grap ni fyddai'r cyfan ond testun difyrrwch iddo. Deunydd tomen sgrap oedd y gorffennol i Dic Pŵal ac nid baich a oedd yn glynu wrth ddyn fel crwb ar gefn.

Daeth hwrdd sydyn o wynt a chlymu amdano fel weiren bigog. Â'r baich yn crymu ei ysgwyddau, gorfododd Dei ei hun i symud ymlaen am adref.

2

Pan ddychwelodd Emyr o'r ysgol y prynhawn hwnnw roedd y gegin yn stêm i gyd a Mati'n laddar o chwys yn ymgodymu â llond sinc o ddillad.

'Pam na phrynwch chi beiriant golchi, Mati?' meddai. 'Mi ddo' i'n siâr efo chi.'

'Well gen i olchi efo 'nwylo. Ac o leia, mi 'dw i'n deall be ydw i'n 'i 'neud yn fan'ma.'

'O diar, mi 'dach chi yn y felan eto.'

'Nac ydw, ddim o gwbwl,' yn chwyrn. 'O 'ngho ydw i, yn fwy na dim.'

'Efo pwy tro yma?'

'Pawb, a fi fy hun yn fwy na neb. Mi ddylwn fod wedi mynnu i Gwyneth aros yma.'

'Na ddylach, Mati. Mae'n rhaid inni roi amsar iddi.'

'O. Ac mi gawsoch air efo hi, felly?'

'Do.'

'Hy! Gobeithio i chi fod yn fwy llwyddiannus na fi.'

''D ydw i ddim yn siŵr. Ond mi wnes i addo y caech chi'r gwir yn do?'

'Hynny o werth sydd iddo fo bellach.'

Gwyliodd Emyr hi'n ymegnïo i wasgu dŵr o gynfas a honno'n cordeddu am ei braich, fel neidr.

'Mi 'dw i'n cymryd eich bod chi wedi ama fod Gwyneth a finna'n glòs ar un adag,' meddai'n dawel.

'Roedd hynny reit amlwg.'

'Roedd petha'n iawn rhyngon ni, yn well nag iawn ran'ny, nes i mi ymddeol o fod yn llywydd y Gymdeithas a gwrthod cymryd rhan yn y brotest. Mi wnes i 'ngora i egluro i Gwyneth, ond wfftio at y rheswm ddaru hi.'

'Ia, mae'n siŵr. Fedrodd hi rioed ddeall safbwynt neb arall.'

'Pan adawodd hi'r coleg wyddwn i ar y ddaear i b'le roedd hi wedi mynd. 'Ro'n i ym mhen fy nhennyn pan welais i'r hysbyseb yn y papur am swydd athro Hanes yn Ysgol Y Graig, ac mi feddyliais y byddai gen i well siawns o gael gafael arni yma nag yn unman arall.'

'Dyna ddaeth â chi i Finafon felly?' yn oeraidd.

'Wnes i ddim meddwl am funud y cawn i aros yma. Fedrwn i ddim credu fy lwc.'

'Mi fuo ond y dim imi â'ch gwrthod chi. Wedi i Lena fynd 'ro'n i ar goll yn llwyr. Y cwbwl o'n i isio'i 'neud oedd aros yn 'y ngwely drwy'r dydd, yn slwmbran a hel meddylia.'

'Y straen yn deud arnoch chi?'

'A'r euogrwydd.'

'Fe wnaethoch chi hynny fedrach chi iddi hi.'

'O ran dyletswydd.'

'Roedd o'n fwy na hynny, Mati.'

Wedi iddi ei bodloni ei hun na allai gael defnyn yn rhagor ohoni, rhoddodd Mati'r gynfas o'r neilltu, a gwthiodd ei breichiau i'r trochion. Teimlodd y gwres meddal yn cripian yn araf trwy'i chorff.

'Falla'ch bod chi'n iawn,' meddai. 'Roedd hi'n dibynnu arna i, am y tro cynta rioed . . . ac fe ddaeth hynny â ni'n nes rywsut.'

Â'r gydwybod effro yn ei blagio, meddai Emyr,

'Mae'n ddrwg gen i na fyddwn i wedi cyfadda cyn hyn, ond roedd gen i ofn i chi feddwl imi gymryd mantais arnoch chi.'

'Dyna wnaethoch chi 'te?'

'Ia, mae'n debyg.'

''D oes dim angan i chi deimlo'n euog. Mi 'dw i wedi diolch ganwaith na wnes i mo'ch gwrthod chi. Wn i ddim be fydda wedi dŵad ohona i. Ond mi 'dw i ar fai'n pwyso cymaint arnoch chi a ninna'n perthyn yr un dafn o waed.'

'Be sydd wnelo hynny â'r peth? P'run bynnag, mi 'dw inna'n pwyso arnoch chitha, mwy na 'dach chi'n 'i feddwl.'

'Ydach chi?' yn siriolach.

'O, ydw. Dyma'r unig gartra sydd gen i rŵan.'

Gobeithio y câi faddeuant am y celwydd golau yna, meddyliodd. Ond byddai iddo sôn am ei fwriad yn ei sigo. Fe adawai iddi gael ei thraed tani ac yna torri'r newydd yn raddol, rhag ei brifo. Byddai cael gadael y dref a oedd mor estron iddo heddiw ag oedd hi'r diwrnod cyntaf un, a chael anghofio'r eneth y bu ond y dim iddo ag andwyo'i ddyfodol o'i herwydd, yn rhyddhad. Ond gwyddai, yn ei galon, y byddai arno angen ei holl nerth i allu troi ei gefn ar y wraig hon a roesai ei phwysau arno a'i ffydd ynddo a gwyddai, hefyd, na allai byth gael gwared llwyr â'r euogrwydd o fod wedi ei defnyddio i'w bwrpas hunanol ei hun.

3

Disgwyl Richard draw'r oedd Eunice pan ganodd cloch y drws. Bu ond y dim iddi â'i hanwybyddu. Ond beth petai rhywun wedi galw â newydd am Brian? Yn gryndod i gyd, aeth i agor y drws ac ni wnaeth gweld Ron yn sefyll yno ddim i liniaru'r ias.

'Wyt ti ddim am 'y ngwahodd i i mewn?' gofynnodd.

'Disgwyl Richard draw'r ydw i.'

'O, ia? Cymryd gofal ohonat ti, ydi?'

'Roedd o wedi addo i Brei,' yn ffrwcslyd.

'Felly 'ro'n i'n dallt.'

'Fuoch chi'n 'i weld o?'

'Do. Roedd o'n siomedig na fyddat ti wedi mynd efo fi.'

'Mi 'dw i am fynd fory.'

'Falla y bydda'n well iti gadw draw am sbel.'

'Pam? Ydi o'n waeth?'

'Mi 'dw i yn meddwl y bydda'n well imi gael dŵad i mewn. Mae hi'n uffernol o anghyfforddus ar stepan drws.'

Symudodd Eunice i'r naill ochr. Camodd yntau'n hyderus i'r tŷ ac anelu am yr ystafell eistedd. Rhoesai Eunice brynhawn cyfan i'w chaboli ac edrychai ar ei gorau, y golau'n isel a'r fflamau yn llyfu'r simnai.

'Mm, clyd iawn.'

Crwydrodd Ron o gwmpas yr ystafell gan godi ambell addurn yma ac acw a'i droi a'i drosi'n ei ddwylo. Yna, daeth at y seidbord lle roedd llun o Brian a hithau, wedi ei dynnu ddiwrnod eu priodas.

'Chwith meddwl,' meddai.

Teimlai Eunice fel petai pob nerf yn ei chorff wedi ei ymestyn i'w eithaf.

'Plîs,' erfyniodd. 'Deudwch wrtha i be sydd wedi digwydd. Plîs.'

'O, ia, 'rhen Brei. Mi fuo'n rhaid imi ddeud 'chydig bach o wirionedda wrtho fo, mae arna i ofn.'

'Be 'dach chi'n 'i feddwl?'

''D ydw i ddim yn licio gweld mêt imi'n cael 'i dwyllo, yn enwedig a fynta'n wael.'

'Wn i ddim am be 'dach chi'n sôn.'

'Mae'n biti gen i ddifetha hwyl neb, ond mae arna i ofn fod dy gêm fach di a Dic Pŵal ar ben.'

''D oes 'na ddim byd . . .'

'Rŵan, cariad, 'd wyt ti ddim yn disgwyl imi gredu i hen hwrgi fel Dic Pŵal allu cadw'i ddwylo oddi ar beth mor handi â chdi.'

'Dim ond cadw llygad arna i mae o, nes daw Brei adra.'

'A dyna oedd o'n i 'neud drwy nos Sadwrn, ia?'

'Pa hawl oedd ganddoch chi i browla o gwmpas?'

'Mae'n iawn i Brei gael gwybod be sy'n mynd ymlaen. I be mae ffrindia'n da, ynte Eunice?'

'Ddaru chi ddim deud wrtho fo?'

'Roedd o'n ddyletswydd arna i ddeud.'

'Sut y gallach chi, a fynta mor wael?'

'Mi ddylat fod wedi meddwl am hynny. Ac mi wyt ti'n disgwyl Dic Pŵal draw heno, wyt?'

'Mi ddeudodd falla y bydda fo'n galw.'

'Faswn i ddim yn bancio ar hynny. 'D ydi'r hen Brei ddim mor ddiniwad â'i olwg 'sti. A fedri di ddim gwarafun iddo fynta gael dipyn o hwyl, yn na fedri?'

'Be 'dach chi wedi'i 'neud?'

'Dim ond gofalu am chwara teg i bawb. Ond mae 'na rai erill sydd ond yn rhy barod i sodro Dic Pŵal, un waith ac am byth.'

Er nad oedd eto wedi deall arwyddocâd ei eiriau sylweddolodd Eunice oddi wrth dôn fygythiol ei lais fod Richard mewn perygl. Symudodd yn llechwraidd am y drws ond fel yr oedd hi ar ei gyrraedd caeodd bysedd Ron am ei braich.

'Ara deg rŵan, cariad,' meddai'n gyfrwys.

'Mae'n rhaid imi fynd ato fo.'

'Waeth iti heb . . . mae hi'n rhy hwyr. Fydd Dic Pŵal fawr o werth i chdi na neb arall erbyn i'r bois yna ddarfod efo fo.'

Ceisiodd Eunice ei hysgwyd ei hun yn rhydd ond tynhâi ei afael arni po fwyaf yr ymdrechai hi.

'Gadwch imi fynd,' gwaeddodd.

'Fydda fiw imi 'neud hynny. 'Nae Brian byth fadda imi 'taswn i'n gadael iddyn nhw andwyo'r wynab bach del 'na.'

Gwthiodd hi'n ôl am y pared a gwasgu'i gorff yn ei herbyn. Gallai ei chymryd rŵan, ei orfodi ei hun arni, cael gwared â'r chwant a fu'n ysu'i gorff er pan welsai hi'r tro cyntaf hwnnw, yn y dref. Ond wrth i'r blys chwyddo o'i fewn gwelodd eto'r syfrdandod yn llygaid Brian yn caledu'n benderfyniad wrth iddo roi'r darn papur a'r rhif ffôn arno yn ei law a dweud,

'Dyma ti . . . y gwerth deg ceiniog gora ge'st ti rioed.'

Clywodd eto frôl y Sgowser yn y Queens gynnau a'i addewid y byddai'n barod unrhyw amser i ad-dalu'r ffafr. Ond roedd honno wedi ei thalu bellach. O, ia, tro Dic Pŵal oedd hi heno, ac fe wnâi'n fawr o hynny. Ond fe ddeuai ei thro hithau. A phan ddôi'r cyfle iddo ei meddiannu hi a bodloni'r chwant byddai ei ddial yn gyflawn.

4

Er y byddai'r llanastr a wnaethai'r Sgowser a'i fêts ar Richard wedi rhoi cryn foddhad i Ron byddai rhybudd olaf Nick—'You'd better get the brass, fast, or we'll do you for good next time'—wedi ychwanegu cryn lawer at y boddhad hwnnw. Wrth iddi drin ei friwiau'n dringar yr oedd meddwl Eunice yn gnotiog o gwestiynau. Daethai yma gynted ag y cawsai ei rhyddid, i gael Richard ar lawr a'i wyneb a'i ddillad yn strempiau o waed. Ond, drwy drugaredd, roedd ei olwg yn waeth na'i gyflwr. Eisteddai'n awr ar gadair wrth y bwrdd a gwyddai Eunice fod pob cyffyrddiad o'i heiddo, er mor ofalus oedd hi, yn wewyr iddo. Ond er na fynnai ychwanegu at ei loes byddai'n rhaid iddi gael ateb i rai o'r cwestiynau cyn iddyn nhw ei gyrru'n orffwyll.

'Pwy oeddan nhw, Richard?' holodd, yn dyner.

'Rhyw betha o Lerpwl. Roedd un ohonyn nhw'n rhedag busnas, gwerthu ceir ail law, ac mi ddaru 'mherswadio i i fynd i weithio efo fo. Mi ddylwn fod wedi ama mai wedi'u dwyn roedd y ceir . . . ond be 'nei di . . . 'd ydw i'n meddwl fod pawb mor onast â fi'n hun.'

'Pam na fasat ti'n mynd at y plismyn?'

'A finna wedi bod yn gweithio ar y ceir 'na am wythnosa?'

'Ond 'd oeddat ti ddim i wybod.'

'Wyt ti'n meddwl y bydda'r glas wedi 'nghredu i? A hyd yn oed 'taswn i wedi mentro fydda 'mywyd i ddim gwerth 'i fyw. 'D oedd 'na ddim imi i 'neud ond hel 'y nhraed odd'no. Maen nhw'n trio deud rŵan fod arna i bres iddyn nhw.'

Syllodd Eunice yn ofidus arno. Arni hi'r oedd y bai ei fod yn y cyflwr yma. Petai heb fod mor barod i dderbyn cynnig Ron, wedi rhoi ar ddeall iddo, o'r dechrau, nad oedd arni angen ei help, ni fyddai dim o hyn wedi digwydd.

'Mae gen i rywfaint o bres,' meddai'n swil. 'Dim llawar . . . ond mi cei di nhw.'

'A' i ddim i chwara i'w dwylo nhw, reit siŵr. 'D oes arna i'r un geiniog iddyn nhw.'

'Ond mi fedran ddŵad yn ôl.'

'Mi fydda i'n barod amdanyn nhw tro nesa, yn bydda?'

Estynnodd ei law iddi a'i thynnu ato.

'Diolch iti am dy gynnig. Sut daethon nhw o hyd imi . . . dyna liciwn i 'i wybod. Mae 'na rywun wedi fy siopio i, Eunice. Pwy fasa'n gneud peth fel'na? Ond mi ffeindia i allan, 'tae o'r peth ola wna i.'

Gorfododd Eunice ei hun i syllu i fyw ei lygaid ac meddai'n dawel,

'Mi wn i pwy ddaru.'

'Ond . . . sut aflwydd?'

Glynai'r geiriau'n ei llwnc. Sut y gallai egluro mai Brian, o bawb, a oedd wedi ei fradychu; Brian a fynnai fod rhyw dda ym mhawb ac na fyddai byth, o fwriad, yn achosi poen i neb?

'Deud wrtha i, Eunice?'

Daeth y geiriau, yn betrus i ddechrau, yna'n un ffrydlif.

'Ar y Ron 'na mae'r bai . . . fo ddeudodd wrth Brian amdanon ni . . . mynd yno'n fwriadol i ddeud. Fydda fo byth wedi gneud hyn 'i hun.'

'Brian roddodd wybod iddyn nhw?'

'Wn i ddim. Ia, mae'n rhaid . . . dyna ddeudodd Ron. Mi faswn i wedi dy rybuddio di, ond mi ddaru o fy rhwystro i.'

'Mi ddeudis i wrthat ti am gadw'n glir â fo.'

'Dŵad draw heno ddaru o. Mae gen i 'i ofn o, Richard.'

'Fydda i fawr o dro'n setlo'r llipryn yna.'

'Na, gad iddo fo. 'Nae o ddim ond dial arnat ti.'

'Well iddo fo beidio. Meddylia am y diawl drwg yn mynd draw i'r sanatorium i ddeud peth fel'na wrth ddyn gwael. Nid fod hynny'n 'i esgusodi ynta chwaith. Pwy fydda'n meddwl y galla Brian, o bawb, fod mor filan.'

'Mi 'dw i'n siŵr mai cael 'i orfodi ddaru o.'

'Falla wir. Ond mae'r drwg wedi'i 'neud 'd ydi?'

'Be wnawn ni, Richard?'

'Teimlo'n ffordd yn ara bach, debyg. Fedrwn ni ddim gadael iddyn nhw gael y gora arnon ni. Yli, adra ydi'r lle gora i ti rŵan.'

'Ond mi fydda'n well gen i aros efo chdi.'

'Rywdro eto, ia?'

'Ond . . .'

'Paid â dadla, 'na hogan dda.'

Llonydd i feddwl, dyna oedd ei angen rŵan; cael cyfle i geisio gwneud rhywfaint o synnwyr o'r holl smonach. Ond nid oedd Eunice ond prin wedi cyrraedd ei thŷ ei hun ac yntau heb allu cael gafael ar unrhyw ben llinyn pan ruthrodd Hyw Twm i mewn a golwg wedi rhusio arno. Safodd yn stond pan welodd y llygad du a'r gwefusau chwyddedig.

'Nefoedd fawr,' meddai, 'maen nhw wedi gneud llanast arnat ti, Pŵal.'

''Tasat ti wedi gweld y tri arall,' yn orchestol.

'Mi gwelis i nhw, yn y Queens rŵan . . . a'u clywad nhw. Dyna pam dois i draw. Roedd y stwcyn 'na wedi bod yn holi amdanat ti yno'r wythnos dwytha 'sti.'

Rhythodd Richard arno.

'Chdi ddeudodd wrthyn nhw lle i 'nghael i, ia'r ewach?' meddai'n fygythiol.

Camodd Hyw Twm yn ôl mewn dychryn.

'Na, Pŵal . . . chymrwn i mo'r deyrnas. Mi wnes i'n siŵr fod y Ron 'na'n 'i chau hi hefyd. Mi wyddost gymaint o hen geg ydi o. Ond fo gyrrodd nhw yma, fetia i di. Mi oedd rhif ffôn y boi 'na ganddo fo . . . mi gwelis i o'n 'i roi o'n 'i bocad.'

'Na, nid y fo chwaith.'

'Mi wyt ti'n gwybod pwy, felly?'

'O, ydw. Brian Murphy, drws nesa ond un.'

'Ond mae hwnnw'n sâl 'd ydi?'

'Ddim rhy sâl i godi ffôn . . . y Jiwdas gythral.'

'I be 'nae o beth felly?'

'Y Ron 'na aeth draw i'r sanatorium yn un swydd i ddeud wrtho fo 'mod i'n chwara o gwmpas efo'i wraig o.'

'Wyt ti?'

'Be wyt ti'n 'i feddwl ydw i? Fo ofynnodd imi edrych ar 'i hôl hi 'te.'

'Argol, mae pobol yn ddrwgdybus 'd ydyn?'

'Mi 'ro'n dwca drwyddat ti gystal ag edrych arnat ti.'
'Be oedd y petha Lerpwl 'na isio efo chdi?'
'Rhyw helynt efo chwaer un ohonyn nhw. Blydi merchad ydi'r drwg o hyd. Mi 'dw i wedi darfod efo nhw.'
'Tan tro nesa, ia, Pŵal?'
Cewciodd Richard arno trwy'i lygad iach.
'Synnwn i ddim nad wyt ti'n iawn,' meddai. 'Mae hi'n anodd ar y naw tynnu cast o hen stalwyn.'
A chwarddodd nes bod ei gorff yn merwino trwyddo. Sobrodd yn sydyn ac meddai,
'Byd rhyfadd ydi hwn, Hyw Twm.'
''D ydw i'n dallt mo'no fo 'sti.'
'Pwy sydd?'
Cododd Richard yn drwsgl a'i lusgo ei hun i'r gegin. Dychwelodd gyda chlamp o botel wisgi o dan ei gesail. Agorodd hi'n drafferthus a'i dal wrth ei wefusau. Llosgai'r hylif y briwiau agored ond lliniarodd y boen wrth iddo'i deimlo'n llifo'n boeth i lawr ei lwnc. Estynnodd y botel i Hyw Twm.
'Cym' joch o hwn,' meddai. 'Mi fydd yn gneud mwy o synnwyr wedyn.'
Erbyn iddynt wneud cyfiawnder â'r botel daethai geiriau proffwydol Richard yn wir ac nid oedd yr un dirgelwch na allent ei ddatrys na'r un broblem na allent ei gorchfygu.

5

Wrth iddi ymestyn tros y bwrdd i dywallt te i Dei cyffyrddodd bys Gwen â'r tebot a rhoddodd ebwch o boen.
'Ydi'r cefn yn dal i'ch poeni chi?' holodd yntau.
'Na, llosgi 'mys wnes i. 'D ydw i wedi teimlo dim oddi wrth 'y nghefn ers dyddia. Mi fydda mam yn deud bob amsar . . . meddwl iach, corff iach.'
'Roedd eich mam yn ddynas ddoeth, Gwen.'
'Oedd, mi roedd hi. Ac mi fydda'n ddolur calon iddi 'y ngweld i mor ddi-gapal. Mae gen i flys garw mynd nos Sul nesa.'
'Ia, ewch chi.'
'Isio madda ac anghofio sydd. 'D ydi rhywun ond yn gneud

drwg iddo'i hun wrth ddal dig. Waeth imi heb â gofyn i chi ddŵad efo fi, debyg?' yn obeithiol.

'Mi fyddwn fel 'sgodyn allan o ddŵr yno.'

'Mi fydda inna'n o chwithig, heb fod ers cymaint o amsar.'

'Buan iawn y dowch chi i arfar.'

'Ia, 'te. Mae hi'n bosib cynefino â phob dim. Mi gafodd mam druan 'i siâr o boena'r hen fyd 'ma ond mi fedrodd gyfri'i bendithion drwy'r cwbwl. Mi fedrwn ninna fforddio gneud hynny, Dei.'

'Medrwn, debyg.'

'Anghofia i byth mohoni'n deud wrtha i pan sonias i wrthi ein bod ni am briodi—"Mi wyt ti wedi cael dyn lynith wrthat ti am d'oes," medda hi.'

Cododd Dei a chroesi am y ffenestr.

'Choelia i byth nad ydi hi wedi nosi'n gynt heno,' meddai.

'Mae'n dda gen i weld diwadd yr ha' bach 'na. Llwynog o beth ydi o.'

'Ia, 'dach chi'n iawn, Gwen. A ninna mor hawdd ein twyllo.'

'Rhai ohonon ni 'te.'

Daeth ato a chraffu allan i'r cyfnos.

'Pwy oedd hwnna 'dwch?' holodd, yn sydyn.

'Hyw Twm. Ar 'i ffordd i weld Dic Pŵal mae'n debyg.'

'Mae hwnnw wedi bod yn dawal iawn yn ddiweddar. Hen bryd iddo fo gallio. Mae petha'n dechra dŵad i drefn ym Minafon 'ma, Dei.'

Trodd ei golygon oddi wrth y ffenestr a gwenu arno.

'Llechan lân, dyna ddeudoch chi 'te?' meddai.

'Ia, dyna ddeudis i.'

'A chaiff neb 'neud stomp ohoni chwaith . . . mi wna i'n siŵr o hynny. Tynnwch yr hen gyrtan 'na inni gael llonydd.'

Yn ddiogel yn ei byd bach ni sylwodd Gwen ar yr ochenaid na lwyddodd Dei i'w mygu wrth iddo gau'r llenni ar y nos. Allan acw, yn rhywle, yr oedd y ferch a ddewisodd droi ei chefn arno a'i rhoi ei hun yn gyfan gwbl i'r plentyn a genhedlwyd mewn cariad ac a dyfodd i fod yn fur diadlam rhyngddynt. Fe âi'n ôl i'r Rhosydd a'i fwrw ei hun i'w waith. Ond i b'le bynnag yr âi, beth bynnag a wnâi, byddai rhan ohono ar goll a'r rhan honno'n eiddo am byth i'r ferch efo'r llygaid meddal a fu'n echel ei fywyd am ugain mlynedd.

6

Yn hwyr y noson honno baglodd Richard Powell a Hywel Thomas Griffiths tros riniog rhif pedwar i nos Minafon. Ag un fraich ddolurus am ysgwydd ei gyfaill meddai Richard,

'Tyd 'laen, Hyw Twm . . . mi a' i â chdi adra'n saff.'

Bytheiriodd Hyw Twm yn uchel ac meddai'n fyngus,

'Fiw iti, Pŵal. Mae Magi am dy waed di.'

'Yli, os medris i setlo tri Sgowsar mi fedra i setlo Magi chdi.'

Herciodd y ddau ymlaen, y dall yn arwain y dall. Fel yr oedden nhw'n mynd heibio i dŷ Mati Huws arafodd Richard a dechreuodd ganu,

'Hogia ni, hogia ni . . .'

Ymunodd Hyw Twm yn y gân gan slyrio'i eiriau a bytheirio ar yn ail.

'Hogia ni, hogia ni, 'd oes 'r un diawl a fedar guro hogia ni . . .'

Cipiodd y gwynt eu geiriau fel dail a'u cludo i'w ganlyn. Syrthiodd rhai i ddŵr yr afon i gael eu dwyn efo'r lli i lawr i'r Cwm lle bu Dei Elis a Gwyneth yn chwilio am lonyddwch ac Emyr yn ceisio ymgodymu â'i lwfrdra. Cariwyd eraill i fyny am y Domen Ddu a fu'n dyst i lafur cenedlaethau o grefftwyr a oedd yn ymfalchïo yn eu gwaith. Glaniodd y gweddill ym Minafon a glynu wrth ddrws a rhiniog a chwarel ffenestr heb amharu dim ar gwsg potes maip Gwen Elis a Mati Huws na chyntun esmwyth Emma Harris. Ni chlywodd Katie Lloyd nac Eunice Murphy mo'u siffrwd chwaith er bod cwsg yr un mor bell o gyrraedd y naill a'r llall.

Ond yn eu blaenau'r aeth Dic Pŵal a Hyw Twm i roi Magi, a'r byd, yn ei le.